ISBN 978-0-260-99452-3
PIBN 10999308

FB &c Ltd, Dalton House, 60 Windsor Avenue, London, SW19 2RR.
Company number 08720141. Registered in England and Wales.

For support please visit www.forgottenbooks.com

Die

Krankheiten des Ohres

und

deren Behandlung.

Von

Dr. Arthur Hartmann
in Berlin.

Vierte, verbesserte und vermehrte Auflage.

Mit 45 Holzschnitten.

BERLIN
VERLAG VON FISCHER'S MEDICINISCHE BUCHHANDLUNG
H. Kornfeld.
1889.

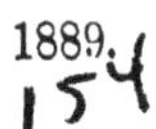

Vorwort zur ersten Auflage.

Bei Verfassung der vorliegenden Arbeit hatte ich die Absicht einen kurzen Abriss der Erkrankungen des Hörorganes und deren Behandlung zu geben und alle die Erfahrungen zusammenzustellen, welche für den praktischen Arzt von Wert sind, der sich mit der Behandlung dieser Leiden befassen will, ohne dieselben zum Gegenstand eines speciellen, eingehenden Studiums machen zu wollen. Wer das letztere beabsichtigt, wird in den vorhandenen Lehrbüchern von v. Tröltsch, Politzer, Urbantschitsch, Gruber gute Führer sich verschaffen können und wird besonders auf das Studium der Originalliteratur angewiesen sein. Ich ging von der Ansicht aus, dass eine Darstellung der Gehörleiden in knapper Form mit besonderer Hervorhebung des praktisch Wichtigen eine gute Aufnahme finden würde. Bei einer auf diese Weise dem praktischen Bedürfniss entsprechenden Darstellung konnte Manches, was noch in den Kreis der schwach gestützten Hypothesen gehört, und Manches, was mir dem beabsichtigten Zwecke nicht zu entsprechen schien, weggelassen oder nur angedeutet werden.

Es war ursprünglich meine Absicht gewesen auf anatomische Betrachtungen zu verzichten, ich sah mich aber doch veranlasst, in der Einleitung zu den einzelnen Kapiteln einen kurzen anatomischen Ueberblick zu geben, so weit mir derselbe erforderlich erschien, um dem Leser das wieder vor Augen zu führen, was zum Verständniss der pathologischen Verhältnisse nötig ist. Wer sich mit der Anatomie des Ohres und mit der Entwicklungsgeschichte eingehend beschäftigen will, den verweise ich auf die oben erwähnten Lehrbücher der Ohrenheilkunde und auf die anatomischen Werke.

Bei der Besprechung der verschiedenen Erkrankungen habe ich meine eigenen Erfahrungen verwertet, durch welche ich im Stande war, die bisherigen Anschauungen und Mitteilungen zu kontrolliren, und habe ich bei der Behandlung hauptsächlich diejenigen Methoden hervorgehoben, welche sich mir praktisch bewährt haben und welche ich daraufhin glaubte, als brauchbar empfehlen zu dürfen.

Berlin, im August 1881.

Vorwot zur vierten Auflage.

In der vorliegenden vierten Auflage dieses Buches wurde wieder Manches umgeändert, Manches hinzugefügt. Neben einer grossen Anzahl von kleineren Abänderungen und Ergänzungen wurden im Kapitel I die neueren Erfahrungen über die Hörprüfung eingefügt. Im Kapitel III wurde der Einfluss der Nasenerkrankungen, insbesondere der adenoiden Wucherungen stärker hervorgehoben. Im Kapitel III wurde die Cystenbildung in der Ohrmuschel als besondere Erkrankung aufgeführt. Bei der akuten Mittelohrentzündung (Kapitel VIII) wurden die neueren Untersuchungen insbesondere von Zaufal über die Bedeutung der Bakterien berücksichtigt, bei der chronischen Mittelohreiterung die Perforation der Shrapnellschen Membran eingehender besprochen. Sodann erfuhr der Abschnitt über Hirnabscess wesentliche Umänderungen. Im Kapitel X fanden die Missbildungen eine neue Bearbeitung.

Ich hatte die Freude, dass die dritte Auflage ins Englische und ins Italienische übersetzt wurde und dass das Erscheinen einer französischen Uebersetzung der neuen Auflage noch in diesem Jahre zu erwarten ist.

Berlin, im März 1889.

Dr. Arthur Hartmann.

Inhalt.

Kapitel V.

Kapitel VI.

Kapitel VII.

Kapitel VIII.

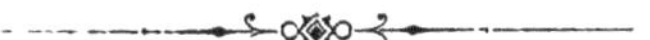

Geschichtliches.

Die älteste Erwähnung von Krankheiten des Ohres findet sich nach einer interessanten Mitteilung von Prof. Brugsch auf einer in der ägyptischen Sammlung des Berliner Museums befindlichen altägyptischen Papyrusrolle. Brugsch glaubt, dass dieselbe unter der Regierung Ramses II., des Adoptivvaters des jüdischen Gesetzgebers Moses, d. i. im 14. Jahrhundert vor unserer Zeitrechnung, abgefasst sei. In dieser Papyrusrolle, hauptsächlich medicinischen Inhalts, finden sich zwei vollständige Recepte gegen Ohrenleiden. Ein „Mittel, um zu beseitigen die Schwere im Ohre", ein „anderes Mittel, um zu vertreiben den Aussatz an beiden Ohren". Ausserdem enthält die Rolle noch die Bemerkung, „zwei Röhren befinden sich im rechten Ohre, durch welche die Lebensluft eintritt, und zwei Röhren im linken Ohre, durch welche die Luft (sic) eintritt".

Bei Hippocrates (geb. um das Jahr 460 v. Chr., gest. im Jahre 377) werden die Krankheiten des Hörorganes schon in ziemlicher Ausführlichkeit besprochen. Für das Auftreten derselben haben entsprechend seinen sonstigen humoralpathologischen Anschauungen die Hauptbedeutung der Schleim und die Galle. Hippocrates scheint der erste gewesen zu sein, der das Trommelfell gekaunt hat, er spricht von demselben als einem sehr trockenen, dünnen, wie ein Spinnengewebe aussehenden Häutchen. Gegen akute Entzündungen mit heftigen Schmerzen empfiehlt er strenge Diät, Einträufelungen von Oel und Bähungen mit Schwämmen, die in heisses Wasser getaucht sind. Die Otorrhoe wurde von ihm für eine Krankheit des Kopfes und Herabfliessen des Schleimes aus demselben gehalten.

Von den Empirikern des 3. Jahrhunderts v. Chr. hatte Apollonius eine grosse Anzahl von Mitteln gegen Ohrenleiden im Gebrauch. Unter anderen Opium gegen Ohrschmerz, Bittermandelöl gegen Flöhe und Würmer im Ohre. Fremde Körper wurden von ihm mit Ohrlöffeln, Pincetten, Häkchen und Sonden entfernt, auch gab er schon an, wie man das verhärtete Ohrenschmalz zu erweichen und das Ohr mit lauem Wasser oder Oel zu reinigen habe.

Celsus macht in seiner kompilatorischen Bearbeitung der Medicin (zur Zeit Christi Geb.) darauf aufmerksam, dass die Ohrenkrankheiten viel gefährlicher sind, als die Augenkrankheiten, da sie bisweilen zur Verrücktheit und zum Tode führen: „Ergo ubi primum dolorem aliquis sensit, abstinere et continere se debet.“ Er unterscheidet den angeborenen und den durch Ulcerationen erworbenen Verschluss des äusseren Gehörganges; nur bei membranösem Verschluss, welcher mit der Sonde festgestellt wird, soll operirt werden. Die Operation wird ausgeführt mit Aetzmitteln, dem Glüheisen oder dem Messer, die so hergestellte Oeffnung soll durch einen Federkiel, der mit einer die Vernarbung befördernden Salbe bestrichen ist, offen erhalten werden. Celsus giebt eine gute Anweisung über die Entfernung von Fremdkörpern. Ins Ohr gekrochene Flöhe sollen mit Wolle, die mit klebrigen Stoffen getränkt ist, gefangen werden. Leblose Körper werden durch kräftiges Ausspritzen mit der Ohrspritze (auriculario clystere) oder mit der Sonde oder einem gekrümmten stumpfen Haken ausgezogen (specillo auriculario aut hamulo retuso paulum recurvato protrahendum est). Ein nicht unzweckmässiges Verfahren besteht ferner darin, den Patienten auf einen Tisch liegen zu lassen, das Ohr mit dem Fremdkörper nach der Platte gerichtet; wird mit dem Hammer auf den Tisch geklopft, so fällt heraus, was darin ist. Zerrissene Ohrläppchen werden nach Celsus durch die blutige Naht vereinigt, auch wird schon der plastischen Operation zum Ersatz von Substanzverlusten gedacht.

Bei Galen von Pergamon (131—210 n. Chr.) werden neben seinen anatomischen und physiologischen Mitteilungen auch die Ohrenkrankheiten sehr eingehend behandelt. Er teilt dieselben in 5 Classen nach den Symptomen: 1) *Ωταλγία*, auris dolor., 2) *Βαρυηκοΐα*, auditus gravitas, 3) *Κωφότης*, surditas, 4) *Παρακοῦσις* s. *παρακοή*, obauditio, 5) *Παρακούσματα*, auditus hallucinationes. Galen stellt bestimmte Grundsätze für die Behandlung der einzelnen Krankheiten auf und polemisirt gegen die bei der Behandlung von Ohrenkrankheiten roh empirisch verfahrenden Aerzte. Er warnt vor der damals sehr verbreiteten Anwendung des Opiums. Gegen Otorrhoe finden Galläpfel und Alaun Erwähnung. Stets soll mit den mildesten Mitteln begonnen und erst allmälig zu den stärkeren übergegangen werden. Galen gab zuerst eine genaue Beschreibung des Gehirnes und der Gehirnnerven, darunter des Acusticus.

Der bedeutendste Arzt aus der nach-galenischen Periode war Alexander von Tralles in Lydien (525—605 n. Chr.). Derselbe unterscheidet bereits eine äussere und eine innere Ohrentzündung und macht auf die Gefahren der letzteren aufmerksam, da das Gehirn in Mitleidenschaft gezogen werden könne. Er beobachtete durch fremde Körper verursachte Ohrentzündungen mit Konvulsionen. Bei diesen Entzündungen soll zuerst Oel eingeträufelt werden und erst nach Ablauf der Entzündung der dann leichter auszuziehende Fremdkörper entfernt werden. Zu seiner Zeit waren schon die verschiedensten Hörrohre in Gebrauch.

Nach Paul von Aegina (7. Jahrhundert) soll, wenn die Entfernung von Fremdkörpern auf andere Weise nicht gelingt, der schon von Hippocrates vorgeschlagene halbmondförmige Einschuitt in den Gehörgang hinter der Ohrmuschel gemacht werden.

Von den arabischen Aerzten empfiehlt Rhazes (850—932 n. Chr.) das Ohr stets bei Sonnenlicht zu untersuchen. Abul Kasem (gest. 1106 n. Chr.) wandte bei seiner grossen Vorliebe für das Glüheisen dasselbe auch gegen Ohrschmerz an, rings um das Ohr herum an 10 verschiedenen Stellen, die vorher mit Tinte bezeichnet wurden. Auch Verwachsungen in der Tiefe des Gehörganges wurden von ihm mit dem Glüheisen zerstört.

Am Ende des Mittelalters und zu Anfang unseres Zeitalters spielten unter den Medikationen gegen Ohrenkrankheiten Ochsengalle, Frauenmilch, verschiedene Sorten von Urin und sonstige unappetitliche Flüssigkeiten eine Hauptrolle. Bei männlichen Kranken soll der Urin von männlichen, bei weiblichen der von weiblichen Tieren angewandt werden. Serapion, der gegen Ohrenzwang der Kinder Frauenmilch empfiehlt, giebt an, dass, wenn das leidende Kind ein Knabe ist, die Milch von einem Weibe kommen muss, das ein Mädchen säugt. — Gadesden führt gegen Ohrentönen ein von einem Quacksalber angewandtes Mittel an, eine Röhre in den Gehörgang zu stecken und durch eine gemeine Person daran saugen zu lassen. Dasselbe soll auch bei Ohreneiterung geschehen. — Wilhelm von Saliceto (gest. 1277 n. Chr.) bindet die Fleischgewächse im Gehörgange mit einem seidenen Faden oder einem Pferdehaare ab, worauf man die Wurzel brennen solle. — Bei Peter de la Cerlata (gest. 1423 n. Chr.) findet sich die erste Notiz über die Benutzung eines Ohrspekulums zur Untersuchung und Erweiterung des Gehörganges (per inspectionem ad solem trahendo aurem et ampliando cum speculo aut alio instrumento).

Während im Alterthum und im Mittelalter nur die Erkrankungen des äusseren Ohres berücksichtigt wurden und man sich damit begnügte, die übrigen Störungen als abnorme Verrichtung der „eingeborenen Luft" aufzufassen, durch deren Vermittlung nach Aristoteles das Hören stattfinden sollte, finden wir mit dem 16. Jahrhundert Hand in Hand mit den sontigen anatomischen und physiologischen Fortschritten auch eine bessere Kenntniss des Hörorganes und seiner Krankheiten. Einerseits ist es Fallopia (1523—1562), der sich durch seine anatomischen Untersuchungen besondere Verdienste erwarb. Er giebt eine ausführliche Beschreibung des Labyrinthes, wo er die beiden Fenster und die Halbcirkelkanäle entdeckte, und der Trommelhöhle, der er ihren Namen gab. Insbesondere beschrieb er den nach ihm benannten Kanal des Facialis. Andererseits trug Eustachi, gest. 1570, in hervorragender Weise zur Bereicherung der Kenntnisse des Hörorganes bei. Er entdeckte die beiden Binnenmuskeln des Ohres und den nach ihm benannten Verbindungskanal zwischen Trommelhöhle und Rachen. Zur Untersuchung des Ohres empfiehlt Fallopia einen Ohrspiegel. Bei fleischigen Auswüchsen und Polypen soll eine bleierne Röhre bis zu denselben vorgeschoben und sollen dieselben mit einer in Schwefelsäure getauchten Wiecke geätzt werden.

Der ausgezeichnete Anatom Andreas Vesalius (1513—1564) beschrieb zuerst die Gehörknöchelchen, jedoch nur den Hammer und Ambos. Ingrassias (1510—1580) fand erst später das dritte Gehörknöchelchen, das er als Steigbügel bezeichnete.

Hieronymus Capivacci spricht bereits von Verdickung, Geschwüren und Narben des Trommelfells und macht darauf aufmerksam, dass durch Verletzung der Gehörknöchelchen keine Taubheit entstehe. Er ist ausserdem der erste, welcher die Kopfknochenleitung zur Differentialdiagnose benutzt zwischen Taubheiten, welche auf einer Erkrankung des Trommelfells, und solchen, die in dem erloschenen Empfindungsvermögen des Hörnerven ihren Sitz haben. Herkules Sassonia glaubte, dass durch Zerreissung des Trommelfells das Gehör vollständig aufgehoben werde, eine Ansicht, die später von Willis durch Versuche an Hunden widerlegt wurde. Angeschwollene Bohnen sollen mit einem glühenden, durch eine Röhre eingebrachten Draht verkleinert werden. Koyter sprach zuerst die Ansicht aus, dass sich der Schall vom Trommelfell durch die Gehörknöchelchen auf das Labyrinth fortpflanze. Eine wesentliche Bereicherung erfuhr die Ohrenheilkunde durch das treffliche Werk Du Verneys (Traité de l'organe de l'ouïe contenant la structure, les usages et les maladies de toutes les parties de l'oreille Paris 1683). Er betrachtet das Ohrentönen nicht mehr als ein für sich bestehendes Leiden, wie dies früher ausschliesslich geschehen war, sondern nur als ein Symptom von Gehirnleiden oder der verschiedenen Ohrkrankheiten. Ausserdem bekämpft er aus anatomischen Gründen die bisher allgemein verbreitete Anschauung, dass das Sekret der Otorrhoe aus dem Gehirn stamme. Die Funktion des Trommelfells besteht nach ihm darin, dass es nach der Stärke des Schalles entweder angespannt oder erschlafft wird. Die Schnecke mit ihren von der Basis bis zur Spitze allmälig an Länge abnehmenden Nerven betrachtete er als ein mit vielen Saiten bezogenes Instrument, das dazu diene, die Töne abzumessen und ihre Unterschiede bemerkbar zu machen. Die Ansicht, dass sich im Labyrinthe eine Menge von Saiten befinde, welche bei jedem Ton in harmonische Schwingungen geraten, wurde auch von le Cat, Boerhaave u. A. ausgesprochen. Der Letztere stellte ausserdem die Ansicht auf, dass das Trommelfell bei den höheren Tönen stärker, bei den tieferen schwächer gespannt sei.

Ein grosses Verdienst um die Anatomie und Pathologie des Ohres erwarb sich Valsalva durch seine ausgezeichnete Arbeit De aure humana tractatus, Bonnonia 1704, worin er auf Grund von über 1000 Sektionen eine sehr eingehende Beschreibung des äusseren und mittleren Ohres, sowie des Labyrinthes giebt und den bisherignn Entdeckungen manches Neue beifügt. Als eine häufig nicht erkannte Ursache der Taubheit bezeichnete er das verhärtete Ohrenschmalz. In einem Falle beobachtete er als Ursache der Taubheit Verwachsung der Grundfläche des Steigbügels mit dem Vorhoffenster. Als bestes Mittel, um Eiter aus dem Ohre zu entfernen, empfiehlt er bei verschlossenem Mund und Nase Luft durch die Eustachische Röhre zu pressen, ein Verfahren, das nach ihm den Namen Valsalva'scher Versuch erhalten hat. Er macht darauf aufmerksam, dass die Ursache der Taubheit häufiig in einer Verstopfung der Eustachischen Röhre liege und erwähnt einen Mann, bei dem durch einen Nasenpolypen, der sich bis zum Zäpfchen erstreckte, die Tubenmündung verschlossen und Taubheit erzeugt wurde. Trotzdem Schellhammer schon früher (1684) das richtige Verhalten erkannt hatte, war Valsalva noch der Anschauung, dass das Labyrinth mit Luft gefüllt sei. Erst später lieferte Cotunni den sicheren Nachweis, dass dies nicht der Fall ist.

Im Jahre 1750 schlug der Engländer Cleland den Katheterismus der Eustachischen Röhre vor, vermittelst einer durch die Nase eingeführten silbernen Röhrensonde, durch welche er Luft und Flüssigkeit in die Tuba trieb. Er gab dadurch den ersten Anstoss zu einer rationellen Therapie der Ohrenkrankheiten. Vielfach wird der Postmeister Guyot in Versailles als Erfinder des Katheterismus bezeichnet. Derselbe brachte eine knieförmig gebogene Röhre vom Munde aus in die Gegend der Tubenmündung, durch welche er Flüssigkeit in die Gegend der Eustachischen Röhre trieb; es ist jedoch keineswegs sicher gestellt, dass es ihm gelaug, in die Röhre selbst zu injiciren. Die Technik des Katheterismus wurde später besonders durch Deleau, Itard und Kramer ausgebildet.

Treviranus stellte die Ansicht auf, dass ohne eine freie Cirkulation die Luft der Trommelhöhle sehr bald sich in eine Mischung von Stickgas und kohlensaurem Gas umwandeln müsse.

J. L. Petit gab zum ersten Male eine ausführliche Beschreibung der kariösen Processe des Schläfebeins (1724) und rieth, den Warzenfortsatz mit dem Exfoliativtrepan anzubohren. In einem Falle nahm er mit Hammer und Meissel so viel vom Fortsatze weg, dass der Sitz des Eiters blossgelegt war und Heilung eintrat. Schon vor ihm war von Riolan (1649) die Durchbohrung des Warzenfortsatzes vorgeschlagen bei Taubheit und Ohrensausen, herrührend von Verstopfung der Eustachischen Röhre. Morand trepanirte das kariöse Schläfebein bei einem eiterigen Ausflusse aus dem Ohre, öffnete die Hirnhaut, unter der der Eiter seinen Sitz hatte, legte eine Röhre in die Trepanöffnung und heilte den Kranken. In Deutschland war es der Militärchirurg Jasser, welcher bei einem Soldaten die künstliche Eröffnung des Warzenfortsatzes auf beiden Seiten mit günstigem Erfolge ausführte. Später kam die Operation in Misskredit, da ein dänischer Arzt durch Eröffnung der Schädelhöhle ein Opfer derselben wurde.

Cotunni (1736—1822) lieferte zuerst den sicheren Nachweis, dass das Labyrinth Flüssigkeit enthalte, während bis zu seiner Zeit die aristotelische Ansicht galt, dass dasselbe mit Luft gefüllt sei. Er entdeckte die beiden Aquaedukte und glaubt, dass dieselben den Zweck haben, die Labyrinthflüssigkeit ausweichen zu lassen, um den Nerven vor zu starken Erschütterungen zu bewahren.

Durch die zufällige Zerreissung des Trommelfells bei einem Schwerhörigen durch einen Ohrlöffel, was die Wiederherstellung des Hörvermögens zur Folge hatte, war schon Riolan veranlasst worden die Frage aufzuwerfen, ob nicht eine künstlich herzustellende Oeffnung im Trommelfelle gegen Taubheit versucht werden könnte. Cheselden wollte die Operation an einem zum Tode Verurtheilten ausführen, der dafür begnadigt werden sollte. Da jedoch dieser Plan allgemeinen Unwillen erregte, musste er auf die Ausführung verzichten. Zuerst wurde die Operation von Astley Cooper im Jahre 1800 ausgeführt und wurde sie daraufhin rasch in ganz Europa eingebürgert, indem versucht wurde, überall die Schwerhörigen und sogar die Taubstummen durch diese Operation von ihrem Leiden zu befreien.

Nachdem so im vorigen Jahrhundert die anatomischen und physiologischen Forschungen bezüglich des Hörorganes bedeutende Fortschritte gemacht hatten, war es unserem Jahrhundert vorbehalten, mit Hilfe pathologisch-anatomischer Erfahrungen, Hand in Hand mit der sorgfältigen Beobachtung der Lebenden, die Ohrenheilkunde auf den Standpunkt zu erheben, auf dem sie jetzt steht, indem einerseits unsere Diagnostik sichere Grundlagen, andererseits unsere Therapie bestimmte Angriffspuukte gewann. In Frankreich sind es Itard und Deleau, in England Wilde und Toynbee, in Deutschland Lincke und Kramer, welche sich in der ersten Hälfte unseres Jahrhunderts besondere Verdienste um die Entwickelung der Ohrenheilkunde erworben haben.

Für die wissenschaftliche Entwickelung der Ohrenheilkunde der neueren Zeit war von grosser Bedeutung die Gründung der diesem Gebiete der Medicin speciell gewidmeten Zeitschriften, in welchen wir alle wichtigen Arbeiten gesammelt finden. Es wurde das Studium des Faches dadurch erleichtert und wurde Anregung gegeben zu neuen Forschungen. Das älteste dieser Organe ist das Archiv für Ohrenheilkunde, 1864 durch von Tröltsch, Politzer und Schwartze gegründet. Zu diesem trat im Jahre 1869 die zuerst einen Theil des Archivs für Augen- und Ohrenheilkunde bildende, später selbstständig erscheinende Zeitschrift für Ohrenheilkunde, herausgegeben von Knapp und Moos. Die Zeitschrift erscheint gleichzeitig in deutscher und englischer Sprache. Ausser diesen beiden ausschliesslich mit Ohrenheilkunde sich befassenden Zeitschriften (das American Journal of Otology hat nach vierjährigem Bestehen aufgehört zu erscheinen) bestehen in Deutschland und den anderen Ländern noch eine Reihe von Journalen, welche der Laryngologie und Otologie gemeinschaftlich gewidmet sind.

Capitel I.

Diagnostik.

1. Besichtigung des äusseren Gehörganges und des Trommelfells.

Die Besichtigung des äusseren Gehörganges und des Trommelfelles kann in zweierlei Weise vorgenommen werden. Zum Zwecke einer oberflächlichen Untersuchung bei einigermassen weitem Gehörgange kann die Besichtigung stattfinden ohne Anwendung von Instrumenten. Für gewöhnlich muss, um einen guten Ueberblick zu gewinnen, der Ohrtrichter und reflektirtes Licht benutzt werden.

a) Besichtigung ohne Anwendung von Instrumenten.

Der zu Untersuchende stellt sich so gegen die Lichtquelle, Fenster oder Lampe, dass die Lichtstrahlen in der Richtung der Gehörgangsachse auf das zu untersuchende Ohr fallen. Die Ohrmuschel wird nun mit der einen Hand nach hinten und aussen gezogen und dadurch die Krümmung des Gehörganges ausgeglichen, während man gleichzeitig sucht, den Tragus mit dem Daumen der zweiten Hand nach vorn zu drängen. Neben dem Kopfe des Beobachters fallen die Lichtstrahlen in's Ohr und es kann häufig, besonders bei Kindern, auf diese Weise der ganze Gehörgang und das Trommelfell ohne irgend welche Instrumente übersehen werden.

b) Spekularuntersuchung mit reflektirtem Licht.

Da es in vielen Fällen in der ad a) angegebener Weise nicht gelingt, das Trommelfell der Besichtigung zugänglich zu machen, indem sich der Tragus vor die Mündung des Gehörganges legt, oder die an der Gehörgangsmündung befindlichen Haare den Eingang versperren, sind Instrumente erforderlich, welche die Gehörgangswände auseinander halten. Während früher besonders das Kramer'sche zweiblättrige Ohrspekulum zu diesem Zwecke benutzt wurde, finden jetzt nur die einfacheren, cylindrisch-konischen Ohrtrichter Anwendung. Dieselben werden aus Hartkautschuk oder Metall (Silber und Neusilber) angefertigt. Je nach der Weite des

Gehörganges werden drei verschiedene Grössen dieser Ohrtrichter benutzt (vergl. Fig. 1).

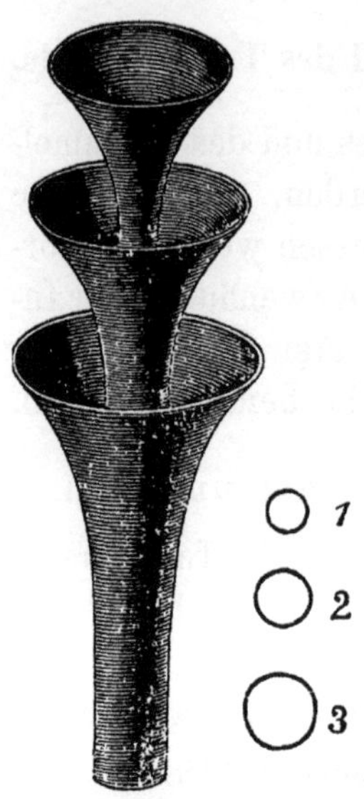

Fig. 1.

Von manchen Ohrenärzten werden noch die von Wilde zuerst empfohlenen konischen Trichter benutzt, doch ist selbst Tröltsch, der sie in Deutschland eingeführt, schon längst zu der Anwendung der cylindrisch-konischen übergegangen. Die letzteren können bei Kindern und bei Verengerungen im äusseren Teil des Gehörganges nicht entbehrt werden.

Vielfach wurden Versuche gemacht, an den Ohrtrichtern Vergrösserungsvorrichtungen, Glaslinsen anzubringen, durch welche das gewonnene Bild vergrössert gesehen werden soll. Da für die Anforderungen der Diagnose und der Behandlung die Untersuchungsmethode mit dem einfachen Trichter und reflektirtem Lichte in allen Fällen ausreichend ist, erscheinen diese Vorrichtungen zwecklos.

Bei dem Brunton'schen Spiegel, den ich in Frankreich und in Italien noch vielfach in Verwendung sah, ist der Ohrtrichter vermittelst einer Metallhülse mit dem reflektirenden Spiegel in Verbindung gebracht. Da dieser Spiegel nur die Besichtigung und nicht die gleichzeitige Einführung der Instrumente gestattet, kann bei Anwendung desselben weder eine gründliche Untersuchung, noch eine rationelle Behandlung vorgenommen werden.

Die Einführung des Trichters soll für den Patienten immer vollständig schmerzlos sein, abgesehen von Fällen von Entzündung des äusseren Gehörganges, wo dieselbe nur mit grosser Vorsicht anzuwenden ist. Sie wird folgendermassen vorgenommen. Die Ohrmuschel wird zwischen Ring- und Mittelfinger der linken Hand gefasst, nach hinten und aussen gezogen, der Ohrtrichter mit der rechten Hand eingeführt und mit Daumen und Zeigefinger der linken Hand am Rande festgehalten. Wird nun beleuchtet, so kann man sich durch Verschiebung des Trichters nach unten, oben, hinten oder vorn die tieferliegenden Teile zur Anschauung bringen. Durch diese Verschiebungen, nicht durch tieferes Einführen, können die verschiedenen Teile des Trommelfells und des äusseren Gehörganges zur Anschauung gebracht werden. Es ist dabei zu beachten, dass nicht mit dem äusseren Trichterende allein diese Verschiebungen ausgeführt werden, sondern dass der Trichter in seiner ganzen Länge gehoben und gesenkt wird und mit ihm der membranöse Teil des äusseren Gehörganges. Wird auf diese Weise verfahren, so wird dem Patienten durch die Untersuchung nie Schmerz verursacht werden.

Ist der Trichter eingeführt, so genügt es in der Regel nicht, das Licht direkt in den Gehörgang fallen zu lassen, es wird vermittelst eines in seiner Mitte durchbohrten Spiegels in denselben reflektirt.

Als Lichtquelle genügt gutes Tageslicht oder die Flamme einer guten, d. h. mit grossem Brenner und zweckmässiger Luftzuführung versehenen Gas- oder Petroleumlampe. Das Licht wird verstärkt, wenn über die Flamme ein mit Ausschnitt versehener Metall- oder Thoncylinder gestülpt wird. Bei der Untersuchung ist das Ohr des Untersuchten der Lichtquelle abgewandt und es werden die zur Seite seines Kopfes auf den Spiegel des Beobachters fallenden Lichtstrahlen in das Ohr reflektirt. Wird zur Untersuchung eine Lampe verwandt, so wird dieselbe auf der rechten Seite des zu Untersuchenden in gleicher Höhe mit dem Ohre aufgestellt.

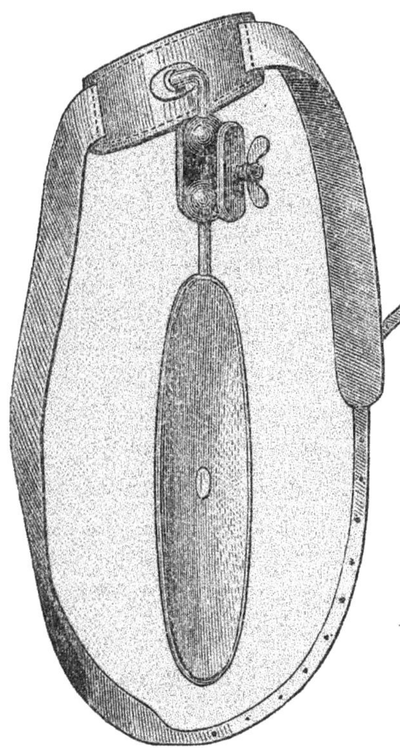

Fig. 2.

Der zur Untersuchung benutzte Spiegel ist konkav, mit 15—20 Ctm. Brennweite und hat im Centrum eine Oeffnung von circa 1 Ctm. Durchmesser. Er ist entweder mit einem Handgriff versehen (Hoffmann, Tröltsch) oder er wird am Kopfe des Untersuchenden gewöhnlich mit einer Stirnbinde befestigt. Da die linke Hand zum Festhalten des Trichters erforderlich ist, muss bei Verwendung des Handspiegels dieser mit der rechten Hand gehalten werden. Da schon, um das Trommelfell der Besichtigung zugänglich zu machen, häufig Eingriffe nöthig sind und wir insbesondere zur Behandlung eine Hand frei haben müssen, so wird der Handspiegel nur selten in Gebrauch gezogen.

Am einfachsten und zweckmässigsten ist es, den Spiegel am Stirnband zu befestigen (vgl. die Abbild. Fig. 2)*). Die Art und Weise der Befestigung ist eine

---

*) Wird ein Spiegel von grösserem Umfange benutzt, so kann derselbe auch zur Rhinoskopie und Laryngoskopie verwendet werden.

sehr verschiedene. Es handelt sich hauptsächlich darum, dass der Spiegel sich nach allen Richtungen bewegen lässt. Dieser Zweck scheint mir am besten erreicht zu sein bei der Befestigung, wie sie auf der Abbildung gezeichnet ist. Die Befestigungsvorrichtung besteht aus einem doppelten Kugelgelenk, wodurch es gelingt, den Spiegel nach jeder Richtung zu bewegen. Bei vielen Stirnbindenspiegeln ist die Beweglichkeit eine so ungenügende, dass die Untersuchung bedeutend erschwert wird.

Von Czermak wurde der Spiegel an einer Platte befestigt, welche zwischen die Zähne genommen wird. Es ist diese Befestigung für solche, welche die Stirnbinde nicht anwenden können, am meisten zu empfehlen. Zur Unterbringung in der Instrumententasche eignet sich ein solcher Spiegel, da er wenig Raum einnimmt, sehr gut. Bei den von mir benutzten Mundplattenspiegeln ist die Verbindung der Platte mit dem Spiegel ebenfalls durch ein doppeltes Kugelgelenk hergestellt. Ein solcher Spiegel kann bequem auch als Handspiegel benutzt werden. — Semeleder brachte den Spiegel mit einem Brillengestell in Verbindung. — Berthold empfahl, den Spiegel vermittelst eines Ringes an einem Finger der linken Hand zu befestigen. Wird der reflectirende Spiegel mit dem Ohrtrichter selbst in Verbindung gebracht, so gestatten diese Vorrichtungen nicht das gleichzeitige Einführen von Instrumenten bei der Untersuchung. — Die beste Beleuchtung erhält man mit Sonnenlicht, wozu die Anwendung eines Planspiegels erforderlich ist. Leider ist Sonnenlicht nicht immer zur Verfügung und wird im Sommer die Sonnenhitze lästig.

Im äusseren Gehörgange richten wir bei der Untersuchung unser Augenmerk auf etwa vorhandene Hyperämie, Schwellung, Geschwürsbildungen, Neubildungen, Fremdkörper. Häufig muss, um einen genügenden Einblick zu gewinnen, zuerst die Entfernung von Sekretionsprodukten in der unten angegebenen Weise vorgenommen werden. Das Trommelfell erscheint als perlgraue, durchscheinende Membran, welche derartig gegen die Längsaxe des Gehörganges geneigt ist, dass sie mit der oberen und hinteren Wand desselben je einen Winkel von ungefähr 140° bildet. Die Oberfläche des Trommelfells ist trichterförmig nach einwärts gezogen. Bei der Untersuchung (vgl. Fig. 3, linkes Trommelfell) fällt zuerst in das Auge und muss als Orientirungspunkt zuerst aufgesucht werden der der inneren Fläche aufliegende Hammergriff, welcher bei der Besichtigung von aussen als eine vom vorderen oberen Rande nach der Mitte verlaufende, schmale, weisse Leiste erscheint, vorn oben mit einem weissen Höckerchen, dem kurzen Fortsatz, beginnt, in der Mitte des Trommelfells häufig mit einem gelben Fleck, dem Umbo, endigt. Oberhalb des kurzen Fortsatzes

Fig. 3.

des Hammers befindet sich der als Membrana flaccida Shrapnelli bezeichnete Teil des Trommelfelles. Bei starker Vorwölbung der vorderen Gehörgangswand ist bisweilen der vordere Teil des Trommelfells nicht sichtbar. Bei normaler Wölbung des Trommelfells erscheint vom Umbo nach vorn unten verlaufend ein dreieckiger glänzender Lichtreflex. Derselbe hat seine Spitze am Umbo und geht nicht ganz bis zum Rande des Trommelfells. Wie Politzer nachgewiesen hat, kann ein Lichtreflex auf dem Trommelfell nur da entstehen, wo dasselbe senkrecht von unserer Sehaxe getroffen wird. Nicht selten ist der dreieckige Lichtreflex unregelmässig geformt, er kann in der Mitte geteilt sein, oder es findet sich nur ein punktförmiger Reflex bald am Umbo, bald am peripheren Rande. Finden sich solche Veränderungen, so ist dies ein Zeichen, dass die betreffende Fläche des Trommelfells nicht mehr senkrecht zur Sehaxe steht, entweder nach einwärts oder nach aussen getreten ist. Ein punktförmiger Lichtreflex findet sich ferner meist auf der Shrapnell'schen Membran.

Bei Kindern ist das Trommelfell mattweiss, nicht durchscheinend, es klärt sich allmälig mehr und mehr auf, bis es mit 12—15 Jahren vollständig durchscheinend und gläuzend wird. Im späteren Lebensalter wird es gelblich weiss weniger durchscheinend und verliert seinen Glanz.

Zur einfacheren Beschreibung der einzelnen Teile des Trommelfells wird dasselbe entsprechend seiner Kreisform in 4 Quadranten eingetheilt. Während die beiden Quadranten der unteren Hälfte des Trommelfells, der vordere untere und hintere untere, je den vierten Teil des Kreises bilden, ist der hintere obere Quadrant grösser, der vordere obere kleiner als ein solcher, da diese beiden durch den von vorn oben nach der Mitte verlaufenden Hammergriff von einander geschieden werden.

Abweichungen vom normalen Befunde:

1. Verändertes Aussehen kann bedingt sein: a) Durch Hyperämie der Membran. Ist die Kutisschichte hyperämisch, so findet sich bei den leichteren Graden Injektion der Blutgefässe um den kurzen Hammerfortsatz herum und entlang des Hammergriffs. Es sind die vom Umbo radiär nach der Peripherie verlaufenden Gefässe zu erkennen. Bei den höheren Graden der Hyperämie, bei der sich auch die tieferen Schichten des Trommelfells beteiligen, tritt diffuse Rötung ein, die bei dem höchsten Grade so bedeutend wird, dass das ganze Trommelfell ein scharlachrotes Aussehen bekommt. Bei Hyperämie der mittleren und inneren Trommelfell-

schichte findet sich mehr oder weniger hochgradige diffuse Rötung des Trommelfells. Beschränkt sich dieselbe auf den mittleren und hinteren Teil des Trommelfells bei sonst normalem Aussehen desselben, so kann dieselbe veranlasst sein durch ein Durchschimmern der krankhaft geröteten Schleimhaut des Promontoriums.

b) Durch Auflockerung der Epidermisdecke unter der Einwirkung feuchter Substanzen, nach Einträufelungen oder durch flüssige Sekrete verliert das Trommelfell seinen Oberflächenglanz.

c) Durch entzündliche Infiltration findet Verdickung und Trübung der Membran statt, die Umrisse des Hammers sind weniger deutlich, bisweilen nur der kurze Fortsatz als kleiner Vorsprung angedeutet (vgl. Fig. 4, rechtes Trommelfell mit Perforation) zu erkennen. Durch Bindegewebsentartung, Verfettung, Verkalkung, Hypertrophie erhält das Trommelfell eine weissliche oder gelbe Verfärbung. Insbesondere nach den eiterigen Mittelohrentzündungen finden sich häufig cirkumskripte, meist sichelförmige Kalkablagerungen im Trommelfell (vgl. Fig 5).

Fig. 4.

d) Durch farblose schleimige Flüssigkeit in der Trommelhöhle erhält das Trommelfell ein dunkleres, bouteillengrünes, bei gelblichem eiterigem Sekret ein dementsprechendes Aussehen. Bisweilen lässt sich der Stand der Flüssigkeit in der Trommelhöhle erkennen, indem die Niveaulinie derselben zu sehen ist.

Fig. 5.

e) Im Gefolge von chronischen sekretorischen Entzündungen des äusseren Gehörganges und des Trommelfells bilden sich cirkumskripte rote Schwellungen, welche dem Trommelfelle ein granulöses Aussehen geben.

2. Veränderung der Lage:

a) Am wichtigsten sind die Einwärtswölbungen des ganzen Trommelfells, welche bei gestörter Trommelhöhlenventilation eintreten (vgl. Fig. 6). Die hintere obere Hälfte der Membran erscheint durch die horizontale Lagerung, welche sie einnimmt, verkleinert, die vordere untere vergrössert. Ebenso erscheint der Hammergriff durch die horizontale Lagerung perspektivisch verkürzt. Nicht selten ist die Einwärtsziehung des Hammers so beträchtlich, dass der Griff vollständig horizontal steht und überhaupt nicht mehr sichtbar ist. Dadurch, dass das Trommelfell dem Hammer sich mehr anlegt, tritt der Griff stärker hervor und es erscheint besonders der kurze Fort-

Fig. 6.

satz als stark vorspringender Höcker. Von demseiben gehen nach vorn und hinten die ebenfalls stark vorspringenden, straff gespannten Trommelfellfalten aus. Da die peripheren Teile des Trommelfells häufig viel resistenter sind als der mittlere Teil, so beteiligt sich in manchen Fällen nur der letztere an der Einziehung, wodurch eine Knickung der Membran erzeugt wird (Politzer).

Bei sehr beträchtlicher Einwärtslagerung des Trommelfells kann sich dasselbe dem Promontorium anlegen.

b) Cirkumskripte Einwärtswölbungen finden sich bei Narbenbildung im Trommelfell. Die Narben sind in Folge ihrer dünneren Beschaffenheit mehr durchscheinend und unterscheiden sich dadurch von dem sie umgebenden, meist getrübten, übrigen Trommelfelle.

c) Nach aussen treten diese Narben vor nach einer Lufteinblasung in die Trommelhöhle. Ausserdem finden sich Vorwölbungen der Kutisschichte durch Exsudatansammlung zwischen ihr und der Membrana propria mit oder ohne Kommunikation mit der Trommelhöhle. Diesen Blasenbildungen oder Exsudatsäcken begegnen wir besonders im hinteren oberen Quadranten des Trommelfells. Einfache Vorwölbung dieses Teils der Membran wird als charakteristisches Zeichen für Exsudatansammlung in der Trommelhöhle betrachtet.

d) Sichtbare Respirationsbewegungen des Trommelfells treten ein bei besonders leichter Durchgängigkeit der Tuben, Einwärtswölbung bei der Inspiration, nach Aussentreten bei der Exspiration. Die Respirationsbewegungen lassen sich sowohl an normalen, als an atrophischen Trommelfellen beobachten, insbesondere an dünnen Narben. Auf manometrischem Wege konnte ich die auffallend leichte Durchgängigkeit der Tuben in diesen Fällen nachweisen.

3. Substanzverluste im Trommelfelle.

Die Trommelfellperforationen betreffen am häufigsten die vordere untere Hälfte der Membran. Sie können die verschiedenste Ausdehnung besitzen, indem wir bald nur punktförmige, kaum sichtbare Oeffnungen, bald vollständige Zerstörung der Membran finden. Eine mittelgrosse Perforation in der unteren Hälfte der Membran ist in Fig. 4 abgebildet. Bei der hochgradigen Zerstörung des Trommelfells bleibt meist erhalten der den Hammer in seiner Lage erhaltende obere Teil der Membran. Der Hammergriff ist dann in der Regel stark nach einwärts gezogen, erscheint verkürzt oder ist gar nicht sichtbar. Nicht selten ist bei hochgradigen Zerstörungen des Trommelfells das Hammerambosgelenk im hinteren oberen Teil des Gesichtsfeldes sichtbar. Es erscheint als ein vom langen Ambosschenkel und vom Steigbügel gebildeter, nach vorn unten vorspringender stumpfer Winkel (vgl. Fig. 7). Ist Hammer und Ambos ausgestossen, so erscheint das Steigbügelköpfchen als kleiner Höcker von der Grösse eines Stecknadelkopfes. Bisweilen finden wir auch das runde Fenster im Gesichtsfelde. Dasselbe tritt als kleine Vertiefung unter dem hinteren Rande des Sulcus tympanicus hervor (vgl. Fig. 7).

Fig. 7.

Bei akuten Entzündungen der Trommelhöhle kommen nach eingetretener Trommelfellperforation pulsirende Bewegungen zur Beobachtung, aus welchen das Vorhandensein der Perforation diagnosticirt werden kann. Diese Bewegungen zeigen sich an einem Lichtreflexe der in der Tiefe des Gehörganges befindlichen Flüssigkeit. Dieselben sind am stärksten bei kleinen Perforationen. Sie rühren davon her, dass die Trommelhöhle mit Flüssigkeit gefüllt ist und die Blutgefässe stark erweitert sind. Durch die Ausdehnung derselben mit dem Pulsschlag wird ein Druck auf die Flüssigkeit in der Trommelhöhle ausgeübt, die dadurch gezwungen wird, durch die Perforation nach aussen zu treten, um mit der Kontraktion der Gefässe wieder zurückzusinken.

Die Perforationen erscheinen, wenn sie klein und nicht durch Sekret verschlossen sind, schwarz. Bei grösseren Perforationsöffnungen, welche eine genügende Menge Licht einfallen lassen, erblicken wir die gegenüberliegende Trommelhöhlenschleimhaut, die mehr oder weniger verdickt, geschwollen oder gerötet erscheint. Die Oberfläche ist entweder glatt oder sie hat durch die Bildung kleiner Granulationen ein körniges Aussehen. Ist bereits Heilung eingetreten, so ist sie von fester Epidermis bedeckt, erscheint hellgrau.

Sind Polypen vorhanden, die ihren Ursprung in weitaus der grössten Mehrzahl der Fälle aus der Trommelhöhle nehmen, so erscheinen dieselben als kugelige, mehr oder weniger stark gerötete Körper, die entweder von kleinerem Umfang aus der Perforationsöffnung hervortreten oder von beträchtlicher Grösse den ganzen Umfang des Grundes des Gehörganges ausfüllen.

c) Untersuchung mit dem Siegle'schen Trichter.

Um die Beweglichkeit des Trommelfells festzustellen, konstruirte Siegle seinen pneumatischen Ohrtrichter. Derselbe besteht aus einem Ohrtrichter, welcher mit einem Gummischlauch überzogen den äusseren Gehörgang luftdicht verschliesst; am äusseren Ende des Trichters befindet sich ein kleiner Hohlraum, der durch eine Glasplatte abgeschlossen ist. Der Hohlraum steht durch eine seitliche Oeffnung vermittelst eines Gummischlauches mit einem Gummiballon in Verbindung. Durch Druck auf den Gummiballon oder durch Aufhebung des Druckes, wenn der Ballon vorher zusammengedrückt war, können nun Luftverdichtungen und Luftverdünnungen im Trichter und im äusseren Gehörgang hervorgerufen werden. Ein recht zweckmässiges Instrument, um Luftverdünnungen zu erzielen, wurde von Delstanche konstruirt und Rarefakteur genanut. Dasselbe besteht aus einer kleinen Luftpumpe, die vermittelst eines Gummischlauches mit dem Siegle'schen Trichter in Verbindung steht. Die in diesen Instrumenten erzeugten Druckschwankungen verursachen entsprechende Aus- und Einwärtsbewegungen des Trommelfells, die sich durch die Glasplatte des Trichters beobachten lassen. Wir können eine verminderte Beweglichkeit der Membran (Sklerose) oder eine vermehrte Beweglichkeit, total oder circumscript (Narben, Atrophie) feststellen. Von Wichtigkeit ist es, zu bestimmen, ob der Hammer sich mitbewegt oder nicht. Die Trommelfellbewegungen sind am besten nachzuweisen im hinteren oberen Quadranten, sodann an Stellen, wo sich ein Lichtreflex befindet, also besonders am vorderen unteren Quadranten.

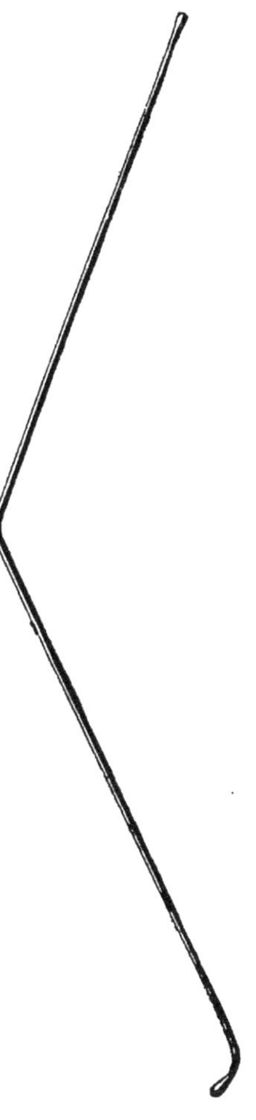

Fig. 8.

2. Untersuchung mit der Sonde.

Bisweilen gelingt es nicht durch blosse Besichtigung den Zustand der Teile kennen zu lernen, wir bedürfen zur Feststellung desselben der Sonde (vgl. Fig. 8). Dieselbe darf keinesfalls aufs Geradewohl in das Ohr eingeführt werden, sondern es muss ihre Spitze stets unter Beleuchtung mit dem Reflexspiegel genau verfolgt werden. Der Gebrauch der Sonde erfordert die grösste Vorsicht. Ihre sichere Anwendung erlernt sich erst mit der Uebung, da es beim monokularen Sehen schwierig ist und erst durch Uebung erlernt wird, die Tiefendimensionen abzuschätzen. Es werden nur ganz dünne, in der Mitte knieförmig gebogene Silbersonden verwandt.

Wir überzeugen uns mit der Sonde von der Beschaffenheit von Neubildungen oder Fremdkörpern im äusseren Gehörgange. Beim Vorhandensein von Granulationen oder Polypen suchen wir durch Hin- und Herschieben derselben, wie durch Umkreisen mit der Sondenspitze den Ursprung festzustellen (Politzer). Ferner wird mit der Sonde das Vorhandensein von kariösen Stellen festgestellt und es kann mit dem hakenförmig umgebogenen Ende (vgl. Fig. 8) die Tiefe derselben bestimmt werden.

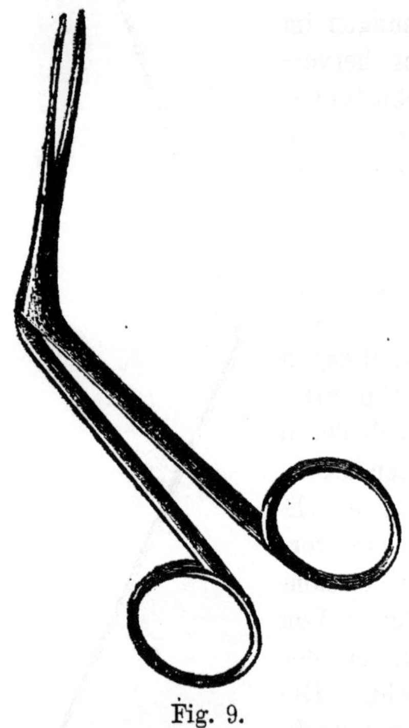

Fig. 9.

Berührungen des Trommelfells sind für den Patienten meist unangenehm und schmerzhaft. Bei abgelaufenen Mittelohreiterungen und bei Sklerose des. Mittelohres finden wir nicht selten grosse Unempfindlichkeit des Trommelfelles. Beim Bestehen von mehr oder weniger grossen Perforationen können wir uns vom Zustande der Trommelhöhlenschleimhaut überzeugen. Die der Besichtigung nicht zugänglichen Teile der Trommelhöhle können mit der hakenförmig gekrümmten Sonde untersucht werden. Wir entdecken mit derselben eingedickte Sekretmassen, versteckt liegende Polypen oder kariöse Stellen in der Trommelhöhle.

3. Reinigung des Ohres.

Um das Ohr der Besichtigung sowohl als therapeutischen Eingriffen zugänglich zu machen, ist es bei vorhandenen physiologischen oder pathologischen Sekretionsproducten erforderlich, dieselben zu entfernen.

Sind nur kleine Epidermisschollen oder Ohrschmalzstückchen vor den Ohrtrichter gelagert, so können dieselben am einfachsten mit der Sonde aus dem Wege geräumt oder mit knieförmig abgebogenen Kornzangen (Fig. 9) extrahirt werden. Sind grössere und tieferliegende Stoffe vorhanden, so werden dieselben mit der Spitze entfernt.

Um die Entfernung der vorhandenen Massen gelingen zu lassen, muss beim Ausspritzen ein im Gehörgang cirkulirender Wasserstrom erzielt werden. Dies wird erreicht, wenn die Spitze des Spritzenansatzes an eine Gehörgangswand angelegt wird. Entlang dieser Wand dringt die Flüssigkeit in die Tiefe, um sich, an der entgegengesetzten Wand zurückströmend, wieder nach aussen zu entleeren. Zu diesem Zweck ist erforderlich, dass der Spritzenansatz so dünn ist, dass, wenn derselbe in die Mündung des äusseren Gehörganges eingeführt ist, noch genügend Raum übrig bleibt für die abströmende Flüssigkeit.

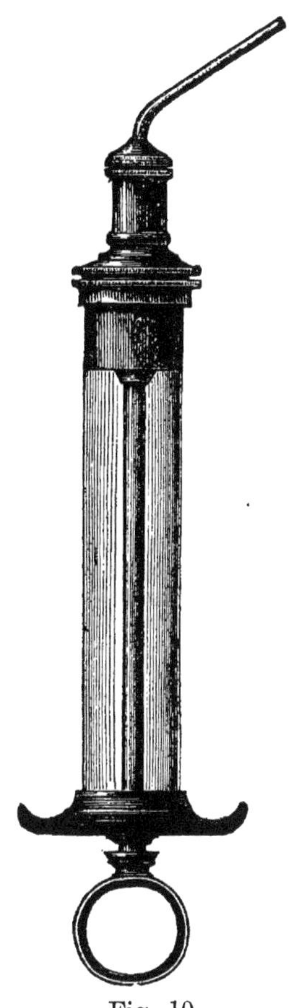

Fig. 10.

Als unzweckmässig müssen demnach Spritzen mit dickem, kolbigem Ansatze erscheinen. Ich selbst benutze zum täglichen Gebrauch eine Spritze, bei welcher der Ansatz aus einer Neusilberröhre besteht, die, um ein unbeabsichtigtes zu tiefes Eindringen der Röhre zu verhindern, $2^1/_2$ Ctm. von ihrem Ende stumpfwinklig abgebogen ist (Fig. 10, $^1/_2$ natürl. Grösse). An dem dem Ansatze entgegengesetzten Ende der Spritze müssen zwei Ringe oder Fortsätze angebracht sein für Ring- und Zeigefinger, während der Daumen in den am Ende des Stempels befindlichen Ring gebracht wird, so dass mit einer Hand die Spritze gehalten und entleert werden kann.

Der Cylinder der Spritze besteht aus Glas, so dass der Inhalt stets zu übersehen ist.

Für Ungeübte und für den Selbstgebrauch der Patienten ist

am zweckmässigsten die Anwendung der im Handel vorkommenden kleinen Gummiballons*) mit röhrenförmigem, ebenfalls aus Gummi bestehendem Ansatz (Fig. 11, natürl. Grösse). Die ganze Spritze besteht aus einem Stücke. Bei der Weichheit des Ansatzes können Verletzungen durch Einführen desselben in den Gehörgang nicht hervorgebracht werden. Ist flüssiges Sekret vorhanden, so kann dasselbe durch die einmalige Anwendung dieser kleinen Spritze schon entfernt werden. — Mit den kleinen Zinn- oder Glasspritzen, die vielfach im Gebrauche sind, gelingt es nicht, eine genügende Reinigung zu erzielen.

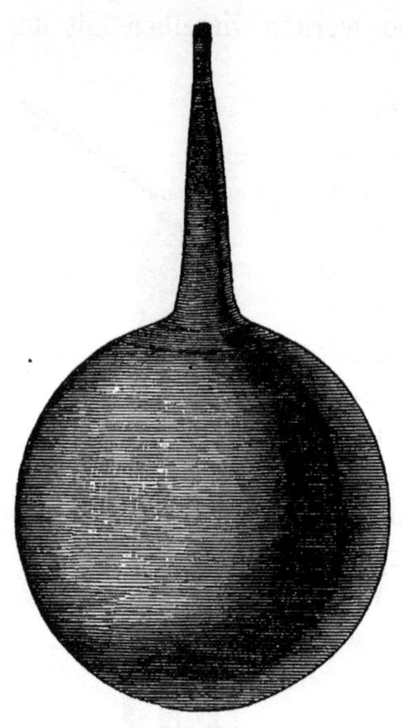
Fig. 11.

Um die winklige Knickung des Gehörganges aufzuheben, muss stets beim Ausspritzen die Ohrmuschel mit der linken Hand gefasst und nach hinten aussen gezogen werden, während mit der rechten Hand die Ausspritzung vorgenommen wird. Es wird dadurch dem Gehörgange eine gerade Richtung gegeben.

Zu den Ausspritzungen wird stets warme, der Körpertemperatur entsprechende Flüssigkeit benutzt. Handelt sich uur darum, kleine Ansammlungen aus dem äusseren Gehörgange zu entfernen, so wird gewöhnliches Wasser benutzt, bei Trommelhöhlenaffektionen kann demselben eine kleine Menge Kochsalz beigefügt werden oder desinficirende Stoffe: Borsäure, ein Kaffeelöffel in etwas heissem Wasser gelöst auf 100 Gramm Wasser; Salicylsäure, 1—2 Kaffeelöffel voll eines 10procentigen Salicylalkohol; bei fötider Otorrhoe 1 Kaffeelöffel voll eines 10procentigen Carbolalkohol oder einer 1procentigen Sublimatlösung auf dieselbe Menge Wasser. In manchen Fällen erweist sich, um die Koagulation des Sekretes zu verhindern, die Anwendung einer 5pro-

*) Das unangenehm empfundene Austreten von Luftblasen aus diesen Ballons beim Ausspritzen, welches von Tröltsch gegen die Anwendung derselben geltend macht, kann leicht dadurch vermieden werden, dass die Ballons stets vollständig mit Flüssigkeit gefüllt werden. Die Handhabung der Spritze muss jedem Patienten gezeigt werden.

centigen Glaubersalzlösung nach dem Vorschlage Burckhardt-Merians als zweckmässig.

Ist die Flüssigkeit zu kalt, so entstehen häufig Schwindelerscheinungen, Uebelkeiten und Erbrechen, die nicht auftreten, sobald wärmere Flüssigkeit genommen wird. Zu denselben Erscheinungen kann es kommen, wenn die Flüssigkeit mit grosser Kraft eingespritzt wird. Es soll die Einspritzung mit schwachem Druck beginnen, und erst wenn derselbe gut ertragen wird, kann etwas gesteigert werden.

Zum Auffangen der abströmenden Flüssigkeit kann jedes mit steilem Rande versehene Gefäss benutzt werden, welches unter's Ohr gehalten wird. Beim Selbstgebrauch der Spritze wird der ganze Kopf über einen grösseren Behälter gehalten, in welchen die gebrauchte Flüssigkeit abfliesst.

Nachdem die Ausspritzung 1 bis 2 Mal vorgenommen wurde, wird der Kopf nach der betreffenden Seite geneigt, dadurch die noch im Gehörgange befindliche Flüssigkeit zum Ausfliessen gebracht und die Mündung des Gehörgauges mit einem Tuche abgetrocknet. Sodann wird der Ohrtrichter eingeführt und nachgesehen, ob Alles entfernt ist. Sind noch wandständige, membranöse Massen da, so können dieselben mit der Sonde gelockert und nun durch nochmaliges Ausspritzen, oder mit der Kornzange entfernt werden. Ist noch Flüssigkeit zurückgeblieben, so kann dieselbe mit Verbandbaumwolle, welche im Gegensatz zur gewöhnlichen Watte die Eigenschaft besitzt, Flüssigkeiten aufzusaugen, abgetupft werden. Ein kleines Bäuschchen der Verbandbaumwolle wird zusammengedreht und etwas grösser als ein Gerstenkorn mit der Kniepincette gefasst und nun unter Beleuchtung auf die noch zu reinigende Stelle gebracht. Von Burckhardt-Merian wird zu demselben Zwecke ein längsgeripptes Stäbchen aus Metall benutzt. Das Stäbchen wird mit Watte umwickelt und damit die Reinigung vorgenommen. Haften die vorhandenen Massen ihrer Unterlage sehr fest an, dass sie bei wiederholtem Ausspritzen und nach Lockerungsversuchen mit der Sonde nicht entfernt werden können, so müssen dieselben durch häufig wiederholtes Einträufeln von Salz- oder Sodalösung (1- bis 2procentig) aufgeweicht und dann entfernt werden.

Fig. 12.

Die Entfernung von flüssigem Sekrete kann von dem Patienten

selbst auch auf trockenem Wege vorgenommen werden durch tiefes Einführen von Wattetampons, mit Hilfe kleiner Pincetten oder mit dem Burckhardt-Merianschen Stäbchen. Ich selbst liess mir zu diesem Zwecke einen Watteträger anfertigen, bei welchem die Watte durch Vorschieben einer Röhre zwischen den Branchen des Instrumentchens befestigt wird. (Fig. 12.)

4. Hörprüfung.

Bei den Prüfungen des Funktionszustandes des Hörorganes handelt es sich darum, die Ebenhörbarkeit eines Schalles, die von Fechner sogenannte „Reizschwelle“ festzustellen. Um Schallstärken zu erhalten, welche bei Schwerhörigkeit verschiedenen Grades noch im Stande sind Empfindung hervorzurufen, sind wir darauf angewiesen, den zur Prüfung benutzten Schall so zu verstärken oder abzuschwächen, bis er eben noch gehört wird oder aufgehört wird, ihn zu hören. Die Schallverstärkung kann einerseits dadurch geschehen, dass der Schall an seiner Quelle stärker hervorgebracht wird, andererseits dadurch, dass die Schallquelle dem Ohre näher gebracht wird. Leider besitzen wir noch keine geeigneten Apparate, durch welche messbar gleichmässig verschiedene Schallintensitäten hervorgebracht werden können. Gegen alle in dieser Beziehung benutzten und empfohlenen Methoden lassen sich vom physikalischen Standpunkte aus Einwände erheben, wodurch diese Methoden, wenn man will, als falsch erscheinen. Obwohl das physikalische Gesetz besteht, dass die Stärke des Schalles in umgekehrtem Verhältnisse zum Quadrat der Entfernung steht, hat sich für das praktische Bedürfniss doch als zweckmässiger erwiesen, von diesem Gesetze abzusehen und nur das einfache Verhältniss der Intensitätsveränderung anzunehmen.

Wir sind bei unsern Prüfungsmethoden auf die Empirie angewiesen. Diejenige Methode wird die beste sein, welche bei Einfachheit der Anwendung die besten diagnostischen Anhaltspunkte bietet.

Die Schallwellen können auf zweierlei Weise zu dem die Perception vermittelnden Nervenendapparat gelangen: 1) durch die Luft, Luftleitung. Die Schallwellen gelangen durch die äussere Luft auf das Trommelfell und werden von diesem durch die Gehörknöchelchen auf's Labyrinth fortgepflanzt. 2) Durch die Knochen, Knochenleitung. Die Schallwellen werden durch Vermittlung der Kopfknochen auf das Labyrinth übertragen. Aus den zahlreichen Versuchen von Politzer und Anderen geht hervor, dass die Schallübertragung von den Knochen in der Weise stattfinden kann, dass das Trommelfell und die Gehörknöchelchen in Schwingungen versetzt werden und von diesen aus die Labyrinthflüssigkeit in Schwingung geräth. Diese Art der Uebertragung wird als kranio-tympanale Leitung bezeichnet. Ausserdem muss angenommen werden, dass auch eine direkte Uebertragung stattfinden kann dadurch, dass die Labyrinthflüssigkeit gleichzeitig mit der sie umgebenden Knochenmasse in Schwingung gerät.

Das normale Hören erfordert einen gewissen Grad von freier Beweglichkeit des Schallleitungsapparates (Trommelfell, Gehörknöchelchen, Ligamentum annulare des Steigbügels). Durch alle Vorgänge, welche diese freie Beweglichkeit hindern, wird die Uebertragung der Schallwellen auf die Labyrinthflüssigkeit beeinträchtigt, durch Veränderungen der Elasticität oder durch Substanzverluste des Trommelfells, durch Verwachsungen der Gehörknöchelchen unter sich oder mit den Trommelhöhlenwandungen, Exsudatansammlung in der Trommelhöhle, Verdichtungen oder Verknöcherungen im Ligamentum annulare. Durch dieselben Verhältnisse kann andererseits die Knochenleitung begünstigt werden. Je straffer gespannt die Leitung zwischen Knochen und Labyrinthflüssigkeit ist, um so besser findet die Schallfortpflanzung vom Knochen aus statt. Zur Erklärung dieses Verhaltens empfiehlt Bezold[1]) folgenden Versuch. „Verbinden wir eine Stimmgabel durch eine Schnur mit einem beinernen Röhrchen und setzen letzteres in den Gehörgang, so hören wir den Ton der angeschlagenen Stimmgabel ausserordentlich stark, wenn wir die Schnur straff anspannen, successive schwächer und schliesslich gar nicht mehr, je mehr wir sie entspannen.“ Dasselbe ist der Fall, wenn der Ton von den Zähnen zugeleitet wird. Die Ueberlegenheit der Luftleitung über die Knochenleitung des gesunden Ohres geht am besten aus dem Rinne'schen Versuch hervor. Eine angeschlagene Stimmgabel wird auf den Knochen (Schädel, Schneidezähne oder Warzenfortsatz) aufgesetzt, bis der Ton derselben nicht mehr vernommen wird. Wird dann die Stimmgabel vor den offenen Gehörgang gebracht, so wird der Ton noch geraume Zeit kräftig gehört.

E. H. Weber wies bereits darauf hin, dass, wenn man die

---

[1]) Aerztl. Intelligenzblatt No. 24. 1885.

Hand über das Ohr hält oder dasselbe mit dem Finger verschliesst, die eigene Stimme oder eine auf die Mittellinie des Schädels aufgesetzte Stimmgabel stärker wahrgenommen wird. Dieses Verhalten wurde von Mach durch Hemmung des Schallabflusses erklärt, indem er annimmt, dass ebenso wie der Schall aus der umgebenden Luft durch den schallleitenden Apparat zum Labyrinth dringt, er umgekehrt auch vom Labyrinth durch den schallleitenden Apparat nach aussen abströmt. Wird dieses Abströmen gehindert, so muss der Schall stärker empfunden werden. Wir dürfen jedoch annehmen, dass unter pathologischen Verhältnissen die stärkere Spannung des Schallleitungsapparates bei der Knochenleitung eine wichtigere Rolle spielt, als die Behinderung des Schallabflusses.

Die Perceptionsfähigkeit des Hörorganes für die Luftleitung bemessen wir in der Regel nach der Entfernung, in welcher ein bestimmter Schall noch vernommen wird. Bei der Prüfung wird nach dem Grundsatze verfahren, die Schallquelle zuerst in eine Entfernung zu bringen, in welcher sie nicht mehr gehört wird und sie allmälig dem Ohre zu nähern, bis der Schall deutlich vernommen wird. Selbstverständlich muss jedes Ohr getrennt geprüft werden. Das nicht untersuchte Ohr wird durch Eindrücken der Spitze des Zeigefingers verstopft gehalten. Ausserdem ist, um Selbsttäuschungen des Untersuchten zu vermeiden, darauf zu achten, dass die Schallquelle von diesem nicht gesehen wird, was durch Vorhalten der Hand vor die Augen geschehen kann.

Als Schallquellen benutzen wir zur Hörprüfung die Taschenuhr, die Sprache, besonders construirte Hörmesser und Stimmgabeln.

a) Hörprüfung mit der Taschenuhr.

Eine möglichst stark tickende Taschenuhr, von der man bestimmt hat, in welcher Entfernung sie von Normalhörenden vernommen wird, wird allmälig dem Ohr genähert, bis das Tick-tack deutlich gehört wird. Nach dem Vorschlage von Prout und Knapp kann die Hörweite ausgedrückt werden durch einen Bruch, dessen Zähler die gefundene Entfernung, dessen Nenner die Hörweite des normalen Ohres für die betreffende Uhr ausdrückt. Haben wir demnach eine Uhr, die auf 200 Ctm. von einem Vollhörigen vernommen wird und hört dieselbe ein Patient auf 30 Ctm. Entfernung, so bezeichnen wir seine Hörweite mit $^{30}/_{200}$. Wird die Uhr nur beim Anlegen an die Ohrmuschel gehört, so wird dies durch $^{ic}/_{200}$ (in continuo), wenn nicht durch $^{0}/_{200}$ bezeichnet. Um die Knochenleitung mit der Uhr zu prüfen, wird dieselbe an die Schläfe oder auf den Warzenfortsatz gelegt. Die Hörweite für die Uhr steht häufig nicht im Verhältniss zu der für die Sprache. Besonders im höheren Lebensalter wird die Uhr schlecht vernommen.

b) Hörprüfung mit der Sprache,

Den wichtigsten Hörmesser besitzen wir in unserer Sprache. Da wir unser Gehör hauptsächlich zur Sprachperception verwenden und es den Schwerhörigen in erster Linie darauf ankommt, ein besseres Sprachverständniss zu erlangen, muss dem entsprechend auch unsere Untersuchung darauf gerichtet sein, das vorhandene Sprachverständniss und seine etwaigen Veränderungen festzustellen.

Durch die ausgedehnten Untersuchungen von Oscar Wolf[1]) wurde die Beurteilung der mit der Sprache erhaltenen Resultate der Hörprüfung bedeutend gefördert. Nach Wolf besitzen die Vokale die grösste Schallstärke, d. h. sie werden in der grössten Entfernung gehört, während die Schallstärke der Konsonanten weit geringer ist und sich grosse Unterschiede zwischen den einzelnen derselben zeigen. Ebenso wie die einzelnen Sprachlaute ihrer Intensität nach grosse Unterschiede zeigen, kommt denselben auch ein sehr verschiedener Toncharakter zu, indem unsere Sprache 8 Oktaven umfasst.

Die grosse Verschiedenheit der Stärke und des Toncharakters der einzelnen Sprachlaute macht es erklärlich, dass die einzelnen Worte verschieden gehört werden. Da bei der lauten Sprache die Vokale überwiegend stark hervortreten, eignet sich zur Hörprüfung besser die Flüstersprache. Bei hochgradig Schwerhörigen wird die Sprache um so schlechter verstanden, je stärker sie gesprochen wird, was nach Wolf darin seinen Grund hat, dass beim stärkeren Erheben der Stimme sich nur die Vokale erheblich verstärken und diese die Konsonanten, welche sich nicht wesentlich stärker hervorbringen lassen, noch mehr übertönen. Die mittlere Hörweite für Flüstersprache beträgt nach meinen Versuchen, welche mit denen

---

[1]) Sprache und Ohr. Braunschweig 1871.

Die Entfernungen, in welchen nach den Untersuchungen Wolf's die einzelnen Laute noch deutlich vernommen wurden, waren folgende: a—360 Schritt, o—350, e—330, i—300, u—280, sch—200, m und n—180, s—175, g und ch—130, f—67, k—63, t—63, r—41, b—18, h—12. Der Grundton der Vokale ist u—f, o—b^1, a—b^2, e—b^3, i—d^4; der Consonanten v—C_1 C c, b—e^1, k—d^2 d^3, t—fis^2 fis^8, f—a^2 a^3, s—c^4 c^5, sch—fis^4 d^4 a^3.

Anderer im Wesentlichen übereinstimmen, 20—25 Meter, je nachdem in mehr oder weniger geräuschvoller Umgebung untersucht wird. Bei sehr gutem Gehör muss sehr leise, bei hochgradiger Schwerhörigkeit stark accentuirte Flüstersprache oder laute Sprache benutzt werden.

Recht zweckmässig erscheint die Bezold'sche Methode der Untersuchung. Er verwendet nur die Zahlen von 1 bis 99 und nähert sich so lange dem zu Untersuchenden, bis auch die etwas schwerer verständlichen Zahlen die mit 7, 5 und 9 am Anfang oder Ende der Doppelzahlen richtig verstanden werden. Um eine gleichmässige Intensität der Flüstersprache zu gewinnen, verwandte Bezold zum Sprechen die Residualluft, welche nach einer nicht forcirten Exspiration in der Lunge zurückbleibt.[1])

Wer häufig mit der Sprache Hörprüfungen anstellt, wird bald herausfinden, welche Worte gut und welche schlecht verstanden werden. Im Allgemeinen sind diejenigen Worte gut zu verstehen, welche viele Vokale und Zischlaute oder Resonanten enthalten, z. B. Tisch, Schuh, Mama, Wasser, Katze, Fenster, während solche, bei welchen die übrigen Konsonanten vorwiegen, schlechter verstanden werden.

Die Hörprüfung mit der Sprache muss stets so vorgenommen werden, dass der Untersuchte den Mund des Sprechenden nicht sieht, da sich manche Schwerhörige im Absehen der Laute vom Munde eine grosse Fertigkeit erworben haben. Ausserdem ist zu beachten, dass auf dem durch Eindrücken des Fingers verstopften Ohre das Hörvermögen nur gemindert, nicht vollständig aufgehoben wird, indem durch Abschluss des äusseren Gehörganges nur die direkt eindringenden Schallwellen abgehalten werden, während die durch die Kopfknochenleitung übertragenen zur Perception gelangen. Schon Lincke erwähnt einen Versuch, dass ein Mann, der die Taschenuhr 15—20 Fuss weit hörte, bei Verstopfung des Gehörganges mit dem Finger oder mit einem in erweichtes Wachs getauchten Baumwollcylinder dieselbe noch in

---

[1]) Eine eigenthümliche Bestimmung der Intensität der Flüstersprache findet sich in der Deutschen Rekrutirungsordnung. Dieselbe soll von der Intensität sein, dass die im Freien unter den günstigsten Bedingungen bei Tage gesprochenen Worte von einem Normalhörenden auf höchstens 3 m (!) zum Nachsprechen verstanden werden. Im geschlossenen Ranme von $8^1/_2$ □m Querschnitt werde diese Flüstersprache von normal Hörenden auf ungefähr 23 m verstanden. Die Prüfung ist bei zugewandten Ohren vorzunehmen.

einer Entfernung von 5—6 Zoll vernahm. Ebenso ist bekannt, dass wir bei verstopften Gehörgängen noch im Stande sind, lauter Konversationssprache zu folgen. Dieses Verhalten ist besonders für die Beurteilung von einseitig Schwerhörigen oder Tauben von Wichtigkeit, indem dieselben bei der Hörprüfuug mit dem gesunden verstopften Ohre percipiren. Um festzustellen, mit welchem Ohre percipirt wird, verfahren wir nach dem Vorschlage Dennert's[1]) in der Weise, dass auch das untersuchte Ohr verstopft wird; bleibt sich die vorher konstatirte Hörweite gleich, so ist anzunehmen, dass mit dem andern Ohre percipirt wird, während eine Verringerung der Hörweite auf Perception mit dem untersuchten Ohre schliessen lässt.

Bei Patienten mit zerstörtem Trommelfell, fehlendem Hammer und Ambos wird die Flüstersprache besser gehört als laute Sprache (O. Wolf, Burckhardt-Merian).

c) Hörprüfung mit besonders konstruirten Hörmessern.

Die Anforderungen, die an einen vollkommenen Hörmesser gestellt werden müssen, sind: dass er eine möglichst grosse Reihe von Tönen umfasst, dass sich dieselben stets in gleicher Stärke hervorbringen lassen, dass das Instrument so handlich und einfach ist, dass es bei den alltäglichen Untersuchungen ohne Schwierigkeit angewandt werden kann. Sodann müsste sich dasselbe nicht nur zur Prüfung durch die Luftleitung, sondern auch durch die Knochenleitung verwerten lassen. Leider besitzen wir noch kein Instrument, das diesen Anforderungen genügt, und es muss auch zweifelhaft erscheinen, ob ein solches einfach und dem praktischen Bedürfniss entsprechend sich konstruiren lässt. Von Hörmessern, welche eine ganze Reihe von Tönen umfassen, besitzen wir die musikalischen Instrumente, insbesondere das Klavier. Vermittelst des letzteren lässt sich untersuchen, ob Perceptionsfähigkeit für sämmtliche Töne oder ob Tonlücken vorhanden sind. Die meisten Akumeter geben nur eine Sorte von Schall, entweder nur Geräusche oder sie sind auf bestimmte Tonhöhen abgestimmt. Aus der grossen Zahl von Hörmessern hat sich ein von Politzer[2]) empfohlenes kleines Instrumentchen rasch allgemein eingeführt. Dasselbe be-

---

[1]) Archiv für Ohrenheilkunde. Bd. X. S. 231.

[2]) Archiv für Ohrenheilk. Bd. XII. S. 104. — Angefertigt von Mechaniker Gottlieb in Wien.

steht aus einem kleinen, auf c^2 abgestimmten Stahlcylinder, gegen welchen ein kleines Hämmerchen anschlägt. Das Instrumentchen giebt ein knipsendes Geräusch, dessen Grundton c^2 von musikalisch geübten Ohren leicht erkannt wird. Die Schallstärke des Instrumentchens ist so zweckmässig gewählt, dass es sich bei unseren gewöhnlichen Untersuchungen im Zimmer und bei den verschiedenen Graden von Schwerhörigkeit besser als andere Instrumente verwerten lässt. Nur bei sehr geringen Graden von Schwerhörigkeit muss bei der meist geringen Ausdehnung der Räume, in welchen wir die Hörprüfung vornehmen, die Uhr an die Stelle des Politzerschen Hörmessers treten. Die einfache Konstruktion, die Kompendiosität und der billige Preis ermöglichen die allgemeine Verwendbarkeit. Für die Prüfung der Kopfknochenleitung ist er wegen seiner grösseren Schallstärke besser geeignet, als die Taschenuhr. Nach meinen Versuchen an Normalhörenden wurde der Politzer'sche Hörmesser durchschnittlich auf 15 Meter Entfernung vernommen. Doch finden sich unter den von Wien bezogenen Instrumenten auch solche, die einen beträchtlich intensiveren Schall geben.

Zur Prüfung mit hohen Tönen kann das Galton'sche Pfeifchen oder die König'schen Stahlcylinder benutzt werden. Mit denselben kann die obere Hörgrenze bestimmt werden. Am geeignetsten hierzu erweist sich ein nach den Angaben von Kessel von Appun in Hanau angefertigter Apparat, bestehend aus 11 Stimmgabeln von 2000—50 000 Schwingungen. Die Gabeln werden mit dem Violinbogen zum Tönen gebracht. — Nach Erfindung des Telephons suchte ich eine genaue Abstufung des Schalles mit Hilfe elektrischer Ströme zu erreichen[1]. In den Kreis eines elektrischen Stromes wird eingeschaltet: 1) eine elektrische Stimmgabel, durch welche der Strom regelmässig unterbrochen wird, 2) ein Rheochord oder ein Schlitteninduktorium, vermittelst dessen die Stromintensität beliebig geändert werden kann, 3) ein Telephon, an welchem ein den Stimmgabelschwingungen entsprechender, je nach der Stromstärke schwächerer oder stärkerer Ton gehört wird. Obwohl sich die Hörprüfung mit einem solchen Apparate rasch uud leicht vornehmen lässt, so ist der Apparat selbst leider etwas zu komplicirt, die Prüfung kann sich nur über eine kleine Tonreihe erstrecken, so dass der Apparat bis jetzt noch keine praktische Verwerthung gefunden hat. — Auf demselben Principe beruht das Audiometer von Hughes mit einer Mikrophonvorrichtung. Das durch das Instrument hervorgebrachte Geräusch kann ebenfalls beliebig verstärkt oder geschwächt werden.

d) Hörprüfung mit Stimmgabeln.

Da alle zum Ohre gelangenden Schallschwingungen sich aus einzelnen Tönen zusammensetzen, so werden diese stets die Grund-

[1]) Verhandl. der physiol. Gesellsch. zu Berlin, 11. Jan. 1878.

lage für eine exakte Hörprüfung abgeben müssen. Während es sich bei der Taschenuhr und bei der Sprache im Wesentlichen um Geräusche handelt, besitzen wir in den Stimmgabeln Instrumente, welche uns bestimmte, für unsere Zwecke genügend reine Töne geben. Wir benutzen, um die Perceptionsfähigkeit für verschiedene Töne zu bestimmen, verschiedene Stimmgabeln. Die Prüfung mit der Stimmgabel kann in der Weise vorgenommen werden, dass sie kräftig angeschlagen und nun wie bei der Uhr bestimmt wird, in welcher Entfernung sie vernommen wird. Ein genaueres Prüfungsresultat erhält man, wenn man nach der von Conta'schen Methode verfährt[1]), indem man bestimmt, wie viele Sekunden lang eine kräftig angeschlagene vor's Ohr gehaltene Stimmgabel vernommen wird. Schon Conta erwähnt, dass nur sehr grobe Unterschiede im Anschlage einen bemerkbaren Einfluss auf die Hörzeit ausüben, was ich nach sehr zahlreichen Versuchen bestätigen kann. Es ist deshalb nicht erforderlich, besondere Vorrichtungen zu ersinnen, um einen gleichmässigen Anschlag zu erreichen. Es genügt ein Block aus weichem Holze, auf welchen die Gabel aufgeschlagen wird. Um möglichst genaue Resultate zu erzielen, habe ich bei den von mir vorgenommenen Bestimmungen des Hörvermögens nach der Hörzeit stets den Durchschnitt aus drei nacheinander vorgenommenen Prüfungen genommen.[2]) Um die durch ungleichmässigen Anschlag bedingte Fehlerquelle auszuschliessen, empfiehlt Lucae[3]), die Stimmgabel, wenn die Schwingungen von dem Schwerhörigen nicht mehr vernommen werden, an das eigene normale Ohr zu bringen und zu bestimmen, wie lange dann die Schwingungen noch gehört werden.

Um besonders reine Stimmgabeltöne zu erhalten, können die beim Anschlagen mit dem Grundtone gleichzeitig auftretenden Obertöne abgeschwächt werden, wenn nach dem Vorschlage von Politzer an den Zinken der Stimmgabel Schraubenklemmen befestigt werden. Die Wirkung dieser Klemmen wird jedoch über-

---

[1]) Archiv f. Ohrenheilk. Bd. I., S. 107.

[2]) Von Jacobson, der die Möglichkeit eines genügend gleichmässigen Anschlages bezweifelte, wurden diesbezügliche Versuche angestellt. Wird denselben das von mir eingeschlagene Verfahren zu Grunde gelegt, so ergiebt sich, dass die Abweichungen von dem aus einer grossen Anzahl von Einzelbestimmungen gewonnenen Durschnittswerthe nur 2 Procent beträgt. (Vergl. Zeitschr. f. Ohrenheilk. Bd. XVIII. S. 50.)

[3]) Archiv f. Ohrenheilk. Bd. XV., S. 279.

schätzt. Ich habe Stimmgabeln gesehen mit Klemmen, bei welchen die Obertöne sehr laut gehört wurden. Wichtiger als die Klemmen ist die Konstruktion der Stimmgabeln. Bei gut gearbeiteten Gabeln überwiegt der Grundton die Obertöne so stark, dass dieselben rasch verklingen und bei unsern gewöhnlichen Untersuchungen keine Fehlerquellen abgeben. Durch Verschiebung der Klemmen kann die Tonhöhe der Stimmgabeln geändert werden; doch ändert sich hierhei die Intensität der Schwingungen so beträchtlich, dass die Verschiebung praktisch kaum zu verwerten ist. Bei hohen Stimmgabeln lassen sich die Klemmen nicht anwenden.

Die Stimmgabeluntersuchung kann nach verschiedenen Methoden vorgenommen werden.

1. Weber'scher Versuch.

Wir haben oben gesehen, dass, wenn der Normalhörende die Hand über das Ohr hält oder dasselbe mit dem Finger verschliesst, eine auf die Mittellinie des Schädels aufgesetzte Stimmgabel auf der verschlossenen Seite verstärkt gehört wird. Dasselbe ist der Fall, wenn Schallleitungshindernisse im äusseren Gehörgange oder in der Trommelhöhle vorhanden sind.

Haben wir durch die Prüfung mit der Uhr, dem Politzer'schen Hörmesser oder der Sprache festgestellt, dass nur ein Ohr schwerhörig ist oder bei beiderseitiger Erkrankung, dass das eine Ohr in höherem Grade schwerhörig ist als das andere, so diagnosticiren wir eine Affection des Schallleitungsapparates, wenn eine auf die Mittellinie des Schädels aufgesetzte Stimmgabel auf dem erkrankten Ohre oder bei beiderseitiger Erkrankung auf dem Ohre mit stärkerer Schwerhörigkeit deutlich vernommen wird. Finden wir das umgekehrte Verhalten, dass auf dem besserhörenden Ohre der Stimmgabelton wahrgenommen wird, so lässt dies auf eine Erkrankung des nervösen Apparates schliessen. Es muss jedoch hervorgehoben werden, dass sich eine sichere Diagnose auf diese Weise nicht stellen lässt, da wir nicht selten widersprechende Resultate erhalten. So fand sich bei den an meiner Poliklinik von Cholewa vorgenommenen Untersuchungen bei den als Mittelohrsklerose bezeichneten Krankheitsprocessen sehr häufig die Perception auf der besserhörenden Seite. Es wurde in Folge dessen das Vorliegen ankylotischer Veränderungen ausgeschlossen und die Tenotomie des Tensor tympani mit Erfolg ausgeführt.

Gellé erweiterte den Weber'schen Versuch dahin, dass er, während die klingende Stimmgabel auf den Scheitel aufgesetzt wird, vermittelst eines in den Gehörgang eingefügten Gummischlauches eine Luftcompression im Gehörgaug hervorruft. Der Stimmgabelton wird dadurch abgeschwächt. Dieser Versuch soll nach Gellé die Differentialdiagnose zwischen Mittelohr- und Labyrinthaffectionen ermöglichen, indem bei letzteren die Schallabschwächung eintritt, bei ersteren nicht. Leider sind die Resultate, die mit diesem Versuche erlangt werden, nach den verschiedensten Beobachtungen und Versuchen, welche mit demselben besonders von Politzer und Bezold angestellt wurden, höchst unzuverlässig.

2. Rinne'scher Versuch.

Schon Rinne selbst hat die Verwertbarkeit seines Versuches (cf. S. 23) für die Diagnose des Sitzes einer bestehenden Schwerhörigkeit erkannt und darauf hingewiesen, dass, wenn der Versuch in der dem normalen Ohre analogen Weise ausfalle, die Leitungsfähigkeit der Kopfknochen und des Schallleitungsapparates nicht gestört sei und es sich um eine Erkrankung des Hörnerven handle. Hört dagegen der Patient den durch den Knochen zugeleiteten Ton ebenso lange oder länger als durch die Luft, so wäre auf eine Erkrankung des Leitungsapparates zu schliessen. Das erstere Verhalten des Ohres beim Rinne'schen Versuch wurde von Lucae als positiver Ausfall des Versuches, das letztere als negativer Ausfall bezeichnet. Allgemeinverständlicher wäre wohl einfach zu sagen: Luftleitung überwiegend, oder Knochenleitung überwiegend (L +, K +).

Lucae beschränkt die Verwertbarkeit des Rinne'schen Versuches auf solche Fälle, in welchen eine Hörfähigkeit für Flüstersprache auf 1 Meter Entfernung und weniger vorhanden ist. Nur in solchen Fällen lässt sich nach seiner Ansicht aus dem positiven oder negativen Ausfall des Versuches die Diagnose auf eine Erkrankung des nervösen oder des schallleitenden Apparates stellen. Bei Schwerhörigkeit geringeren Grades kann der Versuch positiv ausfallen, d. h. die Luftleitung kann überwiegen bei zweifellosen Erkrankungen des Schallleitungsapparates.

Die Bedeutung des Rinne'schen Versuches wird sodann dadurch herabgesetzt, dass es nicht selten vorkommt, dass bei demselben Patienten die Knochenleitung für hohe, die Luftleitung für tiefe Töne überwiegt und umgekehrt. Schon aus diesem Grunde können wir, um ein exaktes Bild von dem Charakter einer bestehenden Schwerhörigkeit zu gewinnen, die Untersuchung mit einer grösseren Anzahl von Stimmgabeln nicht entbehren.

Zum Weber'schen und zum Rinne'schen Versuch werden tiefe Stimmgabeln oder solche von mittlerer Tonhöhe, etwa c^1 oder c^2, benutzt.

Bei einem Patienten Bezold's, bei welchem zu Lebzeiten die Hörweite festgestellt wurde, „für leise Sprache rechts 6, links 4 Ctm. Stimmgabel vom Scheitel um circa 8 Sekunden verlängert. Rinne'scher Versuch rechts negativ 13 Sek., links negativ 12 Sek.", fand sich bei der Sektion Fixation der Steigbügelplatte im ovalen Fenster durch ausgedehnte Kalkeinlagerung in das Ligamentum annulare.

3. Untersuchung mit Stimmgabeln verschiedener Tonhöhe.

Zu einer exakten Prüfung des Hörvermögens ist es unumgänglich notwendig die Stimmgabelprüfung auf eine Reihe von Tönen auszudehnen, um ein diagnostisch verwertbares Resultat zu erhalten. Es ist dies um so mehr erforderlich, als der Rinnesche Versuch, wie wir gesehen haben, nur für sehr hochgradige Schwerhörigkeit diagnostisch verwertbar ist und da derselbe je nachdem mit höheren oder mit tieferen Stimmgabeln untersucht wird, entgegengesetzt ausfallen kann.

Zu meinen Untersuchungen benutze ich jetzt die Stimmgabeln c 128, c^1 256, c^2 512, c^3 1024, c^4 2028 Schwingungen. Früher benutzte ich zwei tiefe A 106,6 Schwingungen, c^1 256, zwei mittlere c^2 512, g^2 768, zwei hohe c^4 2048, g^4 3072 Schwingungen. Von jeder Stimmgabel ist durch die Prüfung bei vier Normalhörenden bestimmt, wie viele Sekunden ihre Schwingungen gehört werden: 1) wenn die Gabel an die Hörgangsmündung gehalten wird, Luftleitung; 2) wenn sie auf den Warzenfortsatz aufgesetzt wird, Knochenleitung. Um bei der Prüfung von Schwerhörigen einen Ueberblick über den relativen Wert der gewonnenen Resultate zu gewinnen, so können dieselben nach meinem Vorschlage[1]) in besondere Schemata (s. Fig. 13—16) eingetragen werden. Auf denselben sind die beim normalen Ohre gefundenen Durchschnittswerte für die Luftleitung in der Mitte, für die Knochenleitung unten eingetragen. Es wird z. B. die tiefe Stimmgabel A 20 Sek. durch die Luft und 10 Sek. durch den Knochen gehört.

Die bei Schwerhörigen gewonnene Sekundenzahl im Procentverhältniss zur normalen Hörzeit wird in die hundertteilige

---

[1]) Die graphische Darstellung der Resultate der Hörprüfung mit Stimmgabeln. Deutsche med. Wochschr. No. 15. 1885. — Typen der verschiedenen Formen von Schwerhörigkeit graphisch dargestellt etc. Fischer's medic. Buchhandlung. Berlin 1886.

Rubrik eingetragen. Wird z. B. die Stimmgabel A wie im Schema I rechts 10 Sekunden lang gehört, während sie vom Normalhörenden 20 Sekunden gehört wird, so haben wir die Gleichung: 20 : 10 = 100 : x das ist x = 50. In der Rubrik A rechts werden nun 50 Teile farbig oder wie in den vorliegenden Schematas schief gestrichelt ausgefüllt. Auch das Ergebniss der Prüfung der Knochenleitung habe ich nicht im Verhältniss zum normalen Hören durch den Knochen, sondern im Verhältniss zum normalen Hören durch die Luft eingetragen, da sich dadurch der direkte Vergleich der Luft- und Knochenleitung besser anstellen lässt. In dem obigen Falle wird die Stimmgabel A durch den Knochen 16 Sekunden lang gehört, die Gleichung lautet somit 20 : 16 = 100 : x das ist x = 80. Es sind somit in der unteren Hälfte des Schemas 80 Teile in der Rubrik A rechts durch Längsstrichelung ausgefüllt. Ebenso wird bei den anderen Stimmgabeln verfahren. Die jedesmalige Eintragung stellt den Durchschnittswert von drei nach einander vorgenommenen Prüfungen dar. Den Eintragungen ist zur besseren Orientirung noch die Zahl der Sekunden, wie lange die betreffende Stimmgabel gehört wurde, beigefügt.

Je nach den verschiedenerlei Erkrankungen des Hörorganes ergaben sich nun auch verschiedene Formen der Wahrnehmungsfähigkeit für Stimmgabeltöne. Nach den von mir gewonnenen Resultaten lassen sich vier Typen aufstellen.

Typus I. Annähernd gleichmässige Herabsetzung der Dauer des Hörens durch Luftleitung findet sich sowohl bei Mittelohrprocessen als bei Labyrinthaffectionen. Im ersten Falle besteht gutes, im zweiten schlechtes Hören durch den Knochen.

Fig. 13 betrifft einen Patienten mit früher stattgehabter, beiderseitiger, eiteriger Mittelohrentzündung. Links Totalzerstörung des Trommelfells, rechts milchweisse Trübung, vorn hirsekorngrosse Narbe dem Promontorium angelagert.

Typus II. Schlechtes Hören der tiefen, zunehmend besseres der hohen Töne. Durch Knochenleitung Besserhören als durch die Luft insbesondere der tiefen Töne.

Dieses Verhalten besteht bei Erkrankung des Mittelohres bei den sklerotischen Processen insbesondere mit Ankylose des Steigbügels im ovalen Fenster und bei den Folgezuständen der eiterigen Mittelohrentzündung.

Fig. 14 stellt das Hörvermögen einer Patientin dar mit seit

Jahren abgelaufener eiteriger Mittelohrentzündung, die nach Scharlach aufgetreten war. Das Guthören durch Knochenleitung lässt die Mitbeteiligung des nervösen Apparates am Krankheitsprocesse ausschliessen.

Typus III. Gutes Hören der tiefen, zunehmend schlechteres Hören der hohen Töne. Knochenleitung herabgesetzt insbesondere für hohe Töne.

Wir finden diese Form der Perception bei Kesselschmieden, Artilleristen und Krankheitsprocessen des nervösen Apparates.

Fig. 15 betrifft einen Kesselschmied, der seit dem Jahre 1867 als solcher fungirte und zwar 5 Jahre lang bei der Arbeit im

I.

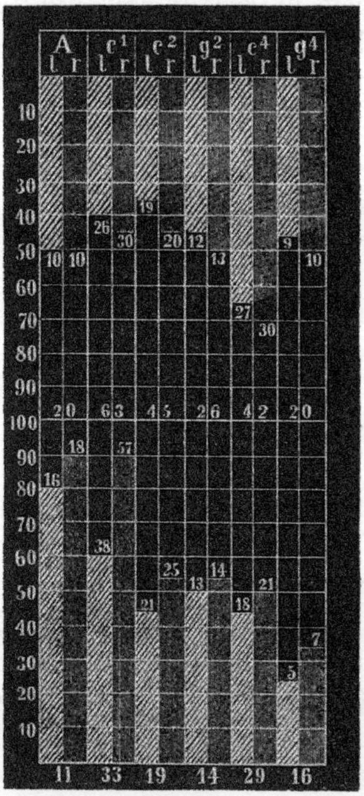

Fig. 13.

II.

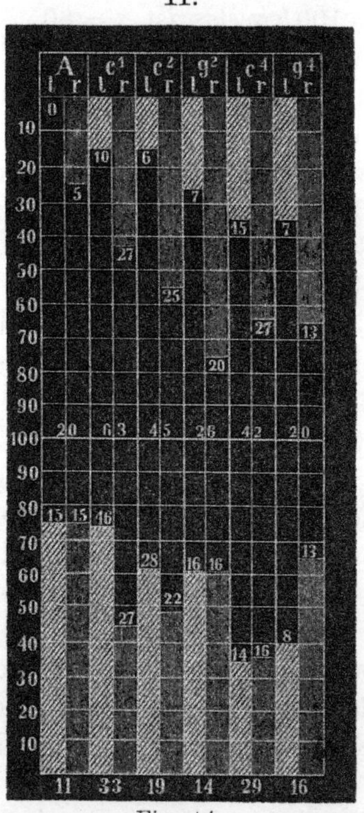

Fig. 14.

Kessel sitzend als sogenannter Vorhalter. Die Knochenleitung ist bedeutend verringert, die beiden höchsten Töne werden durch dieselbe gar nicht mehr vernommen. Es würde daraus hervorgehen, dass durch die schädliche Einwirkung des Lärms bei der Kesselbearbeitung hauptsächlich die für die Perception von hohen Tönen dienenden Teile des Schallwahrnehmungsapparates lädirt werden.

Typus IV. Unregelmässige Perception für verschiedene Tonhöhen sowohl durch Luft- als durch Knochenleitung.

Es kommen hier die verschiedensten Formen vor, schlechtes Hören der hohen und der tiefen Töne bei gutem Hören der mittleren, oder es werden umgekehrt die mittleren schlecht und die hohen und tiefen gut vernommen etc.

Die Knochenleitung ist bald für einzelne Tongruppen gesteigert, bald herabgesetzt oder es wird überhaupt nicht durch den Knochen percipirt.

Diese unregelmässige Form der Perception besteht bei Erkrankung des nervösen Apparates mit ungleichmässiger Beteiligung

III.

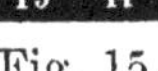

Fig. 15.

IV.

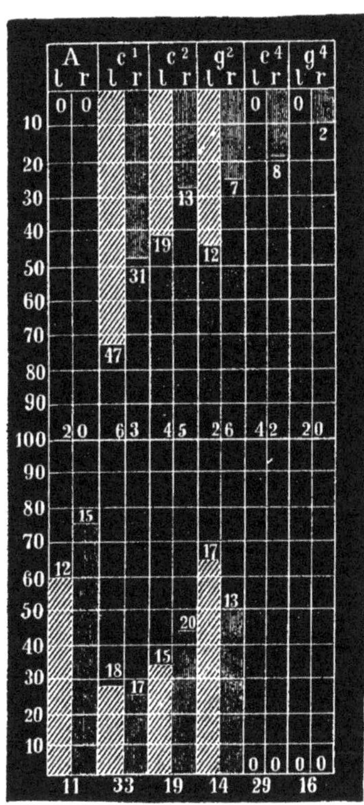

Fig. 16.

desselben. Häufig besteht gleichzeitig eine Erkrankung des Schallleitungsapparates. Insbesondere kann eine sichere Diagnose auf Labyrintherkrankung gestellt werden, wenn Tonlücken bestehen.

Fig. 16 zeigt das Bild des Hörvermögens eines Patienten mit chronisch progressiver Schwerhörigkeit ohne objektiv nachweisbare Veränderungen am Schallleitungsapparate. Durch Luftleitung wird

A nicht, c^4, und g^4 links ebenfalls nicht, rechts nur schlecht vernommen, während c^1 und c^2 verhältnissmässig gut percipirt werden. Das gute Hören der tiefen Gabel A durch den Knochen lässt auf eine Mitbeteiligung des Schallleitungsapparates schliessen.

Bei der Prüfung mit verschiedenen Stimmgabeln ist zu bemerken, dass die einzelnen Gabeln in verschiedener Weise abklingen und dass die Intensität nicht in gleichmässiger Weise, sondern in geometrischer Progression abnimmt. Es kommt jedoch nicht darauf an, physikalisch genau die Perceptionsfähigkeit zu bestimmen, es sollen nur durch Vergleich der nach derselben Methode gewonnenen Resultate die verschiedenen Formen der Schwerhörigkeit festgestellt werden. Dass das geschehen kann, zeigt die praktische Erfahrung, die Gleichwertigkeit der Resultate von bei analogen Krankheitsprocessen vorgenommenen Prüfungen.

Erschwerend für die allgemeine Verwendung der Hörprüfung mit mehreren Stimmgabeln ist, dass die ganze Untersuchung besonders bei beiderseitiger Erkrankung viel Zeit in Anspruch nimmt. Da es jedoch, wenn es sich um eine genaue Diagnose handelt, unumgänglich erforderlich ist, dass die Perceptionsfähigkeit für eine grössere Anzahl von einzelnen Tönen bestimmt wird, so wird die wenn auch zeitraubende Methode nicht entbehrt werden können.

Es erweisen sich im Allgemeinen für diese Methode der Untersuchung Stimmgabeln am zweckmässigsten, welche etwa 30—50 Sek. lang vom normalen Ohre vernommen werden. Eine längere Schwingungsdauer, durch welche die Untersuchung eine sehr zeitraubende wird, ist nicht erforderlich.

Bei der Prüfung der Knochenleitung mit hohen Stimmgabeln besteht die Schwierigkeit, dass der Ton der auf den Knochen aufgesetzten Gabel ebenso lang, bisweilen noch länger durch die Luft als durch den Knochen gehört wird. In zweifelhaften Fällen ist es erforderlich zuerst festzustellen, wie viele Sekunden die Gabel beim Aufsetzen auf den Knochen gehört wird. Ist dies bestimmt, so wird bei der nächsten Untersuchung, bevor diese Sekundenzahl erreicht ist, die Stimmgabel vom Knochen etwas abgehoben und gefragt, ob der Klang noch gehört wird. Ist dies der Fall, so ist anzunehmen, dass durch die Luft gehört wurde, andern Falls fand das Hören durch den Knochen statt. Nach Bezold spielt der Schallleitungsapparat für die Uebermittlung hoher Töne eine nur ganz geringfügige oder gar keine Rolle.

Mit der Vervollkomnung unserer Untersuchungsmethoden wird auch die Verwertbarkeit der pathologisch-anatomischen Befunde gewinnen. Leider sind die Sektionen nach sorgfältig vorgenommener Untersuchung am Lebenden noch wenig zahlreich.

In einem von Moos und Steinbrügge untersuchten, äussert interessanten Falle, wo während des Lebens höhere Töne nicht percipirt wurden und das Sprachverständniss fehlte, fand sich bei der histologischen Untersuchung Atrophie der Nervenfasern der ersten Schneckenwindung in Uebereinstimmung mit der Helmholtzschen Theorie, nach welcher diese Windung für die höheren, die oberen Windungen für die tieferen Töne bestimmt sind.

Moos machte zuerst darauf aufmerksam, dass für das Sprachverständniss die Perception der höheren Töne wichtiger ist als der tieferen. Es kann die Perceptionsfähigkeit für tiefe Töne eine vollständig normale sein, während die höheren Töne schlecht oder gar nicht percipirt werden. Die Sprache wird in diesen Fällen ebenfalls schlecht oder überhaupt nicht verstanden.

Ist das Hörvermögen für die Sprache vollständig oder nahezu vollständig erloschen, so muss auf eine Erkrankung des nervösen Apparates geschlossen werden.

e) Hörprüfung bei Verdacht auf Simulation.

Besteht der Verdacht auf Simulation von Schwerhörigkeit oder Taubheit, so muss in erster Linie eine genaue Untersuchung beider Ohren vorgenommen werden, da sich aus etwa bestehenden Veränderungen Schlüsse ziehen lassen auf den Grad der Schwerhörigkeit. Bei der Hörprüfung ist zu unterscheiden, ob nur Schwerhörigkeit oder vollständige Taubheit einseitig oder beiderseitig simulirt wird.

Wird nur Schwerhörigkeit simulirt, so muss der Grad derselben bei verdeckten Augen des Simulationsverdächtigen genau bestimmt werden. Da wiederholte Untersuchungen bei Nichtsimulanten stets dasselbe Resultat ergeben müssen, so können daraus wichtige Anhaltspunkte für die Erkennung der Simulation gewonnen werden.

Wird beiderseitige Taubheit simulirt, so kommt es darauf an, durch sorgfältige Beobachtung oder plötzliche Ueberraschung den sich für unbeobachtet haltenden Verdächtigten zu entlarven.

Bei einseitig simulirter Taubheit oder hochgradiger Schwerhörigkeit hat sich mir ein Verfahren wiederholt sehr zweckmässig erwiesen, welches darin besteht, dass ich den zu Untersuchenden mit abgewandtem gesundem Ohre postire und ihm dadurch glauben mache, dass nur das mir zugewandte angeblich schwerhörige Ohr untersucht werde. Bei der Hörprüfung behauptet nun der Simulant nichts zu hören, obwohl er mit dem gesunden Ohre vernehmen muss, wodurch der Betrug nachgewiesen ist. In ähnlicher Weise empfiehlt Voltolini[1]) in das angeblich schwerhörige Ohr ein grosses trompetenförmiges Hörrohr zu bringen, eventuell noch das gesunde Ohr mit einem durchbohrten Pfropfen scheinbar zu verstopfen. Moos lässt das gesunde Ohr mit einem Charpiepfropf verstopfen und die angeschlagene Stimmgabel auf die Mittellinie des Kopfes aufsetzen. Behauptet der Untersuchte, die Stimmgabel gar nicht, auch auf der gesunden Seite nicht zu hören, so ist er unzweifelhaft Simulant. Teuber bringt einen Gummischlauch in jedes Ohr des zu Untersuchenden. Derselbe muss rasch durch die Schläuche gesprochene Worte nachsprechen. Werden auch solche Worte nachgesprochen, welche in den zum angeblich tauben Ohr führenden Gummischlauch gesprochen wurden, so ist dadurch der Betrug festgestellt.

5. Die Luftdusche.

Mit dem Namen Luftdusche bezeichnen wir die zu diagnostischen und therapeutischen Zwecken nach verschiedenen Methoden vorgenommenen Lufteintreibungen in die Trommelhöhle durch die Tuba Eustachii. Das Verdienst, den grossen Werth derselben für die Behandlung der Ohrenkrankheiten zuerst erkannt zu haben, gebührt Deleau, der in Folge von überraschenden Erfolgen, welche er damit erzielt hatte, ihre Anwendung mit solcher Emphase empfahl, dass sich Itard zum Ausspruche veranlasst fand, dass nur Gott allein durch einen blossen Hauch dem Menschen das Gehör geben könne.

Die Methoden, nach welchen die Lufteintreibungen vorgenommen werden, sind folgende:

1. Der Valsalva'sche Versuch. Nach einer tiefen Inspiration wird bei geschlossenem Mund und Nase exspirirt und durch den Exspirationsdruck die Luft in die Trommelhöhlo getrieben.

---

[1]) Monatschr. f. Ohrenheilkunde. Nr. 9, 1882.

2. Das Politzer'sche Verfahren. Während eines Schlingaktes, durch welchen ein Abschluss des oberen vom unteren Rachenraume durch Anlagerung des Gaumensegels an die hintere Rachenwand stattfindet und gleichzeitig die Eustachischen Röhren geöffnet werden, wird die Luft in der Nasenhöhle komprimirt, indem vermittelst eines Gummiballons oder besonderer Kompressionsapparate unter verschiedenem Druck Luft in dieselbe eingetrieben wird.

3. Der Katheterismus. Die in einem Gummiballon oder in einem Kompressionsapparate verdichtete Luft wird durch einen in die Tubenmündung eingeführten Katheter direkt in die Trommelhöhle eingetrieben.

1. Der Valsalva'sche Versuch.

Der Exspirationsdruck, welcher erzielt werden kann, ist individuell sehr verschieden je nach dem Alter, dem Geschlechte, dem Kräftezustand und besonders nach der Beschaffenheit der Lungen und beträgt von 70—220 Mm. Hg. (Quecksilbersäule).

Nach meinen Untersuchungen findet unter normalen Verhältnissen der Lufteintritt in die Trommelhöhle bei Ausführung des Valsalva'schen Versuches bei einem Drucke von 20—60 Mm. Hg. statt, ausnahmsweise schon bei minimalem Drucke. In anderen Fällen bei bestehendem Nasenrachenkatarrh mit Schwellung der Tubenschleimhaut ist ein höherer Druck erforderlich oder reicht der zum Maximum gesteigerte Exspirationsdruck überhaupt nicht aus, Luft in die Trommelhöhlen zu pressen, ohne dass irgend eine Störung der Hörfunktion vorhanden zu sein braucht. Es kann deshalb, wenn bei einem Exspirationsdruck von über 60 Mm. Hg. kein Lufteintritt in die Trommelhöhle erfolgt, in diagnostischer Beziehung nur der Schluss auf ein Hinderniss der Tuben gezogen werden, nicht aber auf eine Störung der Trommelhöhlenventilation.

Dass der Lufteintritt in die Trommelhöhle erfolgt ist, kann festgestellt werden durch ein knackendes Geräusch, welches vom Patienten selbst nnd vermittelst eines Auskultationsschlauches vom untersuchenden Arzte wahrgenommen wird. Ausserdem kann das mit dem Lufteintritt stattfindende Nachaussentreten des Trommelfells direkt beobachtet werden.

Als negativer Valsalva'scher Versuch wird bezeichnet, wenn bei geschlossener Nase der Schlingakt ausgeführt wird. Es entsteht dabei eine Luftverdünnung im Nasenrachenraume, welche bei der gleichzeitigen Eröffnung der Eustachischen Röhre auch die

Trommelhöhle betrifft. Durch die Luftverdünnung entsteht ein Nachinnentreten des Trommelfells und wird das oben erwähnte knackende Geräusch ebenfalls vernommen.

Gelingt bei einem Patienten sowohl der positive, als auch der negative Valsalva'sche Versuch, so kann auf normale Verhältnisse der Eustachischen Röhre geschlossen werden.

In therapeutischer Beziehung lässt sich der Valsalva'sche Versuch nur selten verwenden, da schon bei geringen Hindernissen in der Eustachischen Röhre keine Luft mehr in die Trommelhöhle gelangt. Findet Lufteintritt statt, so ist die Kraft, mit welcher dies geschieht, eine sehr geringe. Es erweist sich deshalb diese Methode der Luftdusche in den meisten Fällen als unzulänglich. Bei vorhandener Trommelfellperforation kann der Valsalva'sche Versuch ausgeführt werden, um Sekrete aus der Trommelhöhle zu entfernen. Bei der Ausführung des Versuches muss der Exspirationsdruck rasch gesteigert und anhaltendes Pressen vermieden werden, da hierdurch venöse Kongestion entsteht, welche in manchen Fällen, insbesondere bei akuten Entzündungen, von schädlichstem Einflusse sein kann.

Wird die Ausführung des Versuches Patienten empfohlen, so muss vor einer häufigen Anwendung desselben gewarnt werden.

2. Das Politzer'sche Verfahren

wird am zweckmässigsten mit dem Gummiballon[1]) (Fig. 17) ausgeführt. Auf das Ansatzstück wird ein cirka 3 Cm. langes Gummiröhrchen gesteckt und dieses nunmehr in den hinteren Winkel einer der Nasenöffnungen eingeführt. Die beiden Nasenflügel werden über dem Röhrchen zwischen Daumen nnd Zeigefinger der linken Hand zusammengepresst. Während nun der Patient auf das Kommando „jetzt" oder „eins, zwei, drei" veranlasst wird, einen Schluck Wasser, welchen er zuvor schon in den Mund genommen hat, hinabzuschlucken, wird der mit der rechten Hand von der Seite zwischen Hohlhand und Daumen gefasste Gummiballon rasch und kräftig zusammengedrückt. Es ist Uebungssache den Moment richtig zu treffen, in welchem der Patient den Schlingakt ausführt. Der Ballon bleibt zusammengedrückt, bis die Gummiröhre wieder aus der Nase entfernt ist, um ein Auf-

[1]) Mit dem Mund einzublasen, wie es früher vielfach geübt wurde, dürfte manchem Patienten zu unappetitlich erscheinen.

saugen von Sekret in dieselbe und in den Ballon zu verhindern. Jeder Patient erhält, um Uebertragung von Krankheitsstoffen zu vermeiden, ein nur für ihn zu benützendes Röhrchen. Statt eines solchen Röhrchens wurde früher von Politzer das Ansatzstück Fig. 19 empfohlen, eine Hartkautschuckröhre, die vermittelst eines Gummischlauches mit dem Ballon in bewegliche Verbindung gebracht wird. Anfängern passirt es bei Anwendung dieses Ansatzes häufig, dass während des Zusammendrückens des Ballons der zum Ansatzstück führende Gummischlauch umgeknickt und dadurch der Luftaustritt verhindert wird.

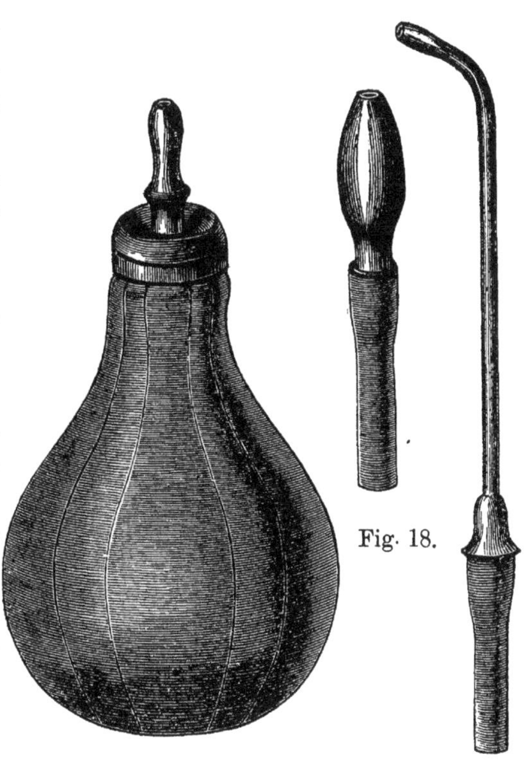

Fig. 17. Fig. 18. Fig. 19.

Da man bei Kindern beim Einführen des Ansatzes in die Nase häufig auf Widerstand stösst, ist es zweckmässig, bei solchen einen Ballon mit olivenförmigem, konischem Ansatze (Fig. 18) zu verwenden, der die Nasenöffnung vollständig ausfüllt und abschliesst und mit dem Ballon entweder ebenfalls vermittelst eines Gummischlauches in beweglicher oder durch direktes Einsetzen in den Ballon in fester Verbindung steht. Beim Einblasen braucht dann nur die zweite Nasenöffnung mit dem Finger zugedrückt zu werden.

Die Druckstärke, welche in der Nasenhöhle hervorgebracht wird, kann bis zu $^1/_2$ Atmosphäre betragen. Sie hängt ab von der Schnelligkeit und Kraft, mit welcher der Ballon komprimirt wird, vom Gesammtvolum der Nasenhöhle und des Nasenrachenraumes und von der Widerstandsfähigkeit des Gaumensegels.

Bei geringen Funktionsstörungen, sowie bei akuten Erkrankungen der Trommelhöhle darf das Politzer'sche Verfahren stets nur mit geringem Drucke ausgeführt werden, während bei den sonstigen, besonders bei den chronischen Erkrankungen starker Druck anzuwenden ist. Gelingt es mit dem Verfahren nicht, Luft in die Trommelhöhlen zu treiben, oder gelangt nur eine geringe Menge in die letzteren, so muss zum Katheterismus übergegangen werden. Da bei dem Politzer'schen Verfahren die Luft stets gleichzeitig in beide Trommelhöhlen getrieben wird, so muss dasselbe in den Fällen, in welchen nur ein Ohr krank ist, auf's Vorsichtigste und mit Anwendung geringer Druckstärke vorgenommen werden. Das gesunde Ohr kann ausserdem durch Einpressen des Fingers in den Gehörgang geschützt werden.

Nicht selten, besonders bei Kindern, tritt nach der Einblasung, wenn dieselbe zu früh oder zu spät ausgeführt wurde, Schmerz in der Magengegend auf, was davon herrührt, dass die Luft in den Magen tritt, der dadurch plötzlich aufgetrieben wird. Ich pflege in diesen Fällen einen Schluck Wasser trinken zu lassen, wonach sich durch Aufstossen die eingetriebene Luft entleert und der Schmerz verschwindet.

Bei Kindern gelingt das Politzer'sche Verfahren häufig auch ohne den Schlingakt, entweder tritt von selbst beim Einblasen Kontraktion der Gaumensegelmuskulatur ein oder es kann die Einblasung gemacht werden, während das Kind schreit.

Von Lucae[1]) und Gruber[2]) wurde empfohlen, den Gaumensegelverschluss statt durch den Schlingakt, durch die Phonation von Vokalen oder von k Lauten (hick) herbeizuführen. Nach meinen manometrischen Bestimmungen der Widerstandsfähigkeit des Gaumensegels ist dieselbe während der Vokalbildung häufig eine so geringe, dass ein genügender Druck in der Nasenhöhle nicht erzeugt werden kann. Beträchtlicher ist die Widerstandsfähigkeit, während k oder hick ausgesprochen wird. Jedenfalls ist das ursprüngliche Politzer'sche Verfahren den Modifikationen als wirksamer vorzuziehen. Doch muss hervorgehoben werden, dass es Fälle giebt, in welchen die Einblasung während des Schlingaktes misslingt, dagegen gelingt während der Phonation. Ich lasse Worte wie Kakadu, Kaffeküche, Gukuk aussprechen.

---

1) Virchow's Archiv Bd. 64, 1875.

2) Monatsschr. f. Ohrenheilk. etc. 1875.

Der grosse Vorzug des Politzer'schen Verfahrens gegenüber dem Katheterismus besteht darin, dass die mit der Einführung des Katheters verbundenen Unannehmlichkeiten, welche seine Anwendung bisweilen, besonders bei Kindern, unmöglich machen, in Wegfall kommen. Ausserdem kann häufig mit dem Verfahren eine grössere Luftmenge und ein stärkerer Luftstrom in die Trommelhöhle getrieben werden, als es mit Hilfe des Katheters geschehen kann.

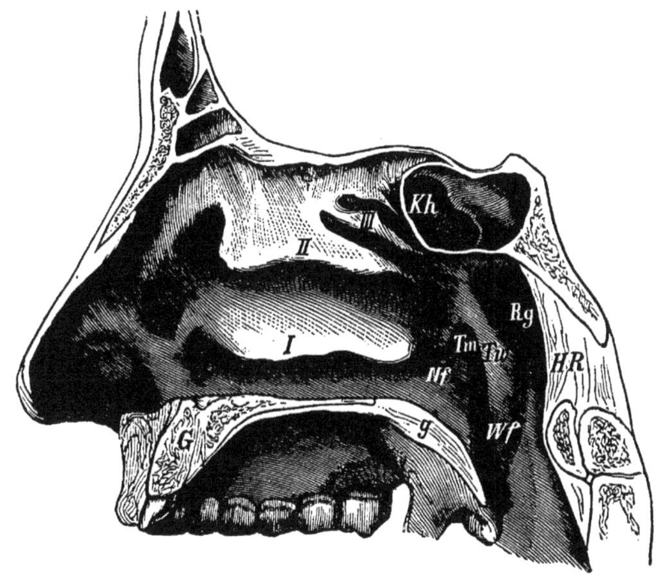

Fig. 20.

Tm Tubenmündung, *Tw* Tubenwulst, *Wf* Wulstfalte, *Hf* Hakenfalte, *Rg* Rosenmüller'sche Grube, *I* Untere, *II* Mittlere, *III* Obere Nasenmuschel, *G* Harter Gaumen, *g* Gaumensegel, *HR* Hintere Rachenwand, *Kh* Keilbeinhöhle.

3) Der Katheterismus.

Die Rachenmündung der Eustachischen Röhre befindet sich (vgl. Fig. 20) an der seitlichen Rachenwand in der Höhe der unteren Nasenmuschel, 1 Cm. über dem Boden der Nasenhöhle, vom hinteren Umfange des äusseren Nasenloches durchschnittlich $7\frac{1}{2}$ Cm., von der hinteren Rachenwand $1\frac{1}{2}$—2, von der Nasenscheidewand 2—$2\frac{1}{2}$ Cm. entfernt. Die Mündung ist nach vorn, oben und hinten eingefasst von dem hakenförmig umgebogenen Tubenknorpel, von dem besonders die hintere mediale Platte als Tubenwulst stark gegen die Mittellinie vorspringt. Die Längsachse der Eustachischen Röhre steht unter einem Winkel von 40^0 zur Horizontalebene.

Als Katheter (Fig. 21) werden entweder solche von Metall, am besten aus Silber oder solche aus Hartkautschuck angewandt. Die letzteren werden von den Arzneimitteln nicht angegriffen und sind für den Patienten angenehmer. Sie müssen jedoch aus gut gehärtetem Material verfertigt sein, damit sie nicht bei der Reinigung in heissem Wasser die Form verlieren. Die Länge der Katheter ist 14—15 Cm., wovon 2—2½ Cm. auf den unter einem Winkel von 145° abgebogenen Schnabel kommen; die Dicke beträgt 2—3 Mm. Es müssen verschiedene Nummern je nach der Weite der Nasenhöhlen benutzt werden. Ebenso muss die Schnabellänge je nach den Grössenverhältnissen des Nasenrachenraumes eine verschiedene sein. An dem dem Schnabel entgegengesetzten Ende ist der Katheter trichterförmig erweitert, eine Erweiterung, die zum Ansetzen des Gummiballons dient. An diesem Ende des Katheters befindet sich seitlich ein Ring, an welchem die Richtung zu erkennen ist, welche der in die Tubenmündung eingeführte Schnabel einnimmt.

Fig. 21.

Sind in der Nase Sekrete vorhanden, so lässt man dieselben vor der Einführung des Katheters entweder durch Ausschnauben oder durch Ausspritzen der Nase entfernen.

Der Katheterismus wird in 3 Akten ausgeführt. Im ersten Akte wird der Katheter bis in den Nasenrachenraum eingeführt, im zweiten wird die Schnabelspitze in die Tubenmündung gebracht und der Katheter in dieser Stellung fixirt. Der dritte Akt besteht darin, dass mit dem Gummiballon oder dem Kompressionsapparate die Lufteinblasung gemacht wird.

1. Akt. Der Daumen der linken Hand des Operateurs wird auf die Nasenspitze des Patienten, die übrigen Finger auf Nasenrücken und Stirne aufgesetzt und die Nasenspitze nach oben gedrückt. Der Katheter wird in Schreibfederhaltung in die rechte Hand zwischen Daumen und Zeigefinger genommen mit nach abwärts gerichtetem Schnabel. Der Schnabel wird nun von unten

her so in die Nasenöffnung eingeführt, dass die Spitze auf dem Nasenboden ruht, nun wird das äussere Ende des Katheters gehoben und derselbe in horizontaler Richtung langsam und vorsichtig vorgeschoben, bis die Schnabelspitze an die hintere Rachenwand gelangt. Findet die Schnabelspitze ein Hinderniss an dem Gaumensegel, so wird dasselbe überwunden durch leichtes Senken des äusseren Endes des Katheters, oder es wird der Patient veranlasst, seine Gaumensegelmuskulatur zu entspannen, indem man ihn durch die Nase Luft holen oder den Schlingakt ausführen lässt.

Das häufigste Hinderniss bei der Einführung des Katheters sind die Verbiegungen der Nasenscheidewand. Dieselben finden sich in der Regel im unteren Teile derselben und verursachen eine bald mehr bald weniger starke Verengerung des Raumes zwischen unterer Muschel und Scheidewand. Auf der Abbildung (Fig. 22), welche einen Querschnitt durch den vorderen Teil der Nasenhöhle darstellt, befindet sich an der Nasenscheidewand eine solche Verkrümmung nach links. Meist lässt sich dies Hinderniss dadurch überwinden, dass die Schnabelspitze nach unten aussen gerichtet, in der Richtung des Pfeiles vorgeschoben wird. Hat der Katheterschnabel die verengte Stelle passirt, so kann er wieder senkrecht gestellt und nun weiter vorgeschoben werden. Beim weiteren Vorschieben gleitet dann die Röhre des Katheters meist

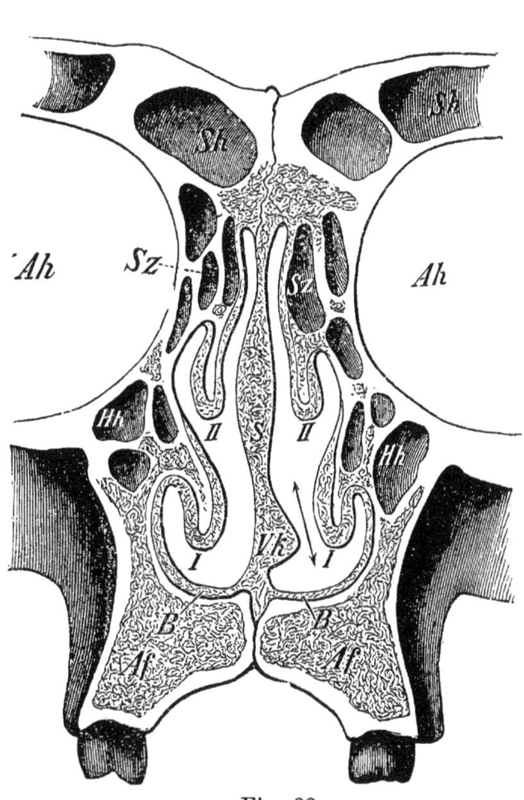

Fig. 22.
S Nasenscheidewand, *Vk* Verkrümmung derselben, *I* Unterer, *II* Mittlerer Nasengang; *B* Boden der Nasenhöhle, *Af* Alveolarfortsatz, *Hh* Vorderes Ende der Highmorshöhle, *Sh* Stirnhöhle, *Sz* Siebbeinzellen, *Ah* Augenhöhle.

über die verengte Stelle herab in den unteren Nasengang, oder dieses Herabgleiten findet erst statt, wenn der Schnabel sich im Nasenrachenraum befindet und Drehungsversuche gemacht werden.

Gelingt es nicht, auf diese Weise den Katheterschnabel über die verengte Stelle hinauszubringen, so wird, anstatt den Schnabel wieder senkrecht zu stellen, seine Spitze noch weiter nach aussen gedreht. Bei kurzem Schnabel und breitem, unterem Nasengange gleitet dann der convexe Teil des Schnabels über die vorspringende Stelle der Scheidewand in den unteren Nasengang herab, so dass der Schnabel nun horizontal in dem letzteren liegt. Das weitere Vorschieben kann nun stattfinden, indem der Schnabel wieder senkrecht gestellt wird, wobei der äussere Teil des Katheters gesenkt werden muss, oder es wird zweckmässiger der Schnabel in horizontaler Richtung bis in den hinteren Teil der Nasenhöhle geschoben und hinter dem hinteren Ende der unteren Muschel nach oben gedreht. Nachdem nun das Schnabelende mit nach oben gerichteter Spitze in den Nasenrachenraum gebrachst ist, wird weiter um 180° gedreht und dadurch der Schnabelspitze wieder die Richtung nach unten gegeben. Es empfiehlt sich in diesen Fällen dünnere Katheter mit kurzem Schnabel zu verwenden. Man kann sich bei einem vorhandenen Hindernisse die Einführung des Katheters sehr erleichtern, wenn man vorher die Nasenhöhle einer genauen Besichtigung unterzieht und sich von der Beschaffenheit des Hindernisses überzeugt.

Bleibt die Röhre des Katheters im mittleren Nasengange, so macht der zweite Akt des Katheterismus, die Drehung des Schnabels im Nasenrachenraume und die Beförderung der Spitze in die Tubenmündung, grosse Schwierigkeiten oder er misslingt vollständig.

Ist die eine Hälfte der Nasenhöhle für den Katheter nicht durchgängig, so kann versucht werden, einen mit langem Schnabel versehenen Katheter durch die andere Nasenhälfte einzuführen und von dieser aus in die gegenüberliegende Tubenmündung zu bringen.

2. Akt. Wenn die Schnabelspitze bis zur hinteren Rachenwand eingeführt ist, so wird der Katheter zur leichten Führung zwischen Daumen und Zeigefinger der linken Hand gefasst und es kann nun die Einführung der Spitze in die Tubenmündung nach drei verschiedenen Methoden bewerkstelligt werden.

1) Die Schnabelspitze erhält beim Zurückziehen des Katheters eine Achtelsdrehung nach aussen, so dass sie mit der äusseren Rachenwand in Berührung kommt, beim Zurückziehen (1—$1\frac{1}{2}$ cm.)

fühlt man den knorpeligen Tubenwulst. Nachdem derselbe überschritten ist, wird dem Katheter noch weiter eine Viertelsdrehung gegeben. (Methode Politzer.)

2) Die Schnabelspitze bleibt beim Zurückziehen nach unten gerichtet. Hat man zurückgezogen, so fühlt man den durch das Gaumensegel entgegentretenden Widerstand. Wird nun die Spitze nach aussen oben gedreht, so gelangt sie in die Tubenmündung (Kramer'sche Methode.)

3) Die dritte Methode, die ich zuerst in dem Lehrbuche von Frank (S. 101) beschrieben finde, besteht darin, dass der Katheterschnabel nach der der Tubenmündung, welche katheterisirt werden soll, entgegengesetzten Richtung gerichtet ist und so weit zurückgezogen wird, bis der Katheter mit der Krümmung durch die Nasenscheidewand aufgehalten wird. Es wird nun um 180° gedreht, wodurch die Spitze in die Tubenmündung gelangt.

Am häufigsten wird die erste der drei Methoden angewandt, doch wird auch von Manchen nach der zweiten verfahren. Ob nach der einen oder anderen Methode die Einführung des Katheters leichter gelingt, ist Uebungssache. Kommt man durch keine der beiden Methoden zum Ziele, so gelingt die Einführung häufig bei Anwendung der dritten Methode.

Die Einführung der Schnabelspitse in die Tubenmündung misslingt: a) wenn der Katheter nicht dem Nasenboden aufgelagert bleibt, sondern sein hinterer Teil gehoben wird, so dass die Schnabelspitze oberhalb der Tubenmündung steht. b) Der Katheter wird nicht weit genug zurückgezogen, die Spitze kommt in die Rosenmüller'sche Grube. c) Der Katheter wird zu weit zurückgezogen, die Spitze gelangt in die Nase und wird durch die untere Muschel festgehalten. d) Bei krampfhafter Kontraktion des Gaumensegels muss abgewartet werden, bis Erschlaffung eintritt. Dieselbe kann herbeigeführt werden durch Sprechen oder Athmen durch die Nase.

Das wichtigste Kennzeichen, dass der Katheter sich in richtiger Lage befindet, wird durch die Auskultation gewonnen während einer Lufteintreibung. Ausserdem kann man annehmen, dass die Katheterspitze sich in richtiger Lage befindet, wenn beim Vor- oder Rückwärtsschieben des Katheters sich Widerstand findet, ebenso beim Versuche, die Katheterspitze nach oben zu drehen.

Ist der Katheter auf eine der drei Methoden in die Tubenmündung gebracht, so werden Mittel-, Ring- und Kleinfinger der linken Hand auf die Stirne und den Nasenrücken des Patienten gelegt und es wird der Katheter dicht vor der äusseren Nase zwischen Daumen und Zeigefinger fest gefasst.

3. Akt. Durch den auf die angegebene Weise in der Tubenmündung fixirten Katheter wird nun die Lufteintreibung vorgenommen, wozu der Gummiballon (Fig. 17, S. 41) benutzt wird, der mit einem dem äusseren Ende des Katheters entsprechenden konischen oder besser abgerundeten Ansatz versehen sein muss. Der Ballon wird mit der rechten Hand von der Seite gefasst, in der Längsaxe des Katheters aufgesetzt und durch rasches Zusammendrücken entleert. Beim Zusammendrücken muss darauf geachtet werden, dass das Ansatzstück so wenig als möglich seine Lage ändert, da sich diese Lageveränderung fortpflanzen und dem Untersuchten empfindlichen Schmerz verursachen kann. Ist der Ballon entleert, so wird er in zusammengedrücktem Zustande, damit nicht Schleimmassen in den Katheter gelangen, abgenommen, um gefüllt wieder von Neuem aufgesetzt und entleert zu werden. Die Einblasungen werden meist mehrmals nach einander vorgenommen. Ist der Katheter gut fixirt und werden bei der Entleerung des Ballons keine unnötigen Bewegungen vorgenommen, so sind die Einblasungen für den Patienten vollständig schmerzlos. Man sucht beim Einblasen zu vermeiden, den Schnabel des Katheters gegen die hintere Tubenwand zu drücken.

Um eine gründliche Desinficirung des Katheters zu erzielen, empfiehlt sich am meisten die Siedehitze und 5procentige Karbolsäurelösung. Von Truckenbrod wurde ein Apparat konstruirt, vermittelst dessen heisse Wasserdämpfe durch den Katheter getrieben werden können. Womöglich soll jeder Patient, bei welchem die Anwendung des Katheters häufiger wiederholt werden muss, einen eigenen Katheter besitzen. Insbesondere ist dies erforderlich bei Syphilitikern*).

An Stelle des einfachen Gummiballons kann ein Doppelballon verwandt werden (Lucae), durch welchen ein kontinuirlicher, jedoch bedeutend schwächerer Luftstrom applicirt werden kann. — Lincke benutzte einen Blasebalg, ich selbst

---

*) Burow (Monatsschr. f. Ohrenheilk. No. 5, 1885) teilte kürzlich die Beobachtung von 6 Fällen mit, auf welche sämmtlich von demselben Arzte vermittelst des Katheters die Syphilis übertragen wurde. — Nach Köbner und Burow ist als besonders charakteristisch für die Fälle syphilitischer Ansteckung vom Pharynx aus zu betrachten: heftiges Fieber, schnelles Auftreten von starken Exanthemen, vor Allem aber die sehr stark in die Augen springende Schwellung der Cervikaldrüsen.

einen grossen Gummiballon, der mit dem Fuss getreten werden kann. — Heidenreich und später Erhard konnten in durch Wasser tauchende Cylinder, auf welche Gewichte aufgelegt wurden, Luftströme von beliebiger Stärke erzielen. — Um stärkeren Druck einwirken zu lassen, wurden von Politzer und von Tröltsch besondere Kompressionspumpen konstruirt. — Von den älteren Ohrenärzten wurde versucht, vermittelst des Katheters Luft aus der Trommelhöhle auszuziehen. — Den Katheterismus vom Munde aus vermittelst besonders konstruirter Katheter auszuführen, wurde von Pomeroy und Kessel empfohlen. — Den in die Tube eingeführten Katheter durch Nasenklemmen, wie sie von Kramer, Bomnafont uud Delstanche angegeben wurden, zu fixiren, ist bei den jetzt üblichen Behandlungsmethoden nicht erforderlich.

Unter normalen Verhältnissen ist ein äusserst geringer Druck erforderlich, um durch den Katheter Luft in die Trommelhöhlen eindringen zu lassen, während bei vorhandener Schwellung in der Eustachischen Röhre starker Druck erforderlich sein kann, damit der Lufteintritt in die Trommelhöhle gelingt. In manchen Fällen gelangt man nur zum Ziele, wenn man während der Lufteintreibung einen Schlingakt ausführen lässt, durch welchen der Lufteintritt begünstigt wird.

Unangenehme, ja sogar gefährliche Zufälle können verursacht werden, wenn durch den Katheter eine Schleimhautverletzung hervorgebracht wird und nun die eingeblasene Luft unter die Schleimhaut tritt und sich in die Umgebung ausbreitet. Am häufigsten geschieht dies nach vorausgegangenen Bougirungen der Eustachischen Röhre. Das Emphysem, welches auf diese Weise erzeugt wird, erstreckt sich auf die seitliche Rachenwand, das Gaumensegel und die Uvula, kann bis zum Kehlkopfeingang herabreichen; bisweilen geht dasselbe auch auf die äussere Seite des Halses über und kann sich bis auf die Brust heraberstrecken. Die Erscheinungen des Emphysem sind: Gefühl von einem Fremdkörper im Halse, Schmerz, erschwertes Schlingen, in hochgradigen Fällen Erstickungserscheinungen. Die Schwellungen im Halse erscheinen als durchscheinende Blasen von gelblich-weisser Farbe. Auf der äusseren Seite des Halses ist das Emphysem leicht durch die Palpation nachzuweisen. Das Emphysem bildet sich in wenigen Tagen von selbst zurück, gegen die Schmerzen können Gurgelungen mit Eiswasser angewandt werden. Erscheint es wünschenswert, die Beseitigung rasch eintreten zu lassen, so können Incisionen vorgenommen werden. Schnäuzen ist zu vermeiden.

Sodann sind von unangenehmen Erscheinungen nach dem Katheterismns hervorzuheben: Ohnmachten, die bisweilen eintreten.

Hinton beobachtete bei einem sonst gesunden Manne Schwindel, Bewusstlosigkeit und epileptiforme Krämpfe. Todesfälle[1]) sind zwei in der Literatur beschrieben. Beide traten während der Anwendung der Kompressionspumpe ein. Von einem dritten unaufgeklärten Fall, der in einer Stadt Schlesiens sich ereignete, wurde mir mündlich Mitteilung gemacht.

Die diagnostische und therapeutische Verwertung der Luftdusche.

Die diagnostische Verwertung der Luftdusche beruht hauptsächlich auf der Beurteilung der beim Katheterismus oder beim Politzer'schen Verfahren vermittelst des Auskultationsschlauches wahrgenommenen, durch den Lufteintritt in die Trommelhöhle erzeugten Geräusche. Der Auskultationsschlauch oder das Otoskop (Toynbee) besteht aus einem etwa 80 cm. langen Gummischlauch, von welchem das eine Ende in das Ohr des Untersuchten, das andere in das Ohr des Untersuchenden gesteckt wird. Das eine Ende ist gewöhnlich mit einem der Ohröffnung entsprechenden, olivenförmigen, durchbohrten Ansatzstück versehen, während das andere Ende, das vom untersuchenden Arzte benutzt wird, ein solches nicht besitzt.

Bei normaler Beschaffenheit der Eustachischen Röhre hört man bei der Lufteintreibung das sogenannte Anschlagegeräusch, welches durch das Einströmen der Luft in die Trommelhöhle und das Anprallen derselben auf die Trommelhöhlenwandungen und das Trommelfell hervorgerufen wird. Das Geräusch ist bald schwächer, bald stärker, je nach der Stärke des Luftstromes und nach der Weite der Eustachischen Röhre, sowie des Lumens des benutzten Katheters. Das Geräusch setzt mehr oder weniger scharf ein und dehnt sich als Blasegeräusch aus, bis die Einblasung vorüber ist. Man hat die Empfindung, dass ein voller, breiter, trockener Luftstrom in die Trommelhöhle eintritt.

Unter pathologischen Verhältnissen, wenn durch Veränderungen in der Eustachischen Röhre der Luftdurchtritt durch dieselbe er-

---

[1]) Die Todesfälle scheinen durch submuköses Emphysem des Larynxeinganges veranlasst zu werden. — Eine andere Erklärung geben die Tierexperimente Baginsky's, welcher durch Einspritzungen in den Gehörgang unter starkem Druck den Tod der Tiere herbeiführen konnte, indem hierbei Zerreissung des Trommelfells und des runden Fensters und Eindringen der Flüssigkeit in die Schädelhöhle durch den Aquaeductus cochleae stattfand.

schwert ist und nur ein schwacher Luftstrom in die Trommelhöhle eintreten kann, vernehmen wir kein Anschlagegeräusch, sondern ein schwaches, kurzes Blasegeräusch, das bisweilen mit hohem Toncharakter einen zischenden, pfeifenden Beiklang hat. Unter Umständen kann das Geräusch unterbrochen sein, es entsteht während einer Lufteintreibung eine kurze Pause, in welcher kein Lufteintritt erfolgt.

Sind Sekrete vorhanden, so erhalten wir Rasselgeräusche, entweder nur feines Knistergerassel oder grossblasiges Rasseln; dasselbe kann hervorgerufen werden entweder durch Sekret in der Eustachischen Röhre, welches in die Trommelhöhle getrieben wird, oder durch Blasen, welche sich in dem in der Trommelhöhle befindlichen Sekrete durch die eingetriebene Luft bilden. Je nach der Menge und der Consistenz der vorhandenen Sekrete ändert sich der Charakter des Rasselns.

Ist Perforation des Trommelfells vorhanden, so tritt die in die Trommelhöhle eingetriebene Luft in den Auskultationsschlauch und erhält der Beobachter dadurch die Empfindung, als ob ihm direkt in's eigene Ohr eingeblasen würde, wodurch das Geräusch einen besonderen Charakter erhält als Perforationsgeräusch. Sind keine Sekrete vorhanden, so hat das Geräusch einen vollen, kräftigen, je nach der Weite der Tuben und der Perforationsöffnung blasenden, hauchenden oder zischenden Charakter. Beim Vorhandensein von Sekreten entsteht ein lautes Rasseln, das auch ohne Auskultation leicht vernommen wird.

Sämmtliche Auskultationsgeräusche können nicht nur beim Katheterismus, sondern auch beim Politzer'schen Verfahren und, wenn der Lufteintritt gelingt, auch beim Valsalva'schen Versuche vernommen werden, doch sind dieselben bei Anwendung des Katheters, wobei ein stärkerer und länger andauernder Luftstrom erzeugt wird, am deutlichsten ausgesprochen und am besten festzustellen.

Beim Auskultiren hört man auch Geräusche, wenn die Luft nicht in die Trommelhöhle eintritt, wenn entweder die Luft aus der Tube selbst neben dem Katheter nach dem Nasenrachenraume wieder zurückströmt, oder wenn die Katheterspitze gar nicht in der Tubenmündung, sondern in der Rosenmüller'schen Grube sich befindet. Diese Geräusche sind jedoch viel schwächer als die Trommelhöhlengeräusche und klingen entfernter, während die beim Eindringen der Luft in die Trommelhöhle entstehenden Geräusche den Eindruck machen, dicht am Ohre des Beobachters hervorgebracht zu sein.

Strömt durch den Katheter die Luft bei minimalem Drucke frei in die Trommelhöhle, während bei Anwendung des Politzer'schen Verfahrens ein stärkerer Druck erforderlich ist, um den Lufteintritt in die Trommelhöhle gelingen zu lassen, so kann daraus der Schluss gezogen werden, dass die Verengerung an der Tubenmündung ihren Sitz hat.

In zweiter Linie lässt sich die Luftdusche diagnostisch und prognostisch verwerten für die Beurteilung der Natur und Beschaffenheit der den Schallleitungsapparat betreffenden Krankheitsprocesse. Ist bei Erkrankungen der Tuba oder bei der Entwicklung von Adhäsivprocessen abnorme Stellung und abnorme Spannung des Trommellfells und der Gehörknöchelchen eingetreten, so kann durch den von innen auf das Trommelfell einwirkenden Druck bei der Luftdusche dasselbe mit den Gehörknöchelchen in die normale Stellung zurückgeführt werden. Die bei der Einwärtslagerung des Trommelfells bestehende stärkere Spannung im Schallleitungsapparat wird beseitigt, wenn das Trommelfell in seine alte Stellung zurückkehrt. Tritt nach der Luftdusche vollständig normales Hören ein, so war die Schwerhörigkeit durch rein mechanische Ursachen, durch mangelhafte Funktion der Eustachischen Röhre bedingt; wird nur Besserung erzielt, so kann die Schwerhörigkeit durch Exsudate oder durch Neubildungen und Schwellungen im Bereiche des Schallleitungsapparates bedingt sein. Je grösser die Besserung ist, welche sich erzielen lässt, um so geringfügiger werden die Hindernisse sein und um so leichter werden sich dieselben beseitigen lassen. Tritt nach der Luftdusche nur geringe oder gar keine Veränderung ein, so ist die Prognose noch eine günstige, wenn die sonstige Untersuchung das Vorhandensein von Sekreten annehmen lässt; können solche ausgeschlossen werden, so muss eine ungünstige Prognose gestellt werden. Von Wichtigkeit für die Prognose ist ferner die Dauer der nach der Luftdusche eintretenden Besserung des Hörvermögens; je rascher die Verschlechterung nach dem erzielten Erfolge wieder eintritt, um so ungünstiger muss die Prognose gestellt werden.

In therapeutischer Beziehung wirkt die Luftdusche hauptsächlich durch die Beseitigung der abnormen Lagerungs- und Spannungsverhältnisse des Schallleitungsapparates. Sodann können durch die Lufteintreibungen Exsudate aus der Trommelhöhle entfernt werden am besten beim Politzer'schen Verfahren, wenn der Kopf nach vorn und unten nach der dem erkrankten Ohre entgegengesetzten Seite geneigt wird, wodurch das Sekret an die Mündung der Eustachischen Röhre gebracht wird. Ist Trommelperforation vorhanden, so wird das Sekret in den äusseren Gehörgang getrieben und von hier durch Ausspritzen entfernt. Ferner wird durch häufige Luftdusche die Rückbildung hyperämischer Schwellungen und die Sistirung der Sekretion begünstigt.

Durch den Katheter werden nicht nur Lufteintreibungen in die Trommelhöhlen gemacht, sondern es können durch denselben auch verschiedene Dämpfe in das Mittelohr geleitet und Flüssigkeitseinspritzungen durch denselben vorgenommen werden.

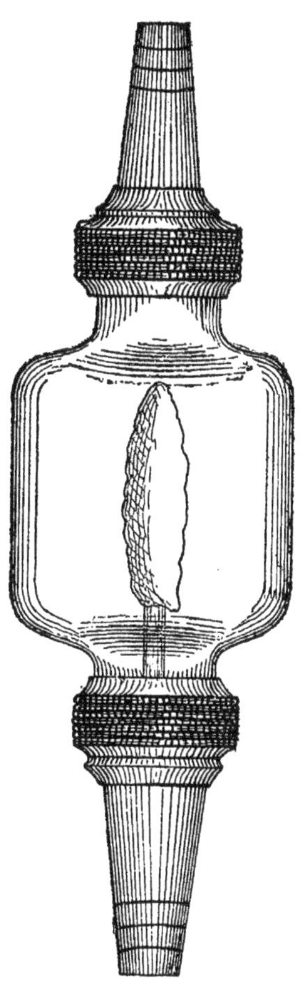

Fig. 23.

Dämpfe wurden besonders in früherer Zeit vielfach angewandt. Am häufigsten Wasserdämpfe, indem aus einer Flasche, in welcher sich kochendes Wasser befand, die Dämpfe durch den Katheter in's Mittelohr getrieben wurden, was noch jetzt in manchen Fällen mit gutem Erfolg geschieht. Die früher so häufige Anwendnng von Salmiakdämpfen ist obsolet geworden. Soll Jodäthyl, Menthol, Chloroform, Aether oder Terpentinöl angewandt werden, so können die Dämpfe dieser Stoffe vermittelst der Insufflationskapsel in die Trommelhöhle getrieben werden. Die Insufflationskapsel besteht aus einer Glaskugel (vgl. die Abbildung), an welcher zwei Ansatzstücke angebracht sind, von denen das eine zum Einfügen in den Gummiballon, das andere zum Einfügen in den Katheter bestimmt ist. Von dem ersteren Ansatzstück ragt ein Metallstift in die Glaskugel hinein. Dieser Stift wird bei der Verwendung mit Verbandwatte umwickelt und diese mit der zu verdampfenden Flüssigkeit getränkt. Die Kapsel kann auf jeden Ballon aufgesetzt werden.

Bei der Applikation von flüssigen Arzneistoffen auf die Trommelhöhlenschleimhaut werden in den in die richtige Lage gebrachten Katheter mit der Pravaz'schen Spritze, die mit einem längeren konischen Ansatze versehen ist, oder mit einem einfachen Tropfenzähler einige Tropfen der Flüssigkeit injicirt und dieselben nun durch eine Lufteintreibung in die Trommelhöhle getrieben. Um dieselben direkt in die Trommelhöhle gelangen zu lassen, kann das Paukenröhrchen benutzt werden.

Um grössere Mengen Flüssigkeit in die Trommelhöhlen gelangen zu lassen, was besonders bei Sekretansammlungen mit Perforation des Trommelfells wünschenswert erscheint, muss der Katheter mit möglichst dickem und langem Schnabel so tief als möglich in die Tuba eingeführt und nun mit einer grösseren Spritze die Injection gemacht werden.

Von Ph. H. Wolf[1]) wurde zuerst empfohlen, durch den Katheter eine dünne biegsame Röhre (Paukenröhrchen) in den knöcheren Teil der Tuba bis zur Trommelhöhle vorzuschieben, Wolff benutzte zu diesem Zwecke eiue silberne Röhre, die von Frank durch eine bleierne, biegsamere, neuerdings von Weber-Liel durch eine aus weichem Bougie-Stoffe ersetzt wurde. Die Einspritzungen durch diese Röhrchen werden ebenso wie diejenigen durch den Katheter vorgenommen.

Ohne Katheter kann Flüssigkeit in die Trommelhöhle getrieben werden, wenn das Politzer'scbe Verfahren in der Weise ausgeführt wird, dass anstatt, dass der Gummiballon mit Luft, derselbe mit Flüssigkeit gefüllt und während des Schlingaktes eutleert wird (Saemann). Auf andere Weise kann dies dadurch erreicht werden, dass zuerst in der Nasenhöhle Flüssigkeit gebracht und dann das Politzer'sche Verfahren ausgeführt wird. Da in beiden Fällen die Flüssigkeit in beide Trommelhöhlen gelangt, kann das Verfahren nur bei beiderseitiger Erkrankung angewandt werden.

In den Fällen, in welchen man durch Einspritzungen in die Tuba oder durch die Behandlung der Nasenrachenschleimhaut nicht im Stande ist, eine Tubenverengerung zu beseitigen, kann die Bougirung der Tuben vorgenommen werden. Die benutzten Bougies besitzen eine Dicke von $^2/_3$, $^3/_3$ oder $^4/_3$ mm. Als Material der Bougies wurden von Kramer früher Darmsaiten empfohlen, später wurden Fischbeinsonden benutzt, jetzt kommen elastische, mit Wachs präparirte sog. englische oder Celluloid-Bougies zur Verwendung. Laminaria-Bougies, die Schwartze früher empfahl, haben sich nicht bewährt, da es wiederholt vorkam, dass dieselben in den Tuben abbrachen. Beim Einführen der Bougies ist zu be-

[1]) S. Frank, Handb. d. prakt. Ohrenheilk. S. 102.

denken, dass die Länge der Tuben durchschnittlich 36 mm. beträgt, dieselbe jedoch beträchtlichen Schwankungen unterworfen ist. Ein Drittel gehört dem knöchernen, zwei Drittel dem knorpelig-membranösen Teil an. Das Bougie wird sich also im knöchernen Teile befinden, wenn sich die Spitze mehr als 24 mm. von der Schnabelkrümmung des Katheters entfernt hat. Man kann sich die betreffenden Maasse am äusseren Ende des Bougies anzeichnen.

Um die Tubenschleimhaut zu kauterisiren, wurden schon von den älteren Ohrenärzten Metallsonden benutzt, auf welche Argent. nitr. aufgeschmolzen wird. Dieselben werden ebenfalls durch den Katheter in die Tuben gebracht. — Zur blutigen Erweiterung der Tuben wurde von Saissy zuerst ein Instrument empfohlen.

Capitel II.

Symptomatologie.

1. Ohrgeräusche.

Die Ohrgeräusche bilden eine der häufigsten Erscheinungen bei den Erkrankungen des Hörorganes. Ihre Entstehungsweise, ihr Charakter und ihre Intensität ist sehr verschieden. Bald treten sie so schwach auf, dass sie nur bei gespannter Aufmerksamkeit vernommen werden, bald sind sie so heftig, dass sie für den Patienten zur grössten Belästigung werden, ihm die Nachtruhe rauben und im schlimmsten Falle ihn veranlassen, durch Selbstmord sich von seinen Geräuschen zu befreien zu suchen.

Wir unterscheiden a) nervöse Geräusche, auch als subjektive bezeichnet, b) entotische Geräusche, c) objektiv wahrnehmbare Geräusche. Bei den ersteren nehmen wir an, dass sie durch Reizung des nervösen Apparates, sei es im Labyrinth oder im centralen Teile, verursacht worden, und zwar kann eine solche Reizung zu Stande kommen durch Veränderungen in der Blutzufuhr oder durch anderweitige Einwirkungen (Entzündung) auf den nervösen Apparat. Den entotischen Geräuschen liegen entsprechende, im Mittelohr oder dessen Umgebung bestehende, auf den Perceptionsapparat fortgepflanzte Geräusche zu Grunde. Diese Geräusche werden entweder durch den Blutstrom verursacht (Carotis, Arteria auditiva interna, Vena jugularis, Sinus transversus), durch Muskelkontraktionen (Musc. tensor tympani, M. stapedius), oder durch Bewegungen des Trommelfells, der Tubenwände oder von Schleimmassen in der Trommelhöhle. Die Perception dieser Geräusche wird begünstigt: 1. durch alle Faktoren, welche die Resonanz im Ohre verstärken, 2. bei Hyperästhesie des Acusticus (Brunner).

Bisweilen sind diese entotischen Geräusche so stark, dass sie auch von anderen Beobachtern gehört werden, in welchem Falle sie dann als objektiv wahrnehmbare bezeichnet werden.

In vielen Fällen ist nicht zu entscheiden, ob es sich um subjektive oder entotische Geräusche handelt.

Dem Charakter der Geräusche nach unterscheiden wir:

1) Ohrenklingen mit hohem Toncharakter, wozu wir ausserdem rechnen die als Singen, Sieden, Grillenzirpen bezeichneten Ohrgeräusche. Es findet sich nicht selten spontan auftretend auch bei gesundem Hörorgane, sodann kann es hervorgerufen werden durch die Anwendung des konstanten Stromes, wo es bei der Kathodenschliessung und Anodenöffnung auftritt, nach Brenner[1]) entspricht es dem Tone c^1 oder g^1, nach Hagen[2]) dem a^3. Bei Zerstörung des Trommelfells kann das Klingen hervorgerufen werden durch Berührung des Steigbügels. Brunner sah ein heftiges helles Klingen auftreten beim jedesmaligen Touchiren einer Granulation auf dem Promontorium. Als reflektorisches Ohrenklingen bezeichnet Brunner das Geräusch, das bisweilen beim Schliessen der Augenlider gehört wird. Ein sehr hohes Klingen, das Wochen und Monate lang bestehen bleiben kann, tritt auf nach der Einwirkung von Detonationen. In einem Falle fand Wolf nach einer Detonation neben dem Ohrenklingen eine mangelhafte Schallperception, die sich auf die zweigestrichene Octave beschränkte. Einer meiner Patienten, ein Musiker vom Fach, der an Mittelohrkatarrh mit Beteiligung des Labyrinthes litt, bekam vorübergehend ein sehr starkes Klingen, das dem Tone d^3 entsprach, während der Dauer des Klingens wurde der entsprechende Ton des Claviers nur bei sehr starkem Anschlag gehört. — Am häufigsten findet sich das Ohrenklingen bei aktiv oder passiv hyperämischen Zuständen des Hörorganes,

---

[1]) Elektro-Otiatrik, S. 110.

[2]) Prakt. Beiträge zur Ohrenheilk., Bd. VI, S. 18.

beim akuten und chronischen Katarrh, hauptsächlich dann, wenn eine Beteiligung des Labyrinthes vermutet oder nachgewiesen werden kann.

Für die Erklärung dieser Geräusche liegt die Annahme am nächsten, dass es sich um Reizungszustände einzelner Fasern oder Fasergruppen im Labyrinthe handelt, analog wie wir im Auge Lichtempfindungen auftreten sehen bei Hyperämie oder bei Druck auf den Bulbus.

Kiesselbach[1]) fand bei sich selbst das durch den konstanten Strom erzeugte Klingen genau dem Resonanzton seines Ohres entsprechend und zwar rechts dem Ton h^4, links a^4. Nach Kiesselbach handelt es sich um Resonanzverstärkung von Gefässgeräuschen, welche von dem durch den Strom in erhöhte Erregbarkeit versetzten Nervenapparat vernommen werden.

2) Ohrensausen, Rauschen, Brummen mit tiefem Toncharakter.

Manche Fälle von Ohrensausen sind als nervöse Geräusche aufzufassen, besonders solche, die bei Hirntumoren, bei Erkrankungen, die sich auf's Labyrinth beschränken, vorkommen, sowie bei Mittelohrprocessen, bei welchen eine Mitbeteiligung des nervösen Apparates stattfindet. Eine grosse Anzahl dieser Geräusche sind dagegen als entotische zu betrachten, die in den benachbarten Blutgefässen oder Muskeln entstehen und unter verschiedenen Verhältnissen zur Perception gelangen. Die venösen Geräusche sind gleichmässig, die arteriellen pulsirend, beide lassen sich in der Regel durch Druck auf die Halsgefässe ändern. Die Muskelgeräusche haben entsprechend dem tiefen Muskelton einen brummenden Charakter. Am häufigsten scheinen derartige Geräusche zur Wahrnehmung zu gelangen, wenn die Resonanzverhältnisse im Ohre besonders günstig sind, bei Verstopfungen des äusseren Gehörganges durch Ceruminalpfröpfe oder Polypen, bei Ansammlung von Sekretmassen im Gehörgange oder in der Trommelhöhle. Sodann kommen die Gefäss- und Muskelgeräusche zur Perception, entweder wenn dieselben überhaupt stark vorhanden sind, oder bei Hyperästhesie des Acusticus. Moos konnte in einem Falle als Ursache von Ohrensausen die Erweiterung des Bulbus venae jugularis cerebralis nachweisen. Das Ohrensausen bei Anämischen und Chlorotischen kann als Autoperception des beim Einströmen des Blutes aus dem Sinus trans-

---

[1]) Pflüger's Arch. f. ges, Physiol., Bd. XXXI.

versus in den Bulbus venae jugularis entstehenden sogenannten Nonnen- oder Blasebalggeräusches aufgefasst werden. Sowohl von Patienten, als auch vom Untersuchenden objektiv wahrnehmbares Sausen vom Charakter des Blasegeräusches und synchron mit dem Pulse wurde bei Aneurysmen mehrfach beobachtet, entweder fortgepflanzt von der Aorta und den Karotiden, oder als Begleiterscheinung von cerebralen Aneurysmen.

Gottstein beobachtete ein Rauschen im Ohre, das anfallsweise auftrat gleichzeitig mit Blepharospasmus. Das Rauschen verschwand mit dem Aufhören des Lidkrampfes. Gottstein glaubt, dass dasselbe durch einen Krampf des Musculus stapedius bedingt war (Muskelton). Eine Patientin bezeichnete mir die gleichzeitig mit Facialiskrampf auftretenden Geräusche als das langsame Klappern einer Mühle, später ging das Klappern in ein tiefes Sausen über. Habermann beseitigte ein dumpfes, dröhnendes Geräusch, das bei jedem Lidschluss 4—5 Mal auftrat, durch die Tenotomie des Musc. stapedius.

3) Verschiedenartige entotische Geräusche sind bedingt durch Bewegungen, die in vorhandenem Exsudate im Mittelohre auftreten, oder durch Lageveränderungen der beweglichen Teile im Mittelohre. Schabende, knisternde, gurgelnde, knatternde Geräusche, die Empfindung von Blasenplatzen können wir erklären durch Exsudatbewegungen, dieselben ändern sich je nach der Konsistenz des Sekrets. Bei serösem Charakter des letzteren bilden sich beim Lufteintritt in das Mittelohr aus den Tuben Blasen, die beim Entstehen und beim Platzen Geräusche verursachen. Ein Knall im Ohre entsteht beim Platzen des Trommelfells, bei akuten Entzündungen, sodann beim plötzlichen Aufheben eines Tubenverschlusses nach längerer Dauer desselben.

Viele Personen sind im Stande, ein knackendes oder knisterndes Geräusch willkürlich in ihrem Ohre hervorzurufen und zwar gleichzeitig mit der Kontraktion der Gaumensegelmuskulatur. Dieses Geräusch entsteht nach Joh. Müller durch die Kontraktion des Musc. Tensor tympani, nach Politzer durch das Abheben der durch Sekret verklebten Tubenwände von einander. Ich selbst kann das Geräusch bei mir auf beiden Seiten willkürlich erzeugen und habe die Ueberzeugung gewonnen, dass dasselbe im Mittelohr entsteht, sei es durch die Aenderung der Trommelfellspannung selbst, sei es durch die Aenderung der Lagerung der Gehörknöchelchen in Folge der Kontraktion des Tensor tympani. Sowohl der Tensor veli, als der Tensor tympani werden von der motorischen Portion des Trigeminus versorgt. Dieses Geräusch ist durch Auskulation auch von einem zweiten Beobachter zu vernehmen, bisweilen ist es so stark, dass es auf mehrere Fuss Entfernung gehört wird. Ein Patient Bremer's konnte willkürlich das Geräusch in sehr rascher Reihenfolge 100—150 Mal in der Minute auftreten lassen (durch krampfartige Kontraktionen des Tensor tympani). Boeck und Holmes beobachteten das Geräusch in Verbindung mit klonischem Krampf der äusseren Kehlkopf- und der Gaumensegelmuskeln.

Es wäre hierher noch zu rechnen ein synchron mit der Ein- und Ausathmung stattfindendes entotisches Geräusch, das ich wiederholt als sehr lästige Erscheinung zu beobachten Gelegenheit hatte. Dasselbe wird verursacht durch Ein- und Ausströmen von Luft durch die abnorm offenstehenden Tuben.

4) Seltener als die bisher besprochenen Geräusche findet sich das Hören zusammenhängender Melodien. Dasselbe beruht, wie kaum anders anzunehmen ist, auf einem Reizzustande des Gehirnes, und zwar des Grosshirnes, und ist als eine Art von Hallucination aufzufassen, ohne dass jedoch sonstige psychische Erscheinungen vorhanden wären. Es werden nicht nur bekannte, sondern auch unbekannte Melodien gehört und ist hierher auch zu rechnen das Hören von Menschenstimmen, das Fröschequaken und ähnliche Empfindungen. Brunner fand das Hören von Melodien in einem Falle nach starken Chinindosen, sodann bei einem Apoplektiker. Eine musikalisch gebildete Dame, die wegen hochgradiger nervöser Schwerhörigkeit von mir behandelt wurde, hörte längere Zeit die schönsten, grösstenteils ihr bekannten Melodien. Später trat nun aber zum grossen Leidwesen der Patientin die Erscheinung auf, dass die Melodien durcheinander gehört wurden und Misstöne dazwischen kamen.

In vielen Fällen kann durch äussere Reize eine Aenderung oder eine vorübergehende, bisweilen auch dauernde Verringerung oder Beseitigung der Geräusche herbeigeführt werden durch Druck auf den Warzenfortsatz oder auf den ersten Halswirbel (Türck), sodann, worauf Weil aufmerksam machte, durch Beblasen der Gehörgangswände vermittelst des Gummiballons, durch die Einwirkung elektrischer Ströme, durch äusseren Schall. Lucae[1]), welcher der Einwirkung des letzteren eine besondere Wichtigkeit beilegt, unterscheidet sogar die subjektiven Gehörsempfindungen in solche, welche

[1]) Zur Entstehung und Behandlung der subjektiven Gehörsempfindungen. Berlin 1884.

durch äusseren Schall an Intensität zunehmen, und solche, welche durch denselben abnehmen. Im ersten Falle müssen von den Patienten alle Geräusche ferngehalten werden, im letzteren Falle soll die „Tonbehandlung“ ein geleitet werden. Lucae lässt bei hohem Sausen und Zischen einen tiefen, bei tiefem Sausen oder Brummen einen hohen Ton einwirken. Pulsirende Geräusche lassen sich durch Compression der Carotis bisweilen vorübergehend beseitigen.

Prognostisch ungünstig sind im Allgemeinen diejenigen Geräusche, welche ununterbrochen gleichmässig bestehen, während bei wechselnder Intensität und besonders bei zeitweiligem, vollständigem Aufhören die Prognose eine günstigere ist. Ebenso ist die Veränderung des Sausens nach der Luftdusche als prognostisch günstiges Zeichen zu betrachten. Sodann kann aus der Veränderung der Geräusche bei Luftverdünnung im äusseren Gehörgang auf abnorme Spannungsverhältnisse geschlossen werden, die unseren Eingriffen zugänglich sind.

Nach von Tröltsch, Schwartze und Köppe können durch Geräuche, welche durch peripherische Leiden hervorgerufen sind, psychische Störungen, Gehörshallucinationen, Melancholie, sog. Reflexpsychosen[1]) veranlasst werden. Mehrfach wurden Fälle beobachtet, bei denen schwere Psychosen mit continuirlichen Gehörstäuschungen durch die Entfernung eines Thrombus sebaceus geheilt wurden.

2. Ohrschwindel.

Schwindelerscheinungen und Gleichgewichtsstörungen können in Verbindung mit den verschiedensten Ohrenkrankheiten auftreten. In der Regel sind dieselben verbunden mit Ohrensausen oder Klingen und mit Brechneigung oder wirklichem Erbrechen.

Für die Beurteilung dieser Schwindelerscheinungen sind verschiedene Beobachtungen am gesunden und kranken Hörorgane von Wichtigkeit.

1. Nach den Versuchen von Schmidekam und Hensen kann durch eine auf dem Trommelfell lastende kalte Wassersäule Schwindel, Uebelkeit und Erbrechen hervorgerufen werden, Er-

---

[1]) Ueberhaupt können durch verschiedene Ohrenkrankheiten Psychosen hervorgerufen werden, insbesondere bei zu psychischen Erkrankungen disponirten Individuen. Mit der Beseitigung des Grundleidens der Ohrenkrankheit kann auch die Psychose geheilt werden.

scheinungen, welche nicht eintreten, wenn warmes Wasser benutzt wird oder wenn Luftdruck einwirkt.

Ebenso treten, wie schon früher hervorgehoben, Schwindelerscheinungen auf, wenn beim Ausspritzen des Ohres nur wenig zu niedrig temperirtes Wasser benutzt wird.

2. Schwindelerscheinungen können hervorgerufen werden durch Fremdkörper oder Ceruminalpfröpfe, welche dem Trommelfell oder den Trommelhöhlenwandungen angelagert sind. Urbantschitsch erwähnt einen Fall, in welchem er eine Art Sturzbewegung und Eingenommenheit des Kopfes erzeugte, wenn er polypöse Wucherungen in der Nähe des ovalen Fensters mit der Sonde nur schwach berührte. Häufig zu beobachten sind die Schwindelerscheinungen, welche durch Druck auf den Steigbügel hervorgebracht werden können.

3. Von Schmidekam wurde zuerst beobachtet, dass bei der Einwirkung eines starken Sirenentones Schwindel, Brechneigung und Singen im Ohre eintritt. Dasselbe wird beobachtet bei sonstigen Schalleindrücken, z. B. bei einem Flintenknall.

4. Eine grosse Anzahl von Experimenten, welche nach dem Vorgange von Flourens über die Funktion der Halbzirkelkanäle angestellt wurden, ergab, dass durch Durchschneidung dieser Kanäle bei Tieren, insbesondere bei Tauben, Gleichgewichtsstörungen hervorgerufen wurden. Es kommen verschiedene Kopfbewegungen zur Beobachtung, je nachdem einzelne Kanäle durchschnitten werden; ausserdem stellt sich Nystagmus beider Augen ein. Diese Erscheinungen treten nicht auf, wenn die knöchernen Kanäle nur freigelegt werden, ohne Eröffnung der membranösen Kanäle. Goltz zieht aus diesen Versuchen den Schluss, dass „im inneren Ohre noch Endverbreitungen eines Nerven vorhanden sein müssen, der im Stande ist, durch Fortleitung der Erregung im Gehirn Schwindelgefühl zu erzeugen“.

5. Die heftigsten Schwindelerscheinungen und Gleichgewichtsstörungen werden beim Menschen verursacht durch Verletzungen des Labyrinthes. Ich hatte Gelegenheit, eine solche ohne weitere Komplikationen stattgefundene Verletzung zu beobachten. Eine Patientin hatte sich eine Stricknadel in der Gegend des ovalen Fensters am hinteren oberen Rande des Trommelfells mit grosser Gewalt eingestossen; dieselbe stürzte sofort zu Boden, musste zu Bett gebracht werden. Es traten bei allen Bewegungen die heftigsten Schwindelerscheinungen auf, daneben unstillbares Erbrechen und starke sub-

jektive Geräusche mit einem mittleren Grade von Schwerhörigkeit. Die Erscheinungen bestanden in voller Intensität etwa zwei Tage, um dann allmälig besser zu werden.

Da das Centrum für die Erhaltung des Gleichgewichts im menschlichen Körper im Kleinhirn seinen Sitz hat, müssen wir auf Grund der obigen Erfahrungen mit Goltz annehmen, dass es im Ohre, insonderheit im Labyrinthe, Nerven giebt, deren Erregung auf reflektorischem Wege die Gleichgewichtsstörungen und den Schwindel, sowie die Brechneigung und das Erbrechen hervorruft. Wir bezeichnen der Einfachheit halber diese Schwindelerscheinungen als Reflexschwindel.

Baginsky glaubt auf Grund von Tierexperimenten die Schwindelerscheinungen als direkte Hirnreizung auffassen zu dürfen, hervorgerufen durch Druck auf die Labyrinthflüssigkeit und Eindringen derselben in die Schädelhöhle durch den Aquäductus cochleae. Zu derselben Ansicht kam Lucae durch die Beobachtungen von Schwindelerscheinungen bei Druck auf den Steigbügel.

Wenn man bedenkt, wie gering die Grösse der Steigbügelplatte ist, 1,5 : 3 mm, und wie klein die Excursionen derselben sind ($^1/_{10}$ mm nach Helmholtz), wenn man ferner bedenkt, dass die Flüssigkeit im Labyrinthe nach verschiedenen Richtungen ausweichen kann und dass sie, um zur Hirnoberfläche zu gelangen, erst die als Capillarröhren zu betrachtenden Aquädukte durchlaufen muss, so wird man es kaum für möglich halten, dass die minimalen Flüssigkeitsmengen, die vielleicht auf diesem Wege ins Innere der Schädelhöhle gelangen, einen Reiz auf die Hirnoberfläche auszuüben im Stande sind.

3. Hyperästhesie der Hörnerven.

Als solche bezeichnen wir eine besondere Empfindlichkeit des Hörorganes gegen Schalleindrücke, indem dieselben entweder besser als vom normalen Ohr vernommen (Hyperakusis) oder schmerzhaft empfunden werden. Die Erscheinung ist wohl meist als cerebrale zu betrachten und ist häufig verbunden mit gesteigerter Empfindlichkeit gegen sonstige Sinneseindrücke. — Abnorm feines Gehör findet sich bisweilen bei Hysterie oder bei abgespanntem Nervensystem. Abnorme Feinhörigkeit für alle musikalischen Töne, speciell abnorme Tiefhörigkeit, wurde von Lucae bei einigen Formen von Facialislähmung beobachtet. Dieselbe wird erklärt durch Lähmung des Musc. stapedius, und Uebergewicht des Tensor tympani. Das schmerzhafte Empfinden von Schalleindrücken kann sich entweder nur auf einzelne Töne und Geräusche oder auf jeden Schall erstrecken. Selbst bei hochgradig Schwerhörigen kann die

Erscheinung noch bestehen. Brenner versteht unter Hyperästhesia acustica die Erregbarkeit des Hörnerven bei schwacher Einwirkung des galvanischen Stromes.

4. Parakusis und Diplakusis.

Unter Parakusis verstehen wir das Falschhören irgend eines Tones, wenn der verursachte Gehörseindruck dem hervorgebrachten Tone nicht entspricht. Während auf dem gesunden Ohre der Ton richtig gehört wird, erscheint er auf dem kranken Ohre höher oder tiefer. Der damit Behaftete bekommt dadurch den Eindruck des Doppelthörens, der Diplakusis. Die Differenz ist entweder nur unbedeutend oder sie beträgt mehrere Töne. Die Erscheinung findet sich nicht selten, doch wird sie in der Regel nur von Patienten mit musikalischem Gehör genau bestimmt. Am häufigsten tritt die Parakusis auf im Gefolge der akuten Mittelohrentzündung, ausserdem auch bei sonstigen Mittelohr- und Labyrinthaffektionen. Wir müssen annehmen, dass der Parakusis eine veränderte Spannung einzelner Fasern der Schnecke zu Grunde liegt.

Eine besondere Art von Parakusis kann bedingt sein durch Veränderungen im Schallleitungsapparate, indem auf Grund abnormer Spannungsverhältnisse einzelne Tonreihen stärker oder schwächer auf den Perceptionsapparat übertragen werden. Die Parakusis besteht in diesen Fällen nicht, wenn die Uebertragung durch die Kopfknochen stattfindet.

5. Parakusis Willisii.

Bei einer nicht unbeträchtlichen Anzahl von Schwerhörigen besteht die auffallende Erscheinung des Besserhörens bei Einwirkung starken Schalles, dass Patienten beim Fahren auf der Eisenbahn, im Wagen, bei starkem Strassenlärm, bei Trommelschlag, beim Aufsetzen einer Stimmgabel auf den Scheitel sowohl die Sprache. als unsere, zur Messung der Hörfähigkeit benutzten Instrumente besser vernehmen, als ohne Einwirkung stärkeren Schalles. Bekannt ist der von Willis selbst erzählte Fall, dass ein Mann sich mit seiner Frau nur dann unterhalten konnte, wenn eine Trommel angeschlagen wurde. Nach Willis, der dieses Verhalten der Perception bei manchen Patienten zuerst beschrieb, wurde dasselbe als Parakusis Willisii bezeichnet. Bei den mit dem Symptom behafteten Patienten ergiebt der objektive Befund häufig keine Abweichungen von der Norm, und es ist noch nicht festgestellt, ob eine chronische Mittelohraffektion oder eine Labyrintherkrankung zu Grunde liegt. Löwenberg macht darauf aufmerksam, dass viele der mit Parakusis behafteten Patienten gleichzeitig mit cerebralen Erscheinungen behaftet seien. Dass die Erscheinung übrigens auch bei Zerstörungen in der Trommelhöhle in Folge der eiterigen Mittelohrentzündung vorkommen kann, beobachtete schon Frank. Prognostisch sind die Fälle äusserst ungünstig, da durch die Behandlung keine Besserung der Schwerhörigkeit zu erzielen ist.

Johannes Müller sprach die Ansicht aus, dass es sich bei dieser Erscheinung um einen Torpor des Hörnerven handle, welcher zur Schärfung seiner Tätigkeit erregt werden muss. Politzer sucht dagegen die Erklärung der Erscheinung darin, dass die starr gewordene Kette der Gehörknöchelchen, durch die starken Erschütterungen aus ihrer Gleichgewichtslage gebracht, geeigneter für die Fortpflanzung des Schalles wird, als im Ruhezustande.

6. Autophonie.

Zu den selten beobachteten Erscheinungen gehört die Autophonie oder Tympanophonie, das auffallend starke Hören der eigenen Stimme, welche direkt ins Ohr mit grosser Intensität einzudringen scheint. Die Erscheinung beruht auf abnormem Offenstehen der Eustachischen Röhre, so dass die Stimme frei in die Trommelhöhle gelangen und dadurch das Trommelfell in besonders starke Schwingungen versetzen kann. Die eigene Stimme erscheint äusserst laut und erhält einen schmetternden Beiklang; sie wird für den mit der Erscheinung Behafteten äusserst unangenehm, so dass er sich hüten muss laut zu sprecheu. Gleichzeitig wird auch das Ein- und Austreten der Luft aus der Trommelhöhle bei der Respiration sehr unangenehm vernommen. Die Autophonie tritt besonders auf, wenn die Resonanten m, n, ng ausgesprochen werden,[1]) was dadurch bedingt ist, dass bei der Bildung dieser Laute kein Gaumenverschluss besteht, somit die Schallschwingungen ungehindert nach den Tubenmündungen gelangen können. Durch Auskultation des Ohres lässt sich das Eindringen der Stimme leicht wahrnehmen.

Während in den meisten Fällen das abnorme Offenstehen der Tube durch die manometrische Untersuchung leicht und sicher festzustellen ist, sind die Fälle von Autophonie schwer zu erklären,

---

[1]) Brunner teilt in seiner Arbeit über Autophonie zwei solcher Fälle mit, und hatte ich selbst Gelegenheit, einen entsprechenden zu beobachten.

welche bisweilen bei akuter oder subakuter Mittelohrentzündung mit Nasenrachenkatarrh zur Beobachtung kommen, da in diesen Fällen nach unseren sonstigen Erfahrungen eine Obstruktion der Tuben anzunehmen wäre. Da die membranöse Wand bei normaler Funktion der Eustachischen Röhre nur einen sehr losen, ventilartigen Verschluss bildet, so erscheint die Theorie von Brunner[1]) ziemlich wahrscheinlich, dass beim frischen Mittelohrkatarrh durch die entzündliche Schwellung die weiche Tubenwand weniger geeignet wäre, den ventilartigen Verschluss herzustellen.

Kapitel III.

Häufigkeit, Aetiologie und Prophylaxe der Ohrkrankheiten.

Die Häufigkeit der Ohrkrankheiten ist eine sehr grosse Tröltsch glaubt annehmen zu dürfen, dass in den mittleren Jahren, von 20—50, durchschnittlich unter drei Menschen sicherlich Einer an einem Ohre wenigstens nicht mehr gut und normal hört. Genaue Aufnahmen über die Häufigkeit der Schwerhörigen besitzen wir aus dem Kindesalter. So fand Reichard,[2]) der nur mit der für diesen Zweck ungeeigneten Taschenuhr prüfte, unter 1055 Kindern 22,2% Schwerhörige. Die ausgedehntesten Untersuchungen stellte Weil[3]) an bei 5905 Kindern in Stuttgart. Er fand Ceruminalpfröpfe bei 11% der Knaben und bei 15,1% der Mädchen, hintere Trommelfellfalte (Einziehung des Trommelfelles) bestand bei 8,2% der Knaben, bei 6,0% der Mädchen, Ohreneiterung bei 1,9% der Knaben und 2,3% der Mädchen, Verkalkung bei 1,5% der Knaben und 0,9% der Mädchen. Ueber 30 % sämmtlicher Kinder waren schwerhörig. In den von wohlhabenderen Kindern besuchten Schulen wird im Ganzen besser gehört als in den von ärmeren Kindern besuchten. Bezold[4]) fand in München unter 3836 Hörorganen, 1918 Schulkindern angehörend, 79,25% mit normalem und

[1]) Zeitschr. f. Ohrenheilk. Bd. XII, S. 268.
[2]) Petersburger med. Wochenschr. No. 29. 1878.
[3]) Zeitschr. f. Ohrenheilk. Bd. XI, S. 106.
[4]) Zeitschr. f. Ohrenheilk. Bd. XIV, S. 253.

20,75% mit pathologischem Gehör. Die letztere Zahl hörte Flüstersprache auf 8 Meter und weniger, d. h. auf ein Drittel der normalen Entfernung und weniger. Während die Untersuchungen Weil's ergaben, dass die Hörstörungen sich im schulpflichtigen Alter vermehren, konnte Bezold diese Erfahrung nicht bestätigen. Den Kindern und ebenso deren Angehörigen und den Lehrern ist meist die Schwerhörigkeit nicht bekannt, so dass Weil mit Recht die Anforderung an die Schulen stellt, dass bei allen Kindern, welche unaufmerksam erscheinen, das Gehör untersucht werden soll.

Als Bezold seine bezüglich der Häufigkeit der Schwerhörigkeit in den einzelnen Klassen gewonnenen Tabellen in Beziehung brachte zu den Sitzplätzen der Schüler, ergab sich das äusserst wichtige Resultat, „dass nicht nur überhaupt eine Beeinflussung des Fortgangsplatzes stattgefunden hat, sondern, dass sogar eine successive Steigerung dieses Einflusses nachzuweisen ist, welche dem Grade der vorhandenen Schwerhörigkeit entspricht." Die Klasse zu 100 Schülern angenommen ist der Durchschnittsplatz 50. Die Flüstersprache ein- oder doppelseitig 8 M. und weniger Hörenden hatten einen Durchschnittsplatz 54,09, die doppelseitig 4 M. und weniger Hörenden 64,36, die doppelseitig 2 M. und weniger Hörenden 67,70 statt 50.

Nach den statistischen Berichten der Ohrenärzte[1]) erkrankt das männliche Geschlecht häufiger als das weibliche, im Verhältniss von 3 : 2. Auf das äussere Ohr kommen 25% sämmtlicher Ohrkrankheiten (Ekzem 2%, Otitis externa cirkumskripta 3,5%, Otitis externa diffusa 5%, Aspergillusbildung 0,1%, Ceruminalansammlung 14%, Myringitis akuta 1%), auf das Mittelohr 67% (akute Entzündung 17%, chronischer Katarrh und Sklerose ohne Perforation 25%, chronische eiterige Entzündung 20%), auf den nervösen Apparat 8%.

Nach den Bezold'schen Erhebungen betrifft mehr als die Hälfte aller Tubenerkrankungen Kinder. Bei der nervösen Schwerhörigkeit sind die Kinder mit 6,9%, die Erwachsenen mit 93,1% beteiligt. Ein ähnlich geringer Procentsatz betrifft die Kinder bezüglich der chronischen nicht perforativen Mittelohraffektionen.

Für die Entstehung der Krankheiten des Hörorgans spielen bei den Laien die wichtigste Rolle die Erkältungen; es lässt sich

---

[1]) Vgl. Bürkner, Beiträge zur Statistik der Ohrenkrankheiten. Arch. f Ohrenheilk. Bd. XX, S. 81.

in der That auch nicht leugnen, dass dieselben in einer Reihe von Fällen die Ursache der Erkrankung abgeben. Wir beobachten unmittelbar nach einer Kälteeinwirkung (Luftzug, Eindringen kalten Wassers) auftretende akute Entzündungen des Trommelfells oder der Trommelhöhle, bei chronischen Processen Exacerbation des Leidens. Es giebt Fälle von rasch eintretender absoluter Taubheit nach starker Erkältung (Schlafen im Freien etc.), Fälle, die als Labyrinthaffektionen zu betrachten sind.

Das gesunde Ohr braucht unter gewöhnlichen Verhältnissen vor Kälteeinwirkung nicht bewahrt zu werden, nur bei sehr heftiger Kälte und regnerischem, stürmischem Wetter soll Watte ins Ohr gesteckt und besonders bei Kindern die Ohrgegend bedeckt werden. Dasselbe muss unter solchen Verhältnissen geschehen bei jedem zu entzündlichen Vorgängen geneigtem Ohre. Dauernd im Ohre Watte tragen zu lassen ist erforderlich für alle Patienten mit Perforation des Trommelfells. Stets muss jedes Ohr vor dem Eindringen kalter Flüssigkeit geschützt werden, weshalb das Ohr beim Baden besonders beim Tauchen und ins Wasser Springen verstopft gehalten werden soll. Am vorsichtigsten haben sich in dieser Beziehung Patienten mit perforirtem Trommelfell zu verhalten, da durch Eindringen kalten Wassers heftige Entzündungen veranlasst werden können.

Zu Erkältungen geneigten Personen ist das Tragen von wollenen Kleidungsstücken zu empfehlen. Durch kalte Abreibungen, Bäder, Aufenthalt in frischer Luft mit Beschäftigung muss Abhärtung erzielt werden. Sind Katarrhe vorhanden oder besteht Disposition zu denselben, so ist das Rauchen, der Genuss von alkoholischen Getränken, der Aufenthalt in feuchter oder staubiger Luft zu vermeiden.

Durch starke vorübergehende oder kontinuirliche Schalleinwirkung, am häufigsten bei Explosionen, kann es zu Einrissen im Trommelfell oder zu Störungen im nervösen Apparat mit vorübergehender oder dauernder Schwerhörigkeit oder Taubheit kommen. Wir finden desshalb bei Artilleristen eine grosse Anzahl von Schwerhörigen. Bei Leuten, welche durch ihren Beruf andauernd starkem Schall ausgesetzt sind, bei Kesselschmieden, bei Müllern etc., entwickeln sich Processe des nervösen Apparates mit bald mehr bald weniger hochgradiger Schwerhörigkeit.

Artilleristen sollen sich durch fest eingefügte Wattepfröpfe vor der starken Schalleinwirkung einigermassen zu schützen suchen.

Das Fortschreiten der Schwerhörigkeit durch die Art des Berufes kann nur durch eine Aenderung der Beschäftigung verhindert werden.

Von Moos[1]) wurde die Aufmerksamkeit gelenkt auf die bei Lokomotivführern und Heizern sich entwickelnde Schwerhörigkeit, welche dadurch besondere Beachtung verdient, als die damit Behafteten durch Nichthören der akustischen Signale und der mündlich übertragenen Befehle zu schweren Unglücksfällen Veranlassung geben können.

Nicht selten kommt es besonders bei Kindern zu bald mehr bald weniger schweren Verletzungen des Ohres durch Schläge auf die Ohrgegend. Es werden sich desshalb Eltern und Lehrer stets vor Augen halten müssen, dass das Ohr des Kindes kein geeigneter Ort ist zur Applikation von Zuchtmitteln.

Bisweilen werden Ohrentzündungen verursacht oder gelangen Fremdkörper ins Ohr durch Anwendung von Mitteln gegen Zahnschmerz, indem Chloroform, Kölnisches Wasser, Aether oder sonstige Flüssigkeiten ins Ohr geträufelt oder Pillen, Zwiebeln und andere Mittel eingesteckt werden. Vor Anwendung aller dieser Mittel muss gewarnt werden.

Um Verstopfungen des Gehörganges durch Cerumenansammlung zu verhindern, ist es erforderlich, bisweilen den Gehörgang zu reinigen. Bei Kindern soll dies nur dann geschehen, wenn von aussen abgelagerte Massen zu sehen sind. Diese können mit einem Tuchzipfel oder mit einem Ohrlöffelchen weggenommen werden. Ein tieferes Eindringen ist zu widerraten. Bei Erwachsenen wird eingedicktes Ohrschmalz am zweckmässigsten mit den gebräuchlichen Ohrlöffeln oder mit Hilfe meines Watteträgers (Fig. 12) entfernt. Bei Anwendung von scharfen oder spitzen Instrumenten können Trommelfellverletzungen und Hautabschürfungen im Gehörgange verursacht werden. Durch zwecklose Ausspritzungen kann Auflockerung und Abstossung der Epidermis sowie Entzündung hervorgerufen werden, so dass vor kritikloser Vornahme derselben zu warnen ist. Ebenso vor Oeleinträufelungen und vor dem Einleiten heisser Dämpfe ins Ohr.

Eine grosse Anzahl von Erkrankungen des Hörorgans werden bedingt und unterhalten durch Affektionen der Nase und des Nasenrachenraumes, indem akute oder chronische Katarrhe auf die

---

[1]) Zeitschr. f. Ohrenheilk. Bd. IX, S. 370.

Tuben und Trommelhöhlenschleimhaut übergreifen oder durch Schwellungen die Tubenventilation beeinträchtigt wird. Die wichtigste Rolle spielen besonders im kindlichen Lebensalter die adenoiden Wucherungen im Nasenrachenraume. Nach den statistischen Erhebungen von Killian[1]) über die im Sommer 1886 in meiner Poliklinik behandelten Kranken mit adenoiden Wucherungen ergab sich, dass von den mit Tubenschwellung und Mittelohrentzündung oder deren Ueberbleibseln behafteten Ohrenpatienten bis zum 15. Lebensjahre 40 % mit adenoiden Wucherungen behaftet waren, im Alter von 16—20 Jahren 12 %, 21—30 Jahren 11,3 %. Aus diesen Zahlen ergiebt sich die hohe Bedeutung dieser Wucherungen im Nasenrachenraume. Bei allen Ohraffektionen im Kindesalter muss der Nasenrachenraum auf ihr Vorhandensein untersucht und müssen dieselben am besten mit der von mir empfohlenen Kurette entfernt werden.

Das Bestehen von polypöser Hypertrophie der hinteren Enden der unteren Nasenmuscheln konnte ich bei 4 % meiner Ohrpatienten constatiren.

Unter den Allgemeinerkrankungen, welche zu Ohrenkrankheiten Veranlassung geben können, spielen neben der Skrophulose und der Tuberkulose die exanthematischen Krankheiten die wichtigste Rolle, da im Verlaufe derselben sich häufig Ohrkrankheiten einstellen. In erster Linie sind zu nennen Scharlach und Typhus, ausserdem Masern und Pocken. Sodann kann sowohl Tuberkulose als Syphilis sich im Ohr lokalisiren. Ferner können alle mit Cirkulationsstörungen verbundenen Erkrankungen auf das Ohr einen ungünstigen Einfluss ausüben (Herzfehler, Plethora, Emphysem, Struma, Aneurysmen), teils indem sie Erkrankungen hervorrufen, teils dadurch, dass sie die Heilung von bestehenden Erkrankungen verhindern. Diphtherie pflanzt sich nicht selten vom Nasenrachenraum auf die Trommelhöhle fort. Von Moos konnte die Pilzinvasion ins Labyrinth nachgewiesen werden. Wolf wies darauf hin, dass bei Diabetes neben Furunkeln im Gehörgange bisweilen nekrotische Processe in der Paukenhöhle auftreten.

Da das Ohr vom Trigeminus und vom Sympathicus Nervenfasern erhält, wird es durch deren Vermittlung in Beziehung gesetzt

---

[1]) Einiges über adenoide Wucherungen und ihre Operation mit der Hartmannschen Kurette. Von Dr. Gustav Killian in Freiburg. Deutsche med. Wochenschr. No. 25. 1888.

zu entfernten Organen. Von Seite erkrankter Zähne können auf reflektorischem Wege Ohrenentzündungen und nervöse Otalgie hervorgerufen werden. Bisweilen treten während der Schwangerschaft Gehörleiden auf, die sich mit der jedesmaligen Wiederkehr verschlimmern. Auch die Menstruation hat nicht selten ungünstigen Einfluss auf das Ohr.

Bei den nahen Beziehungen des Labyrinthes zur Schädelhöhle durch die Scheide des Acusticus und die Aquaedukte darf es nicht Wunder nehmen, dass sich das Labyrinth an pathologischen Processen in der Schädelhöhle beteiligt. Ausserdem kann der Acusticusstamm und Ursprung durch die verschiedensten Affektionen des Gehirns in Mitleidenschaft gezogen werden.

Eine ererbte Praedisposition für chronische Erkrankung, sowohl der Trommelhöhle, als des Labyrinthes, findet sich in manchen Familien, indem bei einer grossen Anzahl der Familienglieder bald in früheren, bald in späteren Jahren Schwerhörigkeit auftritt. Bezold fand unter 500 Mittelohraffektionen 43 % und unter 381 Affektionen des inneren Ohres 28,6% hereditär Belastete.[1])

Ein sehr wichtiger Teil der Prophylaxe der Gehörkrankheiten besteht darin, zu verhindern, dass akute Erkrankungen einen chronischen Charakter annehmen. Wenn wir auch zugestehen müssen, dass ein Teil der Gehörleiden trotz aller Behandlungsmethoden im Fortschreiten nicht aufgehalten wird, so sind wir doch bei dem grösseren Teil der Fälle im Stande, durch frühzeitige Behandlung Heilung herbeizuführen und einem weiteren Fortschreiten des Leidens Einhalt zu thun. Insbesondere muss darauf gedrungen werden, dass die akuten eiterigen Mittelohrentzündungen nicht sich selbst überlassen werden, wie dies zum grossen Schaden der davon Betroffenen leider noch so häufig geschieht, da dieselben sonst meist in chronische Eiterung übergehen und zu hochgradiger Schwerhörigkeit, sogar Taubheit und zu den sonstigen, mit der chronischen Mittelohreiterung vielfach verbundenen Komplikationen führen können. Ebenso führt die Vernachlässigung von Ohrkatarrhen in den meisten Fällen zu nicht mehr reparablen Funktionsstörungen.

---

[1]) Münchener med. Wochenschr. No. 28. 1887.

Kapitel IV.

Allgemeine Therapie.

1. Applikation von Arzneimitteln vom Gehörgange aus.

Die vom äusseren Gehörgange aus anzuwendenden Arzneimittel werden immer nur dann zur Wirkung gelangen können, wenn die für ihre Einwirkung bestimmten Partieen des Ohres nicht mit Sekretionsprodukten bedeckt sind, weshalb jeder Applikation die sorgfältigste Reinigung vorausgehen muss.

Die medikamentösen Flüssigkeiten können entweder zum Ausspritzen des Ohres verwandt werden, wobei dieselben schon an Ort und Stelle gelangen, oder wenn nur kleinere Mengen benutzt werden sollen, als Einträufelungen, indem entweder direkt aus dem Arzneiglase, oder vermittelst eines Tropfenzählers, eines kleinen Löffelchens oder mit kleinen Spritzen 10—20 Tropfen der vorher erwärmten Flüssigkeit in den äusseren Gehörgang gebracht werden. Um die Einträufelungen in die Tiefe des Gehörganges gelangen zu lassen und insbesondere, wenn die Flüssigkeit bei vorhandener Zerstörung des Trommelfells in die Trommelhöhle gebracht werden soll, muss beim Einträufeln der Gehörgang gerade gerichtet werden und nach Einbringung der Flüssigkeit bei nach entgegengesetzter Seite geneigtem Kopfe der Tragus wiederholt in den Gehörgang hineingedrückt werden, um durch Kompression desselben die Flüssigkeit in die Trommelhöhle zu pressen. Begünstigt kann das Eindringen der Flüssigkeit in die Trommelhöhle werden, wenn bei geschlossenem Mund und Nase der Schlingakt ausgeführt wird, wodurch eine Aspiration der Luft aus der Trommelhöhle nach dem Rachen zu stattfindet.

Soll die Wirkung der Flüssigkeit auf einzelne Stellen des Gehörganges oder der Trommelhöhle lokalisirt werden (Liq. ferri sesquichl., Schwefelsäure), so wird am besten die Sonde in die Flüssigkeit getaucht und das an der Spitze hängenbleibende Tröpfchen direkt auf die zu behandelnde Stelle applicirt. Handelt es sich um stark wirkende ätzende Stoffe, so muss mit besonderer Vorsicht zu Werke gegangen werden. Der äussere Gehörgang wird durch möglichst tiefes Einführen des Ohrtrichters, ausserdem durch Bedecken mit Salben geschützt.

Weiche Salben werden vermittelst Pinsel eingeführt oder es werden dieselben besser auf um ein dünnes Stäbchen gewickelte Watte aufgestrichen.

Pulverförmige Stoffe können bei auf die Seite geneigtem Kopfe und gerade gerichtetem Gehörgang durch den eingeführten Trichter eingeschüttet werden. Am besten eignet sich zur Anwendung von Pulver der Kabierski'sche Pulverbläser, doch kann auch eine aus Hartkautschuck oder Glas bestehende Röhre benutzt werden. Durch eine seitliche Oeffnung in der Röhre kann das Pulver in dieselbe gebracht werden. Diese Oeffnung wird beim Einblasen mit dem Finger oder vermittelst einer besonderen Vorrichtung geschlossen. Das Einblasen selbst geschieht entweder mit dem Munde durch einen Gummischlauch oder vermittelst eines am Ende der Röhre angebrachten Gummiballons.

Von festen Stoffen wird hauptsächlich Höllenstein und Chromsäure angewandt. Man bedient sich entweder besonderer Aetzmittelträger oder am einfachsten der Silbersonde, auf deren Köpfchen der Höllenstein aufgeschmolzen wird. Die Sonde wird über einer beliebigen Flamme erhitzt und nun vom Höllensteinstift ab ein beliebiges Quantum angeschmolzen. Wird Chromsäure benutzt, so sind die einzelnen Krystallnadeln gewöhnlich schon so feucht, dass sie am Sondenköpfchen kleben bleiben, durch Erhitzen über der Flamme wird die Chromsäure dann ebenfalls angeschmolzen und so eingeführt.

2. Blutentziehungen.

Blutentziehungen werden bei akuten Entzündungen der verschiedenen Teile des Hörorganes oder bei akuten Exacerbationen chronischer Entzündung, die mit hochgradiger Hyperämie und heftigen Schmerzen verbunden sind, häufig mit sehr günstigem Erfolge angewandt. Auch bei rein chronischen Hyperämieen lässt sich bisweilen, allerdings in seltenen Fällen, durch eine kräftige Blutentziehung Erfolg erzielen.

In der Regel werden Blutegel angewandt, 3—6 bei Erwachsenen, 1—2 bei Kindern. Da die Blutgefässe des äusseren und mittleren Ohres teilweise ihren Abfluss nehmen nach den venösen Geflechten in der Umgebung des Kiefergelenkes, erweisen sich Blutentziehungen an dieser Stelle, indem die Blutegel dicht vor dem Tragus aufgesetzt werden, sehr wirksam. Andererseits werden bei tiefer liegenden Entzündungen in der Trommelhöhle und im Warzenfortsatz

Blutentziehungen auf der Oberfläche des letzteren mit Vorteil vorgenommen. Jedenfalls sind dieselben dann anzuwenden, wenn der Warzenfortsatz selbst schmerzhaft ist. Bei heftigen akuten Mittelohrentzündungen werden die Blutegel um das äussere Ohr herum auf den Warzenfortsatz, in die Retromaxillargrube, vor dem Tragus angesetzt. Um ein Einkriechen der Blutegel in den äusseren Gehörgang zu verhindern, muss derselbe mit Watte verstopft werden.

Ausser den Blutegeln selbst kommt noch der Heurteloup'sche künstliche Blutegel in Betracht. Es gelingt bekanntlich mit demselben in kürzester Zeit eine beliebig grosse Menge Blutes zu entziehen, es empfiehlt sich desshalb die Anwendung des Instrumentes besonders, wenn es sich darum handelt, dem Patienten grössere Mengen Blutes zu entziehen. Der künstliche Blutegel wird je nach dem Sitze der Erkrankung entweder vor dem Tragus oder hinter dem Ohre angesetzt, doch bieten sich hier bei der unregelmässigen Oberfläche des Warzenfortsatzes mancherlei Schwierigkeiten. Häufig gelingt es nur, das Instrument dicht hinter dem Warzenfortsatze aufzusetzen. Die an dieser Stelle gemachten Blutentziehungen erweisen sich besonders dann wirkungsvoll, wenn es sich um Labyrinthcongestion oder cerebrale Erscheinungen handelt.

Allgemeine Blutentziehungen kommen bei den Erkrankungen des Hörorganes nicht zur Anwendung.

3. Anwendung der Elektricität.

Bei der elektrischen Behandlung der Erkrankungen des Ohres kommt sowohl der inducirte, faradische als der constante, galvanische Strom in Betracht. Der erstere erweist sich nach meiner Erfahrung am vorteilhaftesten in Fällen, bei welchen vasomotorische Störungen vermutet werden können, sodann in den späteren Stadien von akuter Mittelohrentzündung und bei chronischen Entzündungsprocessen, wenn gleichzeitig Druckgefühl und Schmerz auf der kranken Seite im Kopfe oder im Nacken bestehen. Die differente Elektrode wird in diesen Fällen aufgesetzt auf den Warzenfortsatz, auf den Nacken oder am Halse hinter dem Unterkieferwinkel zur Einwirkung auf den Sympathicus. Die zweite Elektrode kommt auf eine entferntere Körperstelle.

Am häufigsten und erfolgreichsten kommt der konstante Strom in Anwendung. Es ist das Verdienst von Brenner[1]), die rationelle

---

[1]) Untersuchungen und Beobachtungen auf dem Gebiete der Elektrotherapie. Leipzig 1868.

Grundlage für seine Anwendung geschaffen und die Belege für die praktische Verwertung beigebracht zu haben. Die Brenner'schen Angaben wurden zwar von Hagen, Erb u. A. bestätigt, von manchen Ohrenärzten dagegen lange Zeit hindurch bezweifelt, so dass die galvanische Behandlung nur wenig Nachahmung fand. Erst neuerdings häufen sich die Mitteilungen über günstige mit dem konstanten Strome erzielte Erfolge, besonders bei Ohrensausen, zu dessen Beseitigung sich andere Behandlungsmethoden unzureichend erwiesen haben.

Für die galvanische Behandlung des Ohres ist erforderlich eine gute Batterie, welche mit Stromwender, Rheostaten und einem guten Galvanometer versehen ist. Während von Brenner selbst die eine differente Elektrode in den mit Salzwasser gefüllten äusseren Gehörgang gebracht wurde (innere Anwendung der Elektroden), wird nach dem Vorgange von Erb jetzt allgemein die äussere Versuchsanordnung benutzt, bei welcher die differente Elektrode von mittlerer Grösse unmittelbar vor dem Ohre aufgesetzt wird, so dass der Tragus bedeckt ist. Die zweite Elektrode wird auf's Sternum, auf den Nacken, oder auf die Hand der entgegengesetzten Seite aufgesetzt.

Brenner gelang es nachzuweisen, dass der Hörnerv bei der Einwirkung des konstanten Stromes in einer dem Zuckungsgesetz der motorischen Nerven entsprechenden Weise reagirt. Es entsteht bei mässiger Stromstärke bei Kathodenschluss (KaS) eine Klangwahrnehmung, die während der Dauer des Schlusses (KaD) langsam abklingt. Bei Kathodenöffnung (KaO), Anodenschluss (AS) und Anodendauer (AD) findet keine Wahrnehmung statt, während eine solche bei Anodenöffnung (AO) in geringem Grade wieder auftritt. Die Brenner'sche Normalformel lautet demnach: KaS—K (Klang), KaD—K> (abnehmend), KaO — (keine Wahrnehmung), AS —, AD —, AO—k (schwacher Klang). — Nach neueren Untersuchungen von Gradenigo und Pollack dagegen reagirt der Acusticus des normalen Ohres auf elektrische Ströme mittlerer Stärke (15 Milliampères) nicht.

Bei entzündlichen Processen lässt sich der Hörnerv in den meisten Fällen leichter erregen als bei Ohrgesunden, d. h. es sind geringere Stromstärken erforderlich, um die Klangempfindungen hervorzurufen. Brenner bezeichnet dies als einfache galvanische Hyperästhesie des Acusticus. Diese Form der Reaktion findet sich bei den verschiedensten Gehörleiden, bei eiteriger Mittelohrentzündung, beim chronischen Katarrh, bei der Sklerose der Trommelhöhle, ebenso wie bei Erkrankungen des nervösen Apparates. Das gleichzeitig bestehende Ohrensausen wird durch die Einwirkung des Stromes gedämpft oder beseitigt und zwar in der Weise, dass bei AnS und AnD das Sausen vermindert oder aufgehoben wird, während es bei

KaS und KaD gesteigert wird. KaO kann vorübergehende Verminderung herbeiführen. Bisweilen verhält sich die Reaktion umgekehrt — es besteht Verminderung des Sausens bei Kathoden-, Steigerung bei Anodeneinwirkung. Nach Erb ist als allgemeiner Grundsatz für die Behandlung festzuhalten, dass man diejenigen Reizmomente, welche das Ohrensausen dämpfen oder aufheben, mit möglichster Stärke und Dauer einwirken lassen soll, während diejenigen, welche das Sausen vermehren, möglichst umgangen werden sollen durch Ein- oder Ausschleichen. Wird demnach Ohrensausen durch AnD gedämpft, so nimmt man eine starke Anodenschliessung vor und lässt den Strom mehrere Minuten lang einwirken und verringert dann den Strom vermittelst des Rheostaten oder durch Verminderung der Elementenzahl, wobei jedoch keine Oeffnungsreaktion eintreten darf.

Die Galvanokaustik findet bei der Behandlung des Ohres nur eine sehr beschränkte Anwendung. Schon von Middeldorpf wurde die galvanokaustische Schlinge zur Entfernung von Polypen benutzt, da wir jedoch mit den gewöhnlichen Schlingenschnüren weit einfacher zum Ziele kommen, erweist sich die Galvanokaustik zu diesem Zwecke überflüssig. Am häufigsten wird dieselbe angewandt zur Zerstörung von Polypenresten, sowie von fibrösen Geschwülsten im äusseren Gehörgange, und um künstliche Perforationen des Trommelfells herzustellen. Die Ausdehnung der Wirkung der Kauterisation lässt sich nicht immer genau bemessen. Ueberall da, wo der Knochen dicht unter dem erkrankten Gewebe liegt, also insbesondere in der Trommelhöhle, muss die Galvanokaustik mit grösster Vorsicht angewandt werden, da nicht selten üble Zufälle nach derselben eintreten. Es werden mit dünnen Drähten und feinster Platinspitze versehene Brenner benutzt.

4. Behandlung des Gesammtorganismus.

Da es eine grosse Anzahl von das Hörorgan betreffenden Krankheitsprocessen giebt, welche entweder bedingt sind, oder deren Heilung verhindert wird durch krankhafte Einflüsse, welche vom übrigen Körper aus auf das Ohr einwirken, werden wir uns nicht auf die lokale Behandlung des Ohres beschränken dürfen, wir werden vielmehr stets auch den Gesammtorganismus berücksichtigen müssen.

Von grösster Wichtigkeit ist es, bei bestehenden Konstitutionsanomalien, bei herabgesetzter Ernährung, bei Skrophulose, bei phthisischer Anlage durch eine entsprechende Behandlung eine Besserung des Gesundheitszustandes herbeizuführen. Durch Regelung der Lebensweise, durch rationelle Ernährung, durch Jod-, Eisen-, Chinapräparate, durch Lebertran, sowie durch die sonstigen zur Besserung der konstitutionellen Verhältnisse dienenden Heilmittel kann gute Wirkung erzielt werden.

Von besonderer Wichtigkeit für die Behandlung der Ohrenkrankheiten sind Badekuren, welche bei allen chronischen Erkrankungen, um Resorption zu befördern, um das Nervensystem zu kräftigen und um die konstitutionellen Verhältnisse zu bessern, angewandt werden. Die kalten Bäder passen nur für kräftige, gut genährte Personen, warme Bäder für geschwächte und schonungsbedürftige. Die lauwarmen, indifferenten Bäder (25—29° R.) üben mehr eine beruhigende, die warmen und heissen, höher als die Blutwärme temperirten Bäder eine erregende Wirkung aus. Bei den Mineralwässern wird durch die festen Bestandtheile und durch die Kohlensäure noch ein Hautreiz ausgeübt, durch welchen der Stoffwechsel befördert wird.

Die häufigste Anwendung finden bei der Behandlung der Ohrleiden die Soolbäder und zwar in allen den Fällen, in welchen eine Neigung zu häufig auftretenden Katarrhen mit starker Exsudation und protrahirtem Verlaufe besteht und wo das Leiden auf eine skrophulöse Anlage zurückzuführen ist. Die Bäder sollen warm genommen werden 25—30° R., das einzelne Bad 15 bis 30 Minuten, die ganze Kur 4—6 Wochen dauern. Von Wichtigkeit bei der Auswahl der Soolbäder ist einerseits der Salzgehalt, andererseits der Gehalt an Kohlensäure, abgesehen von der Lage, dem Klima, den für die Kurgäste getroffenen Einrichtungen, welche ebenfalls zu berücksichtigen sind. Bei grösserem Salzgehalt wird eine um so intensivere Wirkung erzielt. Bezüglich des Kohlensäuregehaltes ist zu bemerken, dass im Allgemeinen die CO_2 reichen stärker reizen, als die CO_2 armen. Man wird desshalb bei erethischen, leicht erregbaren, sonst nervösen Patienten, bei solchen mit trockener, chronischer Mittelohr- oder Labyrinthentzündung, mit heftigem Ohrensausen, mit Kongestionen die letzteren und schwächeren Quellen zu wählen haben, die Wildbäder Ragatz, Pfäffers, sowie Gastein, sodann Wiesbaden, Baden-Baden, Soden u. A. Zu den schwachen Soolbädern werden solche mit 2—4% Salzgehalt gerechnet, starke Soolbäder enthalten 6—8% Salz. Kösen mit 5%, Harzburg mit 6½% können unverdünnt benutzt werden, während die koncentrirten Soolen von Reichenhall, Kreuznach, Ischl, Salzungen beliebig verdünnt werden können.

Die CO_2 reichen Quellen und stark salzhaltigen sind bei apathischen Naturen mit der sog. pastösen Form der Skrophulose, bei Otorrhoen und Exsudativkatarrhen angezeigt. Bei frischen, wenig massenhaften Ablagerungen, bei gutem Allgemeinbefinden empfehlen sich die gasreichen Thermalbäder wie Nauheim und Rehme, während bei stärkeren und länger bestehenden Ablagerungen Kuren in Kreuznach und ähnlichen Bädern indicirt sind. Von den Schwefelbädern steht besonders Cauterets in gutem Rufe für Ohrkrankheiten.

Die resorptionsbefördernde Wirkung der Badekuren wird gesteigert durch gleichzeitige Brunnenkuren, insbesondere mit Jod- und Bromhaltigen Kochsalzwässern, Kreuznach, Adelheidsquelle in Heilbrunn bei Tölz, Hall in Oberösterreich.

Seebäder gelten bei den meisten Ohrenleiden als schädlich. Bei skrophulösen Individuen, insbesondere skrophulösen Kindern, übt der Aufenthalt an der See, „der tonisirende Einfluss der Meeresluft,“ eine günstige Wirkung aus. Die Ohren müssen bei bestehender Durchlöcherung des Trommelfells vor dem Einfliessen von Wasser bewahrt werden.

Bei nervöser Schwerhörigkeit mit Ohrensausen ist der Aufenthalt an hochgelegenen Orten zu empfehlen.

Bei vorhandener Anämie erweisen sich die Eisenwässer insbesondere Trinkkuren in Verbindung mit Soolbädern von vorteilhafter Wirkung.

Sind Verdauungsstörungen vorhanden oder ein plethorischer Zustand, so kommen die Marienbader, Karlsbader, Kissinger, Friedrichshaller und ähnliche Trinkquellen zur Anwendung.

5. Hörrohre.

In vielen Fällen von hochgradiger Schwerhörigkeit kann der Sprachverkehr erleichtert werden durch Instrumente, welche die Aufgabe haben, entweder den Schall zum Ohre zu leiten oder eine grössere Menge von Schallwellen auf das Ohr einwirken zu lassen.

Da bei der Schallfortpflanzung durch Röhren die Intensität des Schalles nicht abnimmt, wird die durch eine Röhre dem Ohre zugeleitete Sprache ebenso gut vernommen, wie wenn dicht am Ohre gesprochen wird. Wird die Röhre mit einem trichterförmigen Ansatze versehen, oder hat dieselbe überhaupt eine sich konisch verengende Form, so wird gleichzeitig der Schall gesammelt, verstärkt und nach dem sich verengenden, in den Gehörgang mündenden Teil reflektirt.

Die Zahl der in Gebrauch stehenden Hörrohre ist eine ausserordentlich grosse; sie unterscheiden sich sowohl der Form, als dem Materiale nach, aus welchem sie angefertigt sind. Bei der Auswahl der Instrumente kommt einerseits in Betracht der Grad der Schwerhörigkeit, andererseits das der Schwerhörigkeit zu Grunde liegende Leiden. Im Allgemeinen kann der Grundsatz gelten, dass je kleiner das Instrument ist, auch die Wirkung eine um so geringere ist. Bei der Form der Schwerhörigkeit, welche bei langsam fortschreitendem Verlaufe auf Sklerose der Trommelhöhlenschleimhaut, oder auf einer Affektion des Labyrinthes beruht, sind die aus weichem Material konstruirten Instrumente zu verwenden. Besteht Ohrensausen und wird dasselbe durch den Gebrauch der Instrumente verstärkt, so muss von der Anwendung derselben Abstand genommen, oder dieselbe wenigstens so viel als möglich beschränkt werden. Handelt es sich um längst abgelaufene Krankheitsprocesse, früher stattgehabte Ohreneiterung oder traumatische Einwirkungen, so werden besonders bei sehr hochgradiger Schwerhörigkeit die aus Metallblech angefertigten Instrumente mit Vorteil iu Anwendung gezogen. Häufig entscheidet erst die längere Erfahrung der Patienten selbst über die Brauchbarkeit eines Hörrohres.

Die am meisten in Gebrauch stehenden Hörrohre sind folgende:

1. Der Dunker'sche Hörschlauch, annähernd ein Meter lang, besteht aus weichem, mit Draht umwundenen Stoffe, der ein sich konisch zuspitzendes Ohrstück besitzt, während in das am andern Ende befindliche, aus einem Horntrichter bestehende Ansatzstück hineingesprochen wird.

Da es für den Patienten beschwerlich ist, das kurze Ohrstück längere Zeit hindurch ins Ohr zu halten, erweist es sich zweckmässig, den Ohrteil des Schlauches durch eine feste Röhre zu ersetzen, an welcher das Instrument gehalten wird.

2. Trichterförmige Hörrohre aus Hartkautschuk oder weichem Materiale. Von letzteren befinden sich im Handel recht praktische Instrumente aus weichem Leder. Dieselben können seitlich zusammengedrückt in der Tasche getragen werden und nehmen, wenn kein Druck stattfindet, wieder die Trichterform an.

3. Hörrohre aus Blech.

a) Solche, die am Kopfe zu befestigen sind. Kleine halbkreisförmig gekrümmte konische Röhren, die so um das Ohr gelegt werden, dass ihre Oeffnung nach vorn gerichtet ist. Dieselben werden besonders von Damen gerne getragen, da dieselben durch die Haartoilette grossentheils verdeckt werden können, der Nutzen ist jedoch ein sehr geringer.

b) Konisch sich verjüngende Blechrohre, die entweder gerade sind mit äusserem, trichterförmigem Schallfänger, oder doppelt umgebogen, so dass sie sehr kurz werden und in der Hohlhand gehalten werden können.

Ein sehr kleines Instrumentchen für Schwerhörige konstruirte Politzer, von der von ihm gemachten Erfahrung ausgehend, dass der Schall bedeutend verstärkt vernommen wird, wenn die Fläche des Tragus durch Anlegen einer kleinen festen Platte nach hinten zu vergrössert wird, indem dadurch eine grössere Menge der von der Concha reflektirten Schallwellen in den Gehörgang gelangt. Dasselbe, aus Hartkautschuk angefertigt, besteht aus einem rechtwinklig abgebogenen Röhrchen, dessen schmäleres, inneres Ende in den äusseren Gehörgang, dessen äusseres, breiteres Ende in die Ohrmuschel zu liegen kommt. Dieses Instrument soll sich besonders dann vorteilhaft erweisen, wenn, wie dies gewöhnlich der Fall, die Gesichtsfläche des Schwerhörigen der Schallquelle zugewandt ist. Ein für die meisten Schwerhörigen sehr wesentlicher Vorzug des Instrumentes besteht nach Politzer darin, dass dasselbe unbemerkt im Ohre getragen werden kann.

Ein recht zweckmässiges, posthornförmiges Hörrohr aus Blech, das auch als Stockgriff oder als Fächer getragen werden kann, wurde von Killian neuerdings konstruirt.

Zu den Instrumenten, welche zur Hörverbesserung benutzt werden, gehören ferner die kleinen Röhren von Abraham, welche den Zweck haben, bei kollabirten Gehörgangswänden das Lumen des Gehörganges offen zu erhalten. Bisweilen wird Besserung erzielt durch die sogenannten Otophone, welche, hinter die Ohrmuschel gebracht, diese nach aussen und nach vorn drängen.

Als Audiphon liess sich Rhodes in Chicago neuerdings ein Instrument patentiren, vermittelst dessen hochgradig Schwerhörige und Taubstumme in den Stand gesetzt werden sollen, zu hören. Das Audiphon besteht der Hauptsache nach aus einer dünnen Platte von Hartkautschuk, welche durch Fäden gespannt eine konvexe Oberfläche erhält. Diese Platte soll an die Oberkieferzähne angelegt und gegen dieselbe gesprochen werden. Kolladon verwendet statt dieses Instrumentes mit demselben Erfolge eine Scheibe aus gepresster dünner Pappe, die an drei Seiten gerade, an der vierten halbkreisförmig zugeschnitten ist (30 cm. breit, 40 cm. hoch). Dieselbe erhält die konvexe Krümmung durch Andrücken gegen die Oberkieferzähne.

Ein anderes Instrument, ebenfalls amerikanischer Erfindung, ist das Dentaphon, bei welchem gegen eine dünne Metallplatte, die ähnlich wie beim Telephon am Ende eines Holztrichters angebracht ist, gesprochen wird. Von der

Mitte der Metallplatte geht ein Draht ab, an dessen Ende sich eine Holzplatte befindet, welche von dem Schwerhörigen zwischen die Zähne genommen werden soll. Von der Platte des Dentaphons werden die Schallwellen durch den Draht auf die Holzplatte und vermittelst der Zähne durch die Kopfknochenleitung auf das Labyrinth übertragen.

Nach den verschiedensten Versuchen, welche mit dem Audiphon und Dentaphou angestellt wurden, wird in der That mit diesen Instrumenten bisweilen ein Besserhören erzielt, die Wirkung übersteigt jedoch nicht die der Hörrohre, welche für den täglichen Gebrauch weit bequemer sind.

Ist die Schwerhörigkeit sehr hochgradig und wird auch mit Hilfe von Hörrohren die Sprache nicht verstanden, so muss das Absehen des Gesprochenen vom Munde gelernt werden.

Kapitel V.

Erkrankungen der Ohrmuschel.

Anatomisches.

Die Ohrmuschel hat zu ihrer Grundlage Netzknorpel, der von einem sehr fest adhärirenden Perichondrium überzogen ist. Die bedeckende äussere Haut ist dünn und ohne Fettpolster. Der den Uebergang in den äusseren Gehörgang vermittelnde Teil hat die Muschelform (Concha auris); dieser Teil ist von zwei parallelen Leisten eingerahmt, dem Helix und dem Anthelix, welche die Fossa navicularis zwischen sich fassen. Unterhalb des Ursprunges des Helix in der Concha liegt von vorn, die Gehörgangsmündung teilweise überdeckend, der Tragus, dem nach hinten das Ende des Anthelix als kleiner Vorsprung der Antitragus gegenübersteht. Zwischen beiden befindet sich die Incisura intertragica. Nach unten vor derselben liegt der als Ohrläppchen bezeichnete Hautanhang. Die Ohrmuschel setzt sich trichterförmig verengernd in den äusseren Gehörgang fort und findet eine Abgrenzung zwischen beiden statt durch Bildung eines leistenartigen Vorsprunges.

Ekzem der Ohrmuschel.

Das akute Ekzem der Ohrmuschel tritt meist gleichzeitig mit ekzematöser Erkrankung der benachbarten Hautpartien auf, seltener ist die Erkrankung auf das Ohr allein beschränkt.

Das Auftreten erfolgt gewöhnlich sehr rasch mit bedeutender Schwellung und Rötung der Haut der ganzen Ohrmuschel, wodurch dieselbe eine unförmliche kolbige Gestalt bekommt, dabei besteht Gefühl von Spannung, Schmerz und Hitze. Durch Uebergreifen der Schwellung auf die benachbarte Kopfhaut wird das

Ohr etwas vom Kopfe abgedrängt. Ist die Mündung des Gehörganges ergriffen, so kann es zu Verengerung oder Verschliessung desselben kommen. Im weiteren Verlaufe stösst sich bei leichter Erkrankung die oberste Epidermisschichte in einzelnen Schuppen ab (Ekzema squamosum), ohne dass Exsudation eintritt. Bei den höheren Graden der Entzündung, wie sie gerade am Ohre häufig auftreten, kommt es zur Ausschwitzung von serösem Exsudat, das die Epidermis in Form einzelner Bläschen oder in grösserer Ausdehnung abhebt (Ekzema rubrum), es besteht dann eine stark nässende gerötete Fläche, auf der es durch Eintrocknung des Sekretes zur Krustenbildung kommt (Ekzema impetiginosum). Die Sekretion ist oft sehr beträchtlich, indem „wie aus einem Schwamme ausgepresst" ein fortgesetztes Abträufeln von Flüssigkeit erfolgt. Bei geeigneter Behandlung wird die Sekretion nach Verlauf einiger Tage geringer. Schwellung und Rötung gehen zurück, die Epidermisschichte bildet sich wieder, es bleibt für einige Zeit noch Rötung und pityriasis-ähnliche Abschuppung bestehen, der sich bald die vollständige Wiederherstellung anschliesst. Häufig treten während der Besserung Recidive ein, indem es zu neuer Entzündung kommt; in andern Fällen nimmt die Krankheit einen protrahirten Verlauf, geht in das chronische Ekzem über. Die Sekretion wird eiterig, die Krusten vergrössern sich und werden zu dicken Borken; auch die Coriumschichte nimmt an der Schwellung Anteil. Bisweilen bilden sich Rhagaden, die besonders bei Berührung des Ohres heftigen Schmerz verursachen. Bei längerer Dauer oder häufiger Wiederholung der Erkrankung kommt es zu Verdickung der Cutis, welche auch nach der Heilung bestehen bleibt und dem Ohre ein unförmliches Aussehen giebt. Bisweilen ist diese Verdickung so beträchtlich, dass das Lumen des Gehörganges verlegt wird. Der Verschluss wird ein vollständiger, wenn die gegenüberliegenden Flächen mit einander verwachsen.

In manchen Fällen besteht das chronische Ekzem nur darin, dass starke Schwellung und Rötung besteht mit mässiger Abschuppung auf der Oberfläche, verbunden mit dem Gefühl von Brennen und Jucken.

Ist das Ekzem nur auf einzelne Stellen beschränkt, so äussert sich dasselbe entweder nur als Rhagadenbildung in der Anheftungslinie der Ohrmuschel, oder es sind nur einzelne Stellen der Ohrmuschel ergriffen, häufig das Ohrläppchen nach Durchstechung desselben, einer Operation, die in manchen Kreisen Eltern an ihren Kindern teils aus Aberglauben, „um abzuleiten", ausführen lassen, teils um das Ohr zum Aufhängeort von Schmuckgegen ständen zu machen. Ebenso treten beim Tragen solcher Schmuckgegenstände nicht selten cirkumskripte Entzündungen auf, die zu Erweiterung und schliesslich zum Durchbruch des unteren Randes des Ohrloches Veranlassung geben können.

Besonders bei Kindern bilden sich im Gefolge von Ausfluss aus der Trommelhöhle und dem äusseren Gehörgange Exkoriationen und Krusten an der Mündung des Gehörganges und auf der inneren Fläche der Ohrmuschel.

Behandlung.

Im ersten Stadium des akuten Ekzems erweist sich am zweckmässigsten eine möglichst indifferente Behandlung. Ist das Gefühl von Spannen und Jucken oder Schmerz vorhanden, so bewährt sich als indifferentes, schmerzstillendes Mittel am besten das Aufpinseln von 1—2%iger Lösung von Karbolsäure oder Salicylsäure in Olivenöl oder das Auflegen von mit solcher Lösung getränkten Leinwandläppchen. Das Oel bildet den besten Schutz gegen äussere Einflüsse, lindert den Schmerz und löst etwa vorhandene Borken. Bei stark nässendem Ekzem wird Streupulver angewandt, besonders Amylum, das mit der gleichen Menge Zinkoxyd vermischt wird. Dieser Mischung kann Salicylsäure oder Alaun (1—2%) beigefügt werden. Im Uebrigen beschränke man sich auf die Abhaltung von Schädlichkeiten. Die Anwendung von wässerigen Flüssigkeiten wird häufig nicht ertragen, indem das Wasser die Spannung und Schwellung der Haut steigert. Ist Krustenbildung eingetreten, so müssen die Krusten regelmässig entfernt werden durch Aufweichen mit Oel. Bei chronischem Ekzem, wenn die Exsudation auf die freie Oberfläche nachgelassen hat, empfiehlt sich die Anwendung von einer Borsäuresalbe (2,0 Acid. boric. : 10,0 Ung. spl.) oder das Auflegen von Hebra'scher Salbe (Rp. Emplastr. lithrarg. spl., Vaseline āā leni igne misce). Die Salben werden auf dünne Leinwandläppchen gestrichen und mit diesen auf die erkrankten Stellen aufgelegt. Dem Auflegen dieser Mittel hat die sorgfältige Entfernung aller Exsudationsprodukte vorauszugehen. Nur wenn die Stoffe auf die erkrankte Hautfläche direkt aufzuliegen kommen, tritt Heilung ein.

Bei starker Infiltration der Haut kann Seifenspiritus oder

Schmierseife angewandt werden. Bei trockener Abschuppung werden die Teerpräparate mit Vorteil angewandt, Ol. picis liquidae mit Oel oder Alkohol, zwei Mal täglich aufgepinselt. Rhagaden werden mit Höllenstein in Substanz oder Lösung behandelt. In besonders hartnäckigen Fällen kann die Anwendung des Liq. Kali arsenic. (Solutio Fowleri) 2—6 Tropfen täglich erforderlich werden. Ausserdem müssen auch die konstitutionellen Verhältnisse des Patienten berücksichtigt werden.

Akute Entzündung der Ohrmuschel, Perichondritis auriculae.

Zu den selteneren Erkrankungen der Ohrmuschel gehört die akute Entzündung des Perichondriums.

Auf der vorderen Fläche der Ohrmuschel tritt eine Schwellung auf mit glatter, dunkelroter Oberfläche, dieselbe nimmt rasch an Ausdehnung zu und kann die ganze vordere Fläche der Ohrmuschel einnehmen und über Taubeneigrösse erreichen. Die Gehörgangsmündung ist dann vollständig verschlossen. Die Geschwulst ist schmerzhaft, fühlt sich heiss an und zeigt Fluktuation. Wird incidirt, so findet sich eine Höhle, die meist mit viscider, bald heller, bald trüber Flüssigkeit gefüllt ist, seltener hat dieselbe einen eitrigen oder blutigen Inhalt. Bei der Untersuchung mit der Sonde zeigt sich das Perichondrium vom Knorpel abgelöst, die umgebenden und bedeckenden Weichteile sind hart angeschwollen und haben auch nach Entleerung der Flüssigkeit nur geringe Neigung, zur früheren Beschaffenheit zurückzukehren. Es bleibt dadurch lange Zeit oder dauernd Verdickung und Verunstaltung bestehen. Wird nicht indicirt, so kann die Geschwulst Monate lang bestehen und es tritt nur langsam Verkleinerung ein. In einem Falle sah ich die Perichondritis sämmtliche Knorpel des äusseren Ohres betreffen. Die Heilung erforderte lange Zeit, indem immer wieder andere Knorpelteile ergriffen wurden. Einmal sah ich die Perichondritis nach einer Verbrennung eintreten. Nach Incision und Drainage kam es zur Heilung mit Atrophie der Muschel.

Die Behandlung der Perichondritis ist im ersten Stadium der Entzündung eine antiphlogistische. Gewöhnlich kommen die Fälle erst zur Beobachtung, wenn Flüssigkeitsansammlung eingetreten ist; es müssen dann die bedeckenden Weichteile ausgiebig gespalten und durch Einlegen von Drainageröhren oder durch Ausfüllen mit Jodoformgaze für freien Abfluss der sich neu bildenden Flüssigkeit gesorgt werden. Ist der Abfluss gehemmt, so sammelt sich wieder Flüssigkeit an, und muss von Neuem incidirt werden. Kommt es zu Granulationsbildung, so müssen die Granulationen mit dem scharfen Löffel entfernt werden. Hessler musste in einem Falle zur Excision eines nekrotischen Knorpelstückes schreiten, um die Heilung herbeizuführen.

Cystenbildung in der Ohrmuschel.

Während bisher die ohne heftigere Entzündungserscheinungen auftretenden Geschwulstbildungen der Ohrmuschel mit flüssigem Inhalt als Hämatome beschrieben wurden, habe ich darauf hingewiesen[1]), dass diese Bezeichnung für viele Fälle nicht zutreffend ist, da auch, wenn die Schwellungen frühzeitig incidirt werden, sich im Inhalt keine Spur eines Blutergusses findet.

Die Enstehung derartiger Geschwülste dürfte auf die bei Sektionen vielfach vorgefundenen Veränderungen im Ohrknorpel zurückzuführen sein. Im Ohrknorpel dyskrasischer oder geisteskranker Individuen, sowie bei Greisen fanden Fischer, später Virchow, Mayer, Parreidt und Andere, neuerdings Pollack grössere und kleinere flache Höhlungen entweder im Knorpel selbst oder zwischen diesem und dem Perichondrium. Nach Mayer ist dieser Process, welcher zu Höhlenbildungen führt, als hyaline Umwandlung und fibrillärer Zerfall des Netzknorpels zu betrachten mit Verflüssigung und Höhlenbildung als Endstadium. Mayer fand diese Erweichungen des Knorpels so häufig, dass man, wie er sich ausspricht, an dem pathologischen Charakter derselben irre werden möchte. Ohne Zweifel sind es diese Erweichungsherde, welche sowohl beim Zustandekommen der Cystenbildung als auch des Hämatoms eine Rolle spielen. Kommt es durch irgend welche Veranlassung zu stärkerer Ausscheidung von Flüssigkeit in den Höhlungen, so wird das Perichondrium stärker abgehoben und es entsteht ein grösserer Hohlraum, was wir als Cystenbildung in der Ohrmuschel bezeichnen. Findet dagegen durch einen Fall oder einen Schlag aufs Ohr oder durch Misshandlung desselben eine Fraktur des Knorpels oder eine Zerreissung von Blutgefässen im Perichondrium statt, so erfahren

1) Ueber Cystenbildung in der Ohrmuschel. Zeitschr. für Ohrenheilkunde, Bd. XIX.

die Höhlungen ebenfalls eine beträchtliche Vergrösserung, sie sind mit Blut gefüllt. Es besteht ein Hämatom.

Die Cystenbildung scheint vorwiegend Männer zu betreffen und zwar im kräftigen Mannesalter. (Unter zehn eigenen Beobachtungen befanden sich nur zwei Frauen.) Psychische Erkrankungen und traumatische Einwirkungen waren in keinem meiner Fälle nachzuweisen, Bei der Incision fand sich stets als Inhalt der Geschwulst, auch wenn dieselbe erst kurze Zeit bestanden hatte, vollständig klare, leicht gelbliche, viscide Flüssigkeit. Rötliche oder schwärzliche Färbung, Detritusmassen, Fibringerinnsel, welche auf stattgehabte Blutung hätten schliessen lassen können, war in keinem Falle vorhanden.

Die Behandlung der Cystenbildung besteht in ausgiebiger Spaltung der bedeckenden Haut; nachdem die Flüssigkeit sich entleert hat, wird die Höhle mit Jodoformgaze angefüllt, später kann ein Zinnrohr eingelegt werden. Die Heilung tritt in ca. 5—8 Tagen ein, wenn nicht septische Stoffe in die Wunde gelangen in Folge unzureichender antiseptischer Behandlung. Es kommt dann zu reaktiver Entzündung, die mit Schmerzen, Schwellung, Rötung und Hitzegefühl verbunden ist. In solchen Fällen wird die obere Cystenwand, das abgehobene Perichondrium fest, lässt sich nicht mehr eindrücken. Versucht man den Cysteninhalt aus der Höhle auszudrücken, so tritt mit Nachlass des Druckes, da die starre Wand in ihre Lage zurückkehrt, Luft in die Höhle. Die Heilung erfordert in diesen Fällen mehrere Wochen. In einem Falle war ich genötigt, eine weite Oeffnung anzulegen und durch beide Oeffnungen ein Drainagerohr zu ziehen.

Ohrblutgeschwulst. Othämatom.

Eine vielfach diskutirte Rolle in der Pathologie der Ohrmuschel spielt das Hämatom derselben, indem die ursächlichen Momente zum Gegenstande verschiedener Kontroversen gemacht wurden.

Häufig wurde das Hämatom bei Geisteskranken beobachtet, so dass angenommen wurde, dass die Erkrankung mit ähnlichen Processen in der Schädelhöhle, insbesondere der hämorrhagischen Pachymeningitis in Verbindung stehe. Von Gudden wurden zuerst die „rohen Wärterfäuste“ für das Auftreten der Ohrhämatome verantwortlich gemacht und wird seitdem das Hämatom hauptsächlich auf traumatische Einwirkungen zurückgeführt. Es entspann sich in den sechziger Jahren über das Hämatom unter den Irrenärzten ein wahrer Federkrieg, wie Hasse[1]) sich ausdrückt, der zum Teil mit grosser Erbitterung geführt worden ist. Hasse fasst die damals in grosser Anzahl gemachten Beobachtungen dahin zusammen: „Die Ohrblutgeschwulst ist eine plötzlich auftretende fluktuirende Geschwulst des äusseren Ohres, die fast ausschliesslich bei Geisteskranken, in sehr seltenen Fällen bei Gesunden zur Beobachtung kommt. Die Affektion zeigt alle Symptome der Entzündung; die Ohrmuschel schwillt an, ist rot, heiss, wahrscheinlich im Anfang immer schmerzhaft. Bezüglich der Annahme von L. Meyer, dass nur bei durch Entartung des Knorpelgewebes hervorgerufener Praedisposition das Hämatom zu Stande komme, spricht sich neuerdings Virchow[2]) dahin aus: „Zweifellos ist ein so beschaffener Ohrknorpel zu Zerreissungen besonders bequem eingerichtet — aber es scheint mir, dass diesen mit genügender Disposition ausgerüsteten Fällen gegenüber doch auch der rein traumatische Ursprung in gewissen anderen Fällen wird zugestanden werden müssen.“ Als Beispiel hierfür teilt Virchow den Befund bei einem 34jährigen japanischen Ringer mit, dessen Ohren analog den von Gudden seiner Zeit bei den Statuen antiker Gladiatoren gemachten Beobachtungen in den Zustand „höckeriger und mit partiellen Verdickungen untermischter Schrumpfung geraten waren“. In Japan soll es beim Ringkampfe gebräuchlich sein, den Gegner mit der Seitenfläche des Kopfes gegen die Brust zu stossen.

Der Blutaustritt findet statt zwischen das Perichondrium und den Kuorpel oder zwischen die Knorpellagen selbst, fast ausnahmslos auf der vorderen Seite der Ohrmuschel. Die Haut erscheint bläulich gefärbt, je nach der Menge des Ergusses mehr oder weniger hervorgewölbt; Schmerzhaftigkeit, Gefühl von Spannung und Brennen ist in der Regel vorhanden. Je nach der Dauer des Bestehens des Ergusses besteht der Inhalt der Geschwulst entweder aus frischem Blute, aus blutigseröser Flüssigkeit oder aus koagulirtem Faserstoff, derselbe kann sich in Bindegewebe oder Faserknorpel umbilden. Die Ohrmuschel erhält bei ausgedehnten Ergüssen mit nachfolgender Gewebsneubildung und

---

[1]) Henle's und Pfeiffer's Zeitschr. für rationelle Medicin, Bd. XXIV. 1865.

[2]) Pankratiasten-Ohren bei einem japanischen Ringer. Virchow's Archiv Bd. CI, 1885.

Schrumpfung ein unförmliches Aussehen. Aeusserst selten tritt Vereiterung des Exsudate ein.

Die Unterscheidungsmerkmale zwischen Othämatom und Cystenbildung ergeben sich aus folgender Tabelle:

	Othämatom.	Cystenbildung.
Zeit d. Auftretens	In vorgerücktem Lebensalter.	Im mittleren Lebensalter.
Constitution . . .	Betrifft kachektische Individuen und Geisteskranke.	Betrifft gesunde kräftige Personen.
Aetiologie	Entsteht fast ausschliesslich durch traumatische Einwirkungen.	Ursächliche Momente sind nicht nachzuweisen.
Art der Entwickelung . . .	Plötzliches Auftreten der Geschwulst.	Allmäliges Wachstum.
Begleitende Erscheinung . . .	Entzündung mit Schmerz.	Keine Entzündung, kein Schmerz.
Inhalt der Geschwulst	Blut.	Serum.
Art der Heilung	Häufig mit Verunstaltung.	Ohne Verunstaltung.

Die Behandlung besteht in Entleerung des extravasirten Blutes. Bei frischer Blutung erzielte ich durch Aufsaugen des Inhaltes mit der Pravaz'schen Spritze und nachfolgender Kompression rasch Heilung, in anderen Fällen füllt sich die Geschwulst von Neuem. Bei älteren Blutungen ist schon wegen der erforderlichen Entfernung der Gerinnsel die Incision erforderlich.

Sonstige Erkrankungen der Ohrmuschel.

Die Ohrmuschel kann ausser den beschriebenen Erkrankungen von den verschiedensten auch an anderen Körperteilen auftretenden Krankheitsprocessen betroffen werden. Nicht selten wird das äussere Ohr von Erysipelas betroffen, das ebenso auftritt und verläuft wie an anderen Körperstellen. Sodann können die verschiedensten Neubildungen an der Ohrmuschel auftreten, Balggeschwülste, fibröse Geschwülste, insbesondere des Ohrläppchens, kavernöse Geschwülste, aneurismatische Erweiterungen der Arterien, bösartige Neubildungen.

Bei Arthritikern finden häufig Ablagerungen von harnsauern Salzen in die Ohrmuschel statt. Dieselben sind als gelblichweisse Flecken auf der vorderen Seite des oberen Teiles der Ohrmuschel zu erkennen. — Verknöcherungen des Ohrknorpels wurden mehrfach beobachtet.

Nicht selten sind Erfrierungen verschiedenen Grades; dieselben betreffen entweder nur den äusseren Rand der Muschel, oder die ganze Ausdehnung derselben. Bald kommt es nur zu blauroter Färbung durch vorübergehende oder dauernde Erweiterung der Kapillaren, bald tritt mehr oder weniger ausgedehnte Gangrän ein.

Cirkumskripte Gangrän beobachtete ich in einem Falle bei einem kachektischen Individuum am äusseren Rande beider Ohrmuscheln, ohne dass die Einwirkung von Kälte als ursächliches Moment beschuldigt werden konnte. Die Gangrän hatte beiderseits gleiche Ausdehnung und betraf vollständig symmetrische Stellen.

Wunden der Ohrmuschel kommen durch die Naht vereinigt leicht zur Heilung. Mehrere Fälle sind beobachtet, in welchen abgetrennte Ohrmuscheln wieder zur Anheilung kamen.

Kapitel VI.

Erkrankungen des äusseren Gehörganges.

Anatomisches.

Der äussere Gehörgang, nach innen durch das Trommelfell abgeschlossen, bildet eine 24 mm. lange Röhre, die in eineu knorpeligen Teil, auf den ein Drittel kommt, und einen knöchernen Teil, der zwei Drittel beträgt, zerfällt. Beide Teile stossen unter einem nach vorn und unten offenen Winkel mit einander zusammen, so dass, um die Inspektion des Trommelfells zu ermöglichen, der knorpelige Teil nach hinten oben gezogen werden muss, wodurch eine gerade Röhre gebildet wird. Der knorpelige Teil wird von einer nach hinten und oben offenen Hohlrinne gebildet, die hinten oben ergänzt wird durch fibröses Gewebe, das mit dem Schuppenteil des Schläfenbeins fest verwachsen ist. Ausserdem besitzt der knorpelige Teil zwei von fibrösem Gewebe gebildete Längsspalten, die Incisurae Santorini, welche geeignet sind, den Kanal leichter dehnbar zu machen. Die untere Wand des knöchernen Gehörganges hat eine nach oben konvexe Krümmung (vgl. Fig. 28). In der Nähe des Trommelfells besteht eine Vertiefung, in welche häufig Fremdkörper zu liegen kommen. Das Lumen des Gehörganges ist grossen Schwankungen unterworfen, im Durchschnitt ist es im knorpeligen Teil 8 mm. hoch, 5 mm. breit, im knöchernen 10 mm. hoch, 6 mm. breit (Luschka). Die auskleidende Cutis enthält im knorpeligen Teile zahlreiche Knäueldrüsen, Glandulae ceruminales, ist in diesem Teile 1½ mm. dick, während ihre Dicke im knöchernen Teile nur 0,1 mm. beträgt. In diesem Teile ist die Cutis mit dem Periost untrennbar fest verwachsen. Die obere Gehörgangswand ist durch eine bald dünnere bald dickere, Zellenräume enthaltende Knochenmasse von der mittleren Schädelgrube getrennt. Zwischen der hinteren Gehörgangswand und der Warzenfortsatzhöhle befindet sich eine ziemlich compakte, 3—4 mm. dicke Knochenmasse.

Beim Neugeborenen fehlt der knöcherne Gehörgang, der sich erst in den ersten Lebensjahren aus dem Annulus tympanicus entwickelt.

Mit Blutgefässen wird der äussere Gehörgang hauptsächlich durch den Ramus auricularis profundus der Maxillaris interna, zum kleineren Teil von Zweigen der Auricularis posterior und der Arteria temporalis superficialis versorgt.

Von Nerven breiten sich der Ramus meat. audit. externi des Trigemeinus und ein kleines Aestchen des N. vagus im Gehörgang aus. Durch Reizung der von dem letzteren versorgten Hautstellen kann Husten und Erbrechen vermittelt werden.

Sekretionsanomalien.

Die im äusseren Gehörgang zahlreich vorhandenen Ceruminaldrüsen, welche, von knäuelförmigem Baue, nach Kölliker als Schweissdrüsen zu betrachten sind, zeigen schon unter normalen Verhältnissen grosse Verschiedenheiten in ihrer Absonderung. Während bei einzelnen Individuen die Oberfläche der Cutis des Gehörganges sehr trocken ist, ohne Ohrenschmalz, ist bei anderen eine häufige Entfernung desselben erforderlich, um Ansammlungen zu verhüten. Der Grad der Absonderung entspricht der auch auf der übrigen Haut des Körpers stattfindenden Thätigkeit der Hautdrüsen.

a) Verminderte Ohrschmalzsekretion.

Die durch zu geringe Sekretion von Ohrschmalz im äusseren Gehörgange entstehende Trockenheit der Wandungen erzeugt eine spannende, unangenehme Empfindung, die Empfindung von Jucken, die zum Kratzen veranlasst. Bisweilen ist neben dieser ungenügenden Sekretion eine pityriasisartige Abschilferung der Epidermis auffällig. Die abnorme Trockenheit findet sich häufig nach abgelaufener Entzündung des äusseren Gehörganges, sowie in Begleitung von chronischen Mittelohrerkrankungen, bei Sklerose des Mittelohres.

Behandlung.

Die Behandlung ist hauptsächlich eine symptomatische, indem wir durch Befeuchten der Oberfläche des äusseren Gehörganges oder Bedecken derselben mit nicht verdunsteten Substanzen die unangenehmen Sensationen zum Schwinden bringen. Am meisten bewähren sich Einpinselungen mit Glycerin oder Salben. — Häufig geben Patienten, die einer elektrischen Behandlung mit dem konstanten Strom unterworfen wurden, an, dass das früher abnorm trockene Ohr wieder feucht geworden sei.

b) Vermehrte Ohrschmalzsekretion, Thrombus sebaceus.

Während für gewöhnlich die Gehörgangswand nur von einer dünnen Schichte Ohrschmalz bedeckt ist, kann eine grössere Ansammlung desselben stattfinden durch erhöhte Thätigkeit der Drüsen und unzureichende Entfernung der Sekretionsprodukte. Von der Wand her bildet sich fortgesetzt neues Sekret; es werden dadurch die älteren Schichten einander genähert, das Lumen des Gehörganges verengt sich mehr und mehr, es wird schliesslich ganz ausgefüllt und es entsteht ein den Gehörgang vollständig abschliessender Pfropf, der sog. Ohrschmalzpfropf, Thrombus sebaceus.

Je nach der Zusammensetzung des Sekretes ist die Beschaffenheit dieses Pfropfes eine verschiedene. Bei überwiegendem Gehalt an Fetten erscheint derselbe sehr weich, während er bei überwiegend festen Bestandteilen grössere Härte zeigt. Im letzteren Falle finden wir bei der Untersuchung die Oberfläche des Thrombus matt, gelblichgrün, uneben, während bei weicher Beschaffenheit des Thrombus die Oberfläche glänzend, glatt, von dunkler, schwarzer Farbe erscheint.

Was die Grösse eines solchen Schmalzpfropfes anbetrifft, so kann derselbe entweder nur einen Teil des Gehörganges oder die ganze Ausdehnung desselben einnehmen. Erstreckt sich derselbe bis zum Trommelfell, so zeigt das innere Ende des entfernten Pfropfes häufig den genauen Abdruck desselben. Das Wachstum des Ceruminalpfropfes ist in der Regel ein sehr langsames, es können Jahre darüber hingehen, bis die angesammelte Masse sich dem Inhaber bemerklich macht, während in anderen Fällen in Halbjahres- oder Jahresfrist ein entfernter Thrombus sich von Neuem gebildet haben kann. Je enger der Gehörgang ist, um so leichter kommt es zur Verstopfung. Bei lange bestehender Thrombusbildung kann es zu Atrophie der häutigen und knöchernen Gehörgangswand kommen. Liegt der Thrombus dem Trommelfelle an, so kann dasselbe durch Atrophie oder durch Entzündung zerstört und dadurch gefährliche Mittelohrentzündung veranlasst werden.

Der Ohrschmalzpfropf findet sich selten bei Kindern, am häufigsten im mittleren Lebensalter, bisweilen ist er mit anderen Ohrenleiden vergesellschaftet, besonders tritt er nach abgelaufenen Entzündungen auf.[1]) Die Erkrankung kommt vor sowohl bei den gut situirten, auf Reinerhaltung ihres Körpers wohl bedachten Bevölkerungsklassen, als bei der in Staub und Schmutz lebenden ärmeren Bevölkerung.

Das Hörvermögen erleidet keine vom Patienten bemerkbare Einbusse, wenn noch ein kleinster Spalt zwischen Thrombus und Gehörgangswand vorhanden ist. Ist der Gehörgang vollständig ausgefüllt, so besteht das Gefühl des Verstopftseins, Schwerhörigkeit, Sausen, Schmerz, Schwindel. Beschränkt sich die Verstopfung des Gehörganges auf den äusseren Teil desselben, so sind die beiden ersteren Symptome vorwiegend, wird dagegen durch den Thrombus ein Druck auf das Trommelfell ausgeübt, so gesellt sich zu denselben heftiges Sausen, Schwindelerscheinungen, Schmerz im Ohre und im Kopfe, in manchen Fällen kommt es auch zu Erbrechen und Ohnmachtsgefühl, so dass eine cerebrale Erkrankung vorgetäuscht werden kann.

Die Erscheinungen treten bald langsam auf, mit Sausen und Schwerhörigkeit, bald plötzlich, indem durch eine Erschütterung oder durch Manipulationen im Ohre das angesammelte Cerumen eine Lageveränderung erleidet, in die Tiefe des Gehörganges tritt. Häufig wird das plötzliche Auftreten der Erscheinungen veranlasst durch das Eintreten von Flüssigkeit in den Gehörgang, besonders beim Baden oder Waschen; die Masse quillt auf und verschliesst den Gehörgang.

Behandlung.

Unsere Therapie beschränkt sich auf die Entfernung des Thrombus, was bei weichen Pfröpfen ohne Weiteres mit der Spritze und lauwarmem Wasser geschehen kann, bei härteren Ansammlungen muss eine grössere Anzahl von Einspritzungen vorgenommen werden, wodurch man in der Regel zum Ziele kommt. Je mehr es gelingt, in der S. 19 beschriebenen Weise den Wasserstrom

[1]) Toynbee fand, dass nur bei 36% seiner Patienten das Hörvermögen nach der Entfernung des Thrombus vollständig wiederhergestellt war. Bei Wendt dagegen trat bei 68%, bei Schwartze bei 81% der Fälle vollständige Wiederherstellung ein.

im Gehörgange entlang der Wände cirkuliren zu lassen, um so rascher und sicherer wird die Entfernung erreicht. Ist die Anwendung der Spritze ohne Erfolg, so kann man Sonde und Zange benutzen, doch hat man sich dabei zu hüten, den Pfropf in die Tiefe zu stossen und dadurch die Erscheinungen zu verschlimmern. Die Anwendung von Instrumenten ganz zu verwerfen, halte ich für ungerechtfertigt. Ich greife stets zur Sonde, wenn die Entfernung des Thrombus nach wiederholten Einspritzungen nicht gelingt. Liegt der Thrombus den Gehörgangswandungen fest an, so kann der Flüssigkeitsstrom nicht zur Wirkung gelangen; es genügt bisweilen eine Lockerung des Randes mit der Sonde, um eine bessere Wirkung der Spritze zu erzielen. Ist die Oberfläche rauh, uneben oder hat man sich durch Abhebung der Ränder von den Gehörgangswandungen Zugang verschafft, so kann häufig mit der Zange der ganze Thrombus mit einem Male entfernt werden, oder es können die sonstigen, zur Entfernung von Fremdkörpern benutzten Instrumente (vgl. unten) zur Anwendung kommen. Es braucht kaum erwähnt zu werden, dass die Instrumente nur unter Beleuchtung angewandt werden dürfen und dass nie auf's Geratewohl zugefasst werden darf.

Macht die Entfernung Schwierigkeiten oder treten bei den Einspritzungen Schwindel oder Ohnmachtserscheinungen auf, so wird die Entfernung verschoben und der Thrombus zuvor aufgeweicht. Hierzu werden häufig zu wiederholende Einträufelungen von lauwarmem Wasser, dem Soda beigefügt werden kann, oder von Seifenwasser benutzt.[1]) Ist Erweichung eingetreten, so gelingt die Entfernung leicht mit der Spritze.

Nach der Entfernung des Thrombns gebietet die Vorsicht, den Gehörgang und das Trommelfell durch einen Wattepfropf vor äusseren Einwirkungen zu schützen. Häufig bleibt nach Entfernung des obturirenden Pfropfes Schwerhörigkeit zurück, die entweder durch entzündliche Vorgänge in der Trommelhöhle bedingt sein kann oder durch die Einwärtslagerung des Trommelfells in Folge des Druckes, der auf ihm lastete. Im letzteren

---

[1]) Im vorigen Jahrhundert wurden ausgedehnte Versuche angestellt über die Löslichkeit des Ohrschmalzes in verschiedenen Substanzen, so fand z. B. Haygarth, der mit Wasser, Kalkwasser, Branntwein, Oel und anderen Stoffen experimentirte, dass sich das Ohrschmalz am leichtesten im warmen Wasser löse. Zu demselben Resultate kam Wedel in einer Dissertation de cerumine. 1705.

Falle wird, wenn die Membran durch eine Lufteinblasung ins Mittelohr wieder in die richtige Lage gebracht wird, die Schwerhörigkeit beseitigt.

Entzündung des äusseren Gehörganges. Otitis externa.

Die Entzündungen des äusseren Gehörganges werden in cirkumskripte und diffuse unterschieden, je nachdem nur einzelne Teile oder der Gehörgang in seiner ganzen Ausdehnung betroffen wird.

a) Cirkumskripte Entzündung des äusseren Gehörganges. Furunkelbildung. Otitis ex infectione. Phlegmonöse Entzündung.

Löwenberg[1]) suchte auf Grund seiner Untersuchungen über das Vorkommen von Mikroben in Ohrfurunkeln den Nachweis zu liefern, dass jeder Furunkel durch die Einwanderung einer besonderen Gattung von Mikroben entstehe. Aus der Luft dringen dieselben in einen Drüsenfollikel ein, fangen an zu wuchern und verursachen die Entzündung. Von Kirchner[2]) wurde der Streptococcus pyogenes albus als der dem Ohrfurunkel verursachende Pilz festgestellt.

Hessler[3]) hat darauf hingewiesen, dass durch Verletzungen des Gehörganges mit Instrumenten, Ohrlöffeln, Haarnadeln etc. nicht selten eine bald mehr, bald weniger umschriebene Otitis externa auftritt, die sich von der eigentlichen Furunkelbildung in verschiedener Hinsicht unterscheidet. Auch hier handelt es sich um eine Infektion und ist die Schwere der allgemeinen Erscheinungen nicht von der lokalen Entzündung, sondern von der Malignität der Infektionsstoffe abhängig. Während beim Furunkel die Entzündung sich auf einzelne Drüsenfollikel beschränkt, handelt es sich bei der letzteren um eine ausgedehntere phlegmonöse Entzündung der Cutis.

Die cirkumskripte Entzündung beginnt damit, dass sich an einer Stelle der Oberfläche des äusseren Gehörganges eine gerötete, von Anfang an insbesondere bei Berührung sehr schmerzhafte Vorwölbung bildet. Entweder tritt in diesem Stadium schon die

---

[1]) Zeitschrift für Ohrenheilk. Bd. IX und X.

[2]) Zur Aetiologic des Ohrfurunkels. Monatsschr. für Ohrenheilk. 1887.

[3]) Otitis externa ex infectione. Deuische med. Wochenschr. No. 17. 1888.

Rückbildung ein oder es kommt zu eiterigem Zerfall des entzündeten Gewebes. Auf der Höhe der Schwellung bildet sich ein gelber Punkt und es entleert sich an dieser Stelle nach Verlauf von 3—6 Tagen Eiter und der abgestossene Gewebspfropf, worauf sich die Heilung anschliesst.

Meist bildet sich nicht nur ein Furunkel, sondern mehrere gleichzeitig oder nacheinander, so dass der Process, der ohne die mehrfache Furunkelbildung in wenigen Tagen abgelaufen ist, sich durch mehrere Wochen hinziehen kann. Die dem ersten folgenden Furunkeln entstehen durch die Ausbreitung des Mikrokokken haltenden Eiters auf die Umgebung des Furunkels, wo nun ebenfalls eine Einwanderung in die Drüsenfollikel stattfindet. Ebenso kann durch Uebertragung der Mikroorganismen von dem einen Ohre auf das andere die Entzündung hervorgerufen werden. Wiederholt wurde die Uebertragung der Erkrankung auf andere Personen durch Instrumente beobachtet. Das mehrfache Vorkommen von Entzündungsherden betrifft hauptsächlich die eigentliche Furunkulose, während bei der besonders durch Kratzen hervorgerufenen phlegmonösen Entzündung in der Regel nur ein Entzündungsherd besteht.

Bei Kindern finden wir die Furunkulose ziemlich selten. Von Erwachsenen werden häufiger anämische, schwächliche Personen, besonders weiblichen Geschlechtes, als kräftige, vollsaftige Individuen von der Erkrankung betroffen. Bei manchen Patienten besteht eine besondere Disposition zu dem Leiden, indem dieselben in kleineren oder grösseren Zwischenräumen immer wieder von Neuem an demselben erkranken.

Die Schmerzhaftigkeit ist in der Regel sehr hochgradig, verursacht Schlaflosigkeit und wirkt äusserst deprimirend auf den Patienten. Besonders heftig sind die Schmerzen Abends und in der Nacht, Morgens tritt meist Nachlass ein oder hören die Schmerzen ganz auf, um sich Abends mit früherer Intensität von Neuem wieder einzufinden. Die Schmerzen strahlen in die Umgebung aus, nach der ganzen betreffenden Kopfhälfte, häufig wird gleichzeitig über Schmerz in den Zähnen geklagt. Sie werden besonders durch Bewegung des Unterkiefers gesteigert und es muss in diesen Fällen auf das Geniessen von festen Speisen verzichtet werden. Das Allgemeinbefinden kann durch hinzutretendes Fieber gestört sein.

Die Schwerhörigkeit ist sehr beträchtlich, wenn der äussere

Gehörgang durch die Schwellung verlegt ist. Sodann wird dieselbe bedingt durch Ansammlung von Sekretionsprodukten in der Tiefe des Gehörganges. Die Ausdehnung der Schwellung und Entzündung ist sehr verschieden, bald bildet sich nur eine kleine Vorwölbung, bald ist dieselbe so bedeutend, dass das Lumen des äusseren Gehörganges verlegt wird. Auch der übrige Teil des Gehörganges beteiligt sich an der Entzündung und es tritt nicht selten entzündliche Schwellung des Tragus, sowie der Cutis und der Drüsen in der Umgebung des Ohres ein. Besonders bei der phlegmonösen Entzündung. Die Furunkelbildung betrifft in den meisten Fällen den knorpeligen Teil des Gehörganges.

In manchen Fällen, und zwar besonders bei den mit hochgradigsten Schmerzen verbundenen, tritt oberflächliche Knochennekrose ein (Wolf) oder es entwickeln sich an der Durchbruchstelle Granulationen. Dieselben verschwinden im Verlaufe der Heilung in der Regel von selbst oder sie müssen später als Gehörgangspolypen entfernt werden. Einzelne Fälle wurden beobachtet, in welchen sich der Process auf die mittlere Schädelgrube oder durch die Zellen des Warzenfortsatzes auf den Sinus transversus fortpflanzte und dadurch tödlich wurde.

b) Diffuse Entzündung des äusseren Gehörganges.

Von der cirkumskripten Entzündung des äusseren Gehörganges ist die diffuse Entzündung nicht zu trennen, da die letztere sehr häufig mit der ersteren verbunden ist und auch an die diffuse Entzündung bisweilen die Abcessbildung sich anschliesst.

In den meisten Fällen bildet die akut auftretende Otitis externa diffusa eine Teilerscheinung der akuten Mittelohrentzündung, wie bei der letzteren Erkrankung noch zu erörtern sein wird. Tritt sie selbstständig auf, so hat sie meist ihren Grund in lokalen Reizungen chemischer, thermischer oder mechanischer Natur, Einfliessen von kaltem Wasser, Einträufelungen von Eau de Cologne, Alkohol, verletzenden Extraktionsversuchen von Fremdkörpern. In diesen Fällen gesellt sich häufig Kongestion und Entzündung im Mittelohre hinzu.

Die Erkrankung tritt in der Regel nur einseitig auf, kommt im Kindesalter häufiger zur Beobachtung als später.

Da die Auskleidung des äusseren Gehörganges in ihrem inneren Teile in unmittelbarem Zusammenhange mit dem Perioste steht, so ist dasselbe stets mehr oder weniger mit ergriffen und es erklärt sich daraus die oft enorme Schmerzhaftigkeit der Entzündung. Durch kollaterale Hyperämie kann es zu Erscheinungen von Gehirnreizung kommen.

Die Erkrankung beginnt mit dem Gefühl von Spannung und Jucken im Ohre, verbunden mit Hitze und der Empfindung von Pulsation und subjektiven Geräuschen, bald gesellt sich Schmerzhaftigkeit hinzu, die seltener von vornherein vorhanden ist. Durch gleichzeitig bestehendes Fieber kann das Allgemeinbefinden gestört sein. Die Schmerzen nehmen rasch an Intensität zu und werden allmählich unerträglich. Sie strahlen vom Ohre auf die betreffende Kopfhälfte aus und werden besonders durch Kieferbewegungen sehr gesteigert, so dass die Patienten bisweilen kaum im Stande sind, die Kiefer von einander zu entfernen. Meist tritt nach einigen Tagen, nachdem die Erkrankung ihr Höhestadium überschritten hat, ein Nachlass sämmtlicher Erscheinungen und rasch vollständige Heilung ein.

Anfänglich zeigt sich die Cutis des Gehörganges stark gerötet, von livid rotem Aussehen. Die Schwellung kann so bedeutend werden, dass die Wände sich berühren. Je mehr der Gehörgang verengt und durch Absonderuugsprodukte verstopft ist, um so bedeutender ist die Schwerhörigkeit, die ausserdem durch Miterkrankung des Mittelohres bedingt sein kann. Das Trommelfell ist nur anfänglich sichtbar, es zeigt sich ebenfalls stark kongestionirt, gewulstet, exkoriirt. Schon in den ersten Tagen tritt Sekretion von seröser, häufig zuerst durch das Sekret der Ceruminaldrüsen gelbgrün gefärbter Flüssigkeit ein, bisweilen mit blutiger Beimengung, später wird das Sekret viscide, schleimig-eiterig. In leichteren Fällen erfolgt nach vorübergehender seröser Ausschwitzung rasch die Heilung, während iu anderen Fällen unter Fortdauer der Entzündungserscheinungen schleimig-eiterige Sekretion eintritt.

Bei hochgradiger Entzündung kommt es zur Schwellung der vorderen Ohrgegend oder es entzündet sich der Warzenfortsatz und wird auf Druck schmerzhaft. Bei Kindern schwellen die Drüsenpackete der Retromaxillargrube bedeutend an. Bisweilen tritt während der Entzündung Perforation des Trommelfells ein und es beteiligt sich nun auch die Trommelhöhlenschleimhaut an der Sekretion.

Vielfach kommt es schon im ersten Stadium der Erkrankung zu Epithelabstossungen auf der Oberfläche des Gehörganges, indem sich dünne, weisse Häutchen bilden, die entweder mit dem Sekrete nach aussen sich entleeren oder auf ihrer Unterlage fest haften bleiben. Das letztere ist besonders in den späteren Stadien der Entzündung der Fall, wenn die akuten Erscheinungen und die Sekretion bereits gemindert sind.

Mit dem Nachlass der Entzündungserscheinungen wird auch die Sekretion eine geringere und verschwindet in kurzer Zeit ganz. In anderen Fällen nimmt der Process seinen Uebergang in die chronische Entzündung. Das Fortbestehen der Sekretion ist entweder durch das Verhalten der Cutis selbst bedingt, die entzündet bleibt, oder es kann bei eingetretener Trommelfellperforation die Absonderung aus dem Mittelohre stammen.

Die chronische Entzündung des äusseren Gehörganges kommt auch ohne vorausgegangene akute Entzündung vor. Es stellt sich mit oder ohne Schwellung Sekretion im äusseren Gehörgange ein, die längere Zeit bald in schwächerem, bald in stärkerem Grade bestehen kann.

Croupöse und diphterische Entzündung des äusseren Gehörganges tritt entweder auf durch Ausbreitung einer Rachendiphterie auf Trommelhöhle und äusseren Gehörgang, oder idiopathisch, sich auf den äusseren Gehörgang beschränkend. Fälle letzterer Art wurden von Wreden, Moos, Bezold und Blau beschriebcn.

Behandlung.

Bei der Behandlung der akuten Entzündung des äusseren Gehörganges, sowohl der cirkumskripten, als der diffusen, ist in erster Linie das Augenmerk auf die Abhaltung von schädlichen Einflüssen zu richten. Alles, was Kongestion zum Kopfe oder zum erkrankten Organe verursachen kann, muss vermieden werden, körperliche Anstrengungen, reizende Nahrungs- oder Genussmittel, insbesondere Alkoholika, Temperaturwechsel, mechanische Reizungen. Zu den letzteren rechne ich gewaltsame Untersuchungen und Ausspritzen des Gehörganges, was beides im ersten Stadium der Erkrankung vermieden werden muss. Um die Kongestion zu beschränken, können ausserdem Abführmittel und lokale Blutentziehungen angewandt werden. Durch 2—4 Blutegel vor den Tragus angesetzt, fühlen sich die Patienten in der Regel sehr erleichtert.

Eine wichtige Rolle spielt die Anwendung von Wärme und Kälte. Schon Hippokrates suchte durch Bähungen mit Schwämmen, die in heisses Wasser getaucht und ausgedrückt wurden, die Entzündung zu beseitigen. Nach Tröltsch wirkt nichts so schmerzstillend als Ohrbäder, d. h. Eingiessungen von lauwarmem Wasser in den äusseren Gehörgang, die häufig wiederholt werden. Kataplasmen, die früher fast ausnahmslos zur Anwendung kamen, sind jetzt als schädlich verlassen, da bei andauernder Anwendung dieselben eine gesteigerte Blutzufuhr zum ganzen Hörorgane herbeiführen. Nicht selten kann man sich bei Patienten, die längere Zeit hindurch kataplasmirt wurden, deren Dank dadurch erwerben, dass man die Kataplasmen beseitigt und zu der Anwendung der Kälte übergeht. Sind die Entzündungserscheinungen sehr heftig, so können von Anfang an kalte Kompressen oder Eisbeutel auf die Umgebung des Ohres gelegt werden. Die Einwirkung der Kälte beschränke ich auf die Maxillar- und Retromaxillargegend, sowie auf die seitliche Fläche des Halses. Gleichzeitig kann zur Beseitigung der Schmerzen die Anwendung der Ohrbäder oder der heissen Schwämme erfolgen. Zu den Ohrbädern wird am besten Sublimatlösung benutzt (0,5—1,0 : 1000). Durch die kombinirte Anwendung von Kälte und Wärme sah ich in vielen Fällen rasche Rückbildung der Erscheinungen eintreten. Durch die Anwendung der Kälte wird die Gesammtblutzufuhr verringert, durch die Wärme werden die lokalen Erscheinungen gemildert.

In den Zeiten, in welchen keine Umschläge gemacht werden, insbesondere vor dem Einschlafen, lasse ich graue Quecksilbersalbe in der Regel aa mit Vaseline in die Umgebung des Ohres einreiben.

Besonders bei der Furunkulose ist eine gründliche Desinfektion anzustreben, was durch frühzeitige Incision und Reinigung mit Sublimatlösung 1 pro mille geschehen kann. In vielen Fällen erweist sich der von Weber-Liel zuerst empfohlene Alkohol absolutus sehr vorteilhaft. Derselbe wird, gleichgiltig, ob schon Eiterung besteht oder nicht, in der Weise angewandt, dass man den Gehörgang mit dem Alkohol 5 Min. lang gefüllt lässt, dann wird abgetrocknet und eine Kompresse aufgelegt. Alle $^1/_2$—1 Stunde kann die Anwendung des Mittels wiederholt werden. — Recht wirksam erweist es sich, wenn ein gelinder Druck auf die Wandungen ausgeübt wird durch Einschieben eines festen Wattepfropfes, der mit Carbol- oder Mentholöl getränkt ist. Auch wässerige Sublimatlösung, Aluminium acetico-tartar. (10%) erweisen sich vorteilhaft.

Eine verschieden beantwortete Frage ist die, ob und wann ein Furunkel indicirt werden soll. Während besonders Kramer an der Ansicht festhielt, dass niemals eine künstliche Eröffnung erforderlich sei, wird durch Tröltsch die frühzeitige Incision empfohlen. Von Anderen wird dagegen erst indicirt, wenn bereits Eiterung eingetreten ist. Sind einzelne Stellen des Gehörganges besonders hervorgewölbt und bei Druck mit der Sonde mehr schmerzhaft als die benachbarten Gehörgangswandungen, so kann indicirt werden. Die frühzeitige Incision ist schmerzhaft, doch wird durch dieselbe, wenn sie ausgiebig genug gemacht wird, der Schmerz beträchtlich verringert, oder gänzlich beseitigt. Wird die Incision dagegen vorgenommen, nachdem bereits Eiterung eingetreten ist, so tritt sofort darauf vollständiger Nachlass der Schmerzen ein. Im letzteren Falle muss nach erfolgter Incision der ganze Inhalt des Furunkels entleert werden, was durch seitlichen Druck auf denselben mit der Sonde geschieht.

Zur Incision verwende ich an Stelle des üblichen Bistouris ein schmales Furunkelmesser mit geradem Rücken und beiderseitig geschliffener Spitze (Fig. 24). Das Messer wird durch die Basis der vorgewölbten Stelle eingestochen mit nach der Mitte des Gehörganges gerichteter Scheide; die ganze Schwellung wird sodann von der Basis aus nach der Oberfläche durschschnitten. Auf diese Weise gelingt es sicherer, schneller und mit geringerem Schmerz, die vollständige Eröffnung des Furunkels zu erzielen.

Fig. 24.

Bei der phlegmonösen Entzündung sowie bei der diffusen Otitis externa wird durch die Incision keine Besserung erzielt, häufig Verschlechterung.

Sind die akuten Erscheinungen vorüber und bleibt Sekretion bestehen, so muss für die Entfernung der Sekrete und der abgestossenen Epidermismassen gesorgt werden. Schon durch die regelmässige Entfernung derselben, besonders auf trockenem Wege, mit Wattetampons kann die Sekretion zum Stillstand gebracht werden. Auch wenn zur Entfernung der Sekrete die Spritze benutzt wird, muss nach dem Ausspritzen der Gehörgang ausgetrocknet werden. Sind Granulationen entstanden und bilden sich dieselben nicht von selbst zurück, so werden sie mit dem Schlingenschnürer entfernt, kleinere Schwellungen, welche der chronischen Otitis externa nicht selten zu Grunde liegen, werden durch Touchiren mit Argent. nitr. oder mit Chromsäure zum Schrumpfen gebracht.

Um die Oberfläche des Gehörganges zu desinficiren und dadurch Recidive zu verhindern, werden Einträufelungen mit Sublimatlösung oder mit Sublimatalkohol (0,1 : 100) gemacht.

Bei längerem Bestehen der Sekretion, sowie überhaupt bei der chronischen Otitis externa, erweist sich die von Bezold in die ohrenärztliche Praxis eingeführte Borsäure, die in derselben Weise wie bei der später zu beschreibenden chronischen Mittelohreiterung angewandt wird, am zweckmässigsten. Bisweilen gelingt es eine Monate oder Jahre lang stattgehabte Sekretion aus dem äusseren Gehörgange schon durch eine Borsäureeinblasung zu beseitigen, in den meisten Fällen muss dieselbe häufiger wiederholt werden.

Desquamative Entzündung des äusseren Gehörganges. Otitis externa desquamativa.

Wreden[1]) beschrieb im Jahre 1874 zuerst 12 Fälle von Verstopfung des äusseren Gehörganges, welche sich in vielen Beziehungen von der durch Ceruminalpfröpfe bedingten unterscheidet. In rein praktischer Beziehung unterscheiden sich die beiderlei Ansammlungen dadurch, dass die Entfernung der Ceruminalpfröpfe sehr leicht durch Ausspritzungen, allenfalls nach vorausgegangenem Einträufeln von Sodalösung gelingt, während bei der von Wreden beschriebenen Verstopfung die obturirende Masse den Gehörgangswänden fest anhaftet und nur sehr langsam und schwierig aufgeweicht und entfernt werden kann. Diese Masse ist weiss, ziemlich derb, von lamellösem Bau, besteht aus einer grossen Anzahl von koncentrisch geschichteten Häuten, die bei der mikroskopischen Untersuchung sich aus Epidermiszellen zusammengesetzt erweisen. Der Krankheitsprocess, den Wreden als Keratosis obturans bezeichnet, ist somit als massenhafte Abstossung der Epidermisschichten des Gehörganges aufzufassen. Die Erkrankung scheint spontan auftreten zu können oder in Folge von Entzündungsprocesseu. In der Regel werden die tieferen Teile des äusseren Gehörganges und das Trommelfell, in manchen Fällen fast ausschliesslich das letztere, von der Erkrankung betroffen, so dass auch von einer Myringitis desquamativa gesprochen wird. Die Erscheinungen, welche von dem Epidermispfropf hervorgerufen werden, sind dieselben wie beim Ceruminalpfropf, Schwerhörigkeit und Ohrensausen. Da die Ansammlungen in der Tiefe des Gehör-

[1]) Arch. für Augen- und Ohrenheilk. Bd. III. 2, S. 91.

ganges stattfinden und dem Trommelfell auflagern, treten die Erscheinungen schon bei geringen Ansammlungen auf.

Wreden beobachtete die Bildung dieser Epidermispfröpfe nur einseitig, ich selbst sah sie wiederholt beiderseitig auftreten. In einem Falle, einen Knaben von 12 Jahren betreffend, war die Verstopfung seit 5 Jahren alljährlich wiedergekehrt und hatte wiederholt zu Perforation des Trommelfells und akuter Mittelohrentzündung geführt. Dass die Erkrankung auch akut auftreten kann, geht aus einem von Gottstein[1]) als Myringitis desquamativa acuta mitgeteilten Falle hervor, der wohl hierher zu rechnen ist. Es bildeten sich mit heftigen Schmerzen und Fiebererscheinungen grauweisse Membranen in der Tiefe beider Gehörgänge, die bei der Entfernung einen vollständigen Abdruck des Trommelfells darstellten. Bei der mikroskopischen Untersuchung ergab sich die epitheliale Natur der Membranen.

Behandlung.

Die Therapie besteht nach Wreden in dem vorbereitenden Gebrauch von erweichenden alkalischen Ohrwässern, Entfernung der abgeweichten Epidermismassen durch Wasserinjectionen und nachträglichen Gebrauch von Sublimat oder Jodkaliumlösung behufs Normalisirung der Hautbekleidung des Gehörganges. Wie bereits oben erwähnt, macht die Entfernung grosse Schwierigkeiten, da die Membranen der Gehörgangswand und dem Trommelfelle fest anhaften. Mit der Pincette lassen sich grössere Stücke nicht entfernen, da einzelne gefasste Stücke losreissen. Bisweilen gelingt die Entfernung, wenn man mit der Sonde oder mit Spateln den Pfropf von der Gehörgangswand loszulösen sucht und dazwischen immer wieder von neuem zur Spritze greift. Gelingt die Entfernung nicht auf diese Weise, so muss die Curette zu Hilfe genommen werden, wozu in der Regel die Chloroformnarkose erforderlich ist. Von dem Gebrauche alkalischer Wässer, Sodalösung, Kalkwasser sah ich wenig Erfolg, dagegen erwiesen sich mir Einträufelungen von zweiprocentiger, öliger Salicylsäurelösung, mit nachfolgenden alkalischen wässerigen Ausspritzungen, nachdem ich mit diesen allein nicht zum Ziele gekommen war, am zweckmässigsten. Nach Entfernung der Massen wird durch Einträufelungen von Sublimatlösung (0,1 : 30—50 Wasser) die Heilung herbeigeführt.

[1]) Vortrag beim 2. internat. otol. Kongress in Mailand.

Pilzbildung im äusseren Gehörgange. Otomykosis aspergillina.

Nachdem von Mayer[1]) schon im Jahre 1844 Fälle von Pilzbildung im äusseren Gehörgange beschrieben worden waren, wurde von Wreden[2]) zuerst auf Grund einer grossen Anzahl von eigenen Beobachtungen eine gründliche Beschreibung der Erkrankung und ihrer Erscheinungen gegeben. Neuerdings wurde die Bedeutung der Pilzbildung im Ohre von Siebenmann durch experimentelle Arbeiten klargelegt.[3])

Die im Ohre vorkommenden Pilze sind Schimmelpilze, Aspergillus niger, flavus und fumigatus. Sie bilden bei makroskopischer Betrachtung den aus feinen Fäden bestehenden Pilzrasen, dessen Farbe je nach der Aspergillusart eine verschiedene ist. Unter dem Mikroskope finden wir den aus dünnen, gegliederten Fäden (Hyphen, Mycelien) bestehenden Thallus, von dem die Fruchtfäden senkrecht oder unter spitzem Winkel abgehen. Die Fruchtfäden endigen mit einer rundlichen, blasenförmigen Anschwellung, dem Fruchtköpfchen oder Sporangium. Ein solches ist an seiner Oberfläche mit radiär gestellten, kugeligen Zellen besetzt, den Pilzsporen oder Gonidien. Die Pilzsporen sind fast stets in der Luft unserer Wohnräume enthalten, die normalen Gehörgangswandungen liefern jedoch keinen günstigen Entwicklungsboden für die Pilze. Bei vorhandenem Cerumen und ebenso bei eiteriger Sekretion kommt es nicht zur Pilzbildung. Die beste Nahrung für Pilze liefert nach Siebenmann das Serum; wir finden desshalb die Otomykosis nur bei Ekzem des äusseren Gehörganges und wenn eiterige Otorrhoe sich in eine seröse mit spärlichem Sekrete verwandelt hat. Inokulationsversuche mit Pilzmassen auf gesunde Ohren schlugen fehl.

Ausser der Bildung von Schimmelpilzen wurde auch die Pityriasis versicolor, durch Mikrosporon furfur bedingt, von Kirchner im äusseren Gehörgange beobachtet. Man findet bräunlich-gelbe Flecken und kleienartige Schüppchen. Die Erkrankung macht sich nur durch lästiges Jucken bemerklich (Monatsschr. f. Ohrenheilk. Nr. 3, 1885).

Die Pilzbildung betrifft hauptsächlich das Trommelfell und den inneren Teil des äusseren Gehörganges; dieselbe kann sich jedoch auch auf den ganzen Gehörgang erstrecken und bei starker

---

[1]) Müller's Arch. f. Physiol. 1844, Nr. 12.

[2]) Arch. f. Ohrenh. Bd. III, S. 1 und Arch. f. Augen- u. Ohrenh. Bd. III. 2, S. 56.

[3]) Die Fadenpilze etc. Wiesbaden, J. F. Bergmann, 1883.

Wucherung der Pilze zu Verstopfung desselben führen. Die Membranen liegen auf der Oberfläche des Rete Malpighi oder des Korium, seltener auf der Epidermis. Ein Eindringen der Mycelien in das Gewebe erfolgt nicht, wohl aber können einzelne Fäden von den Zellen des Rete Malpighi umwachsen sein. Ist keine Sekretion vorhanden, so findet man bei der Untersuchung entweder nur einzelne weisse oder schwärzliche Punkte oder ganze Membranen auf das Trommelfell und die Gehörgangswandungen aufgelagert. Besteht Sekretion, so erscheinen die im Gehörgange befindlichen Pilzmembranen schwarz gefleckt, im Aussehen mit nassem Zeitungspapier zu vergleichen.

In manchen Fällen gibt die Pilzbildung keine Veranlassung zu krankhaften Erscheinungen, meist besteht Jucken im Ohre und ein geringer Grad von Schwerhörigkeit mit Ohrensausen durch Verstopfung des Gehörganges. Bisweilen bilden Schmerzhaftigkeit und spärlicher seröser Ausfluss die ersten durch die begleitende Dermatitis bedingten Symptome der Erkrankung. Selten wird durch die Pilzbildung Perforation des Trommelfells und Mittelohrentzündung verursacht.

Durch Einträufelungen von Glycerin, Zink-, Alaun-, Tanninlösungen, ebenso durch Oeleinträufelungen wird die Pilzbildung begünstigt, sodann durch mechanische Insulte der Gehörgangswandungen, durch welche eine Dermatitis verursacht wird.

Behandlung.

Die Therapie bezweckt die Entfernung und Tötung der Pilze. Ausserdem muss das zu Grunde liegende Ekzem oder die Otorrhoe beseitigt werden. Die Entfernung der auf der Hautoberfläche festhaftenden Pilzmembranen mit der Spritze gelingt selten, dieselben müssen erst gelockert werden, was mit der Sonde geschehen kann. Gelingt die Entfernung nicht leicht, so werden die pilzzerstörenden Mittel angewandt. Die antiseptischen Mittel erweisen sich in wässeriger Lösung und in Substanz ziemlich wirkungslos. Am sichersten wirken Einträufelungen von reinem Alkohol, dem nach dem Vorschlag von Bezold und Burckhardt-Merian 2—4% Salicylsäure beigefügt werden kann. Der Alkohol wirkt nicht allein pilztötend, sondern auch sekretionsbeschränkend. Die Entfernung der Pilzmassen allein genügt nicht, da nach wenigen Tagen Neubildung eintritt. Die Borsäure hat nach den Versuchen von Walb keinen Einfluss auf die Pilzbildung.

Kirchner erzielte bei Pityriasis versicolor Heilung durch 2—3 Mal wöchentlich vorgenommene Einpinselungen von Ol. cadin und spiritus vini aa.

Herpes auricularis.

Als besondere Erkrankung des äussesen Ohres ist noch der Herpes auricularis zu erwähnen, der entweder an der Ohrmuschel oder im äusseren Teile des Gehörganges auftritt. Die Erkrankung beginnt mit heftigem Spannen und Jucken, bald treten sehr intensive Schmerzen hinzu, wie wir sie bei der akuten Entzündung des äusseren Gehörganges besprochen haben. Bei der Untersuchung findet sich die Gehörgangswand stark gerötet, geschwollen, auf ihrer Oberfläche kleine Bläschen mit seröser Flüssigkeit gefüllt, die nach wenigen Tagen unter Rückgang der Erscheinungen zu bräunlichen Krusten eintrocknen. Bisweilen schliesst sich noch Exsudation schleimiger Flüssigkeit an. In einem Falle konnte ich die Eruption von Herpesbläschen auf dem Trommelfell beobachten. Die Erkrankung kommt zur Beobachtung entweder idiopathisch oder in Begleitung von akuten Entzündungen des Gehörganges und der Trommelhöhle. Meist werden Erwachsene betroffen. Die Ansicht Ladreit de Lacharière's, dass dieselbe immer in Folge gastrischer Störungen auftrete, ist nicht zutreffend. Der Verlauf ist in der Regel ein sehr rascher; gewöhnlich erfolgt schon nach einigen Tagen Heilung.

Die Behandlung beschränkt sich auf die Linderung der Schmerzen durch Applikation von Salben, welche im ersten Stadium der Erkrankung die Spannung vermindern (Extract. Bellad. 1,0 : Vaselin 10,0). Von den Narkoticis erweist sich zu innerer Anwendung am vorteilhaftesten Chloralhydrat.

Syphilis des äusseren Gehörganges.

Bisweilen manifestirt sich die syphilitiche Allgemeinerkrankung im äusseren Gehörgange durch Entwicklung von Kondylomen, welche als Sekundärerscheinungen auftreten. Zuerst bilden sich breite, gerötete Papeln mit anfänglich trockener, später nässender Oberfläche. Die Schwellungen werden allmählich grösser und können, wenn sie die verschiedenen Wandungen des Gehörganges betreffen, bald zu vollständiger Verlegung desselben führen. Bei der Untersuchung findet sich nun ein sehr charakteristisches Bild, das Lumen ist ausgefüllt mit exulcerirten, leicht blutenden Schwellungen von unregelmässiger Oberfläche, die von den Wänden ihren

Ursprung nehmen. Die Sekretion ist in der Regel ziemlich beträchtlich, serös-eiterig.

Die Erkrankung verläuft entweder im äusseren Teile des Gehörganges, oder sie breitet sich nach der Tiefe aus, greift auf das Trommelfell über und führt zu Perforation desselben.

Das Hörvermögen ist je nach dem Grade der Schwellungen beeinträchtigt. Schmerz ist in der Regel nicht vorhanden; er besteht besonders bei Rhagadenbildung zwischen den einzelnen Schwellungen. Die Erkrankung kann von selbst zur Heilung gelangen. In kurzer Zeit kann diese durch unsere therapeutischen Eingriffe herbeigeführt werden.

Behandlung.

In den Anfangsstadien wird die bei Kondylombildung auf der übrigen Haut übliche Behandlung eingeleitet: Auflegen von Praecipitatsalbe, Einpinselung von Sublimatlösung, Einstäubungen mit Kalomel.

Bei hochgradigen, ulcerirten Schwellungen sah ich unter der Behandlung mit Höllenstein sehr rasch vollständige Rückbildung eintreten, durch ausgiebige Kauterisation der ulcerirten Stellen, ohne gleichzeitige Allgemeinbehandlung. Die Heilung wird begünstigt durch sorgfältige Reinigung des Gehörganges mit desinficirenden Flüssigkeiten. — Gelangt man mit der lokalen Behandlung nicht zum Ziele und lassen die sonstigen Erscheinungen es wünschenswert erscheinen, so greift man zur Schmierkur.

Fremdkörper im äusseren Gehörgange.

Die verschiedenartigsten Gegenstände können als Fremdkörper in das Ohr geraten. Dieselben sind teils harte: kleine Steine, Kirschkerne, Glasperlen, etc., teils weiche: Wattepfröpfe, Samenkörner, sonstige Pflanzenteile. Viele haben, insbesondere die Samenkörner, die Eigenschaft aufzuquellen, an Volumen zuzunehmen. Ausserdem gelangen nicht selten Insekten, besonders während des Schlafes, in das Ohr, Fliegen, Wanzen, Flöhe, der sog. Ohrwurm (Forficula auricularis), sodann entwickeln sich bei mit Ohrenfluss behafteten Patienten aus den Eiern von Fliegen die als Würmer im Ohre erscheinenden Larven (Musca domestica, Sarkophaga).

Diese Larven sind meist in grösserer Anzahl vorhanden, sie zeichnen sich durch ihre grosse Beweglichkeit aus und verkriechen sich, wenn Trommelfellperforation vorhanden ist, leicht in die Ausbuchtungen der Trommelhöhle.

Die Fremdkörper geraten meist durch irgend welchen Zufall in's Ohr, bisweilen werden sie zu therapeutischen Zwecken absichtlich in's Ohr gesteckt: Zwiebel oder sonstige Stoffe gegen Zahnschmerz, Speckstücke gegen Entzündung, Wattepfröpfe als Schutzmittel. Am häufigsten finden sich Fremdkörper bei Kindern, welche eine besondere Vorliebe besitzen, sich Fremdkörper in ihre Körperöffnungen zu stecken.

Die Fremdkörper bleiben entweder im äusseren Teile des Gehörganges liegen, oder sie lagern, wenn sie tiefer eindringen, besonders die kleineren, in der Ausbuchtung, welche die untere Gehörgangswand dicht vor dem Trommelfelle bildet, so dass sie bei der Untersuchung teilweise verdeckt bleiben. In anderen Fällen kann beim Eindringen oder durch Manipulationen das Trommelfell verletzt und der Fremdkörper aus dem Gehörgange in die Trommelhöhle gelangt sein.

Bekannt ist, dass Fremdkörper im äusseren Gehörgange liegen bleiben können, ohne die geringsten Entzündungserscheinungen zu verursachen. Ein kariöser Backzahn lag 40 Jahre im Gehörgange (Rein); ein cylindrisches, 1 Zoll langes, mehrere Linien dickes Graphitstück entfernte Politzer, nachdem dasselbe 22 Jahre in dem Gehörgang gelegen hatte, ohne irgend welche Störung zu verursachen. Brown fand bei einem schwachsinnigen Knaben beide Gehörgänge mit einer grossen Anzahl von Steinen ausgefüllt, die sich 7 Jahre in denselben befunden hatten, ohne Entzündung zu verursachen. Die Erscheinungen, welche der Fremdkörper verursacht, sind dieselben, wie wir sie oben beim Thrombus sebaceus kennen gelernt haben. Empfindung von Verstopftsein und Schwerhörigkeit, wenn der ganze Gehörgang ausgefüllt und der Fremdkörper im äusseren Teil des Gehörganges lagert, Ohrensausen, Schwindel, Schmerz, bisweilen Erbrechen, wenn das Trommelfell mit dem Fremdkörper in Berührung kommt. Die qualvollsten Erscheinungen machen lebende Tiere, welche in die Tiefe des Gehörganges geraten, indem die auf das Trommelfell übertragenen Bewegungen des Tieres die heftigsten Gehörsempfindungen verursachen. Dagegen sind die Fliegenlarven von auffallend geringen Erscheinungen begleitet. Am gefährlichsten werden die Fremdkörper, wenn von ungeübter Hand Extraktionsversuche mit Instrumenten vorgenommen werden, insbesondere wenn ohne Beleuchtung manipulirt und der Fremdkörper mit Pincetten, die auf's Geratewohl eingeführt werden, zu entfernen gesucht wird. Es werden dadurch Verletzungen im Gehörgange verursacht, der Fremdkörper wird in die Tiefe gestossen und gelangt nach Zerreissung des Trommelfells in die Trommelhöhle. Durch Verletzung der benachbarten Teile oder durch die sich anschliessende Entzündung kann der Tod herbeigeführt werden.

Ein Todesfall wird von Wendt mitgeteilt. Ein Johannisbrodkern war durch unzweckmässige Extraktionsversuche in die Tiefe des Gehörganges geraten, nach Ablauf der sich anschliessenden heftigen Entzündung wird der Fremdkörper in Chloroformnarkose entfernt, trotzdem Tod unter meningitischen Erscheinungen. — Einen ähnlichen Fall beobachtete neuerdings Bezold. — Sabatier berichtet über einen Fall, in welchem durch rohe Versuche, ein Baumwollkügelchen zu extrahiren, der Tod eintrat. — Levi citirt die Mitteilung über einen Soldaten, der sich, um sich der Dienstpflicht zu entziehen, einen Kieselstein in's Ohr gesteckt hatte. Nach der Extraktion fand sich eine grosse Oeffnung im Trommelfell. Am folgenden Tage Facialislähmung, Otitis media, Tod unter meningitischen Erscheinungen. — Einen analogen Fall beschreibt E. Fränkel, in welchem es sich ebenfalls um einen Kieselstein handelte, der durch Extraktionsversuche in die Trommelhöhle befördert worden war, unter Zerstörung der Gehörknöchelchen mit Absprengung eines Stückes der Labyrinthwand. Tod durch eiterige Konvexitätsmeningitis. — Moos berichtet über einen Patienten, dem ein Steinsplitter in's Ohr geraten war. Ohne Beleuchtung wurden von mehreren Kollegen Extraktionsversuche mit der Zange gemacht, welche zu Blutung und Zuckungen der betreffenden Gesichtshälfte führten. Es folgten heftige wiederholte Blutungen, Schüttelfröste, Delirium, Tod. Die Sektion ergab Zerstörung des Bodens der Trommelhöhle, Eröffnung der Vena jugularis, Zerstörung der Gehörknöchelchen, Eröffnung des Facialkanals, metastatische Herde in den Lungen und Muskeln. — Pilcher erzählt einen Fall, in welchem die Chirurgen eines Londoner Hospitals vergeblich nach einem angeblich in's Ohr gelangten Nagel suchten. Sie extrahirten den Hammer, worauf zwei Tage nachher der Tod eintrat. Bei der Sektion wurde ein Fremdkörper überhaupt nicht gefunden.

Von grossem Interesse sind die freilich nur selten durch die Anwesenheit von Fremdkörpern bedingten nervösen Erscheinungen, Hustenanfälle, unstillbares Erbrechen, Hemikranie, Dysphagieen, Lähmungserscheinungen, Atrophieen, Epilepsie, allgemeiner Marasmus.

Schon Frank macht in seinem Handbuche darauf aufmerksam, dass zuweilen auch das entgegengesetzte gesunde Ohr nach längerem Vorhandensein des Fremdkörpers konsensuell von Schwerhörigkeit ergriffen werde.

Behandlung.

Ist durch die vorausgegangene Untersuchung die Anwesenheit des Fremdkörpers festgestellt, so können kleine feste Körper, insbesondere Glasperlen und runde Steinchen, schon dadurch entfernt werden, dass man den Kopf stark nach der betreffenden Seite überneigen lässt, womöglich um etwas mehr als einen rechten Winkel, und nun durch mässiges Anschlagen gegen den Kopf durch die auf diese Weise bewirkte Erschütterung den Fremdkörper zum Herausrollen bringt. Für alle anderen Fälle ist das souveräne Mittel die mit lauwarmem Wasser gefüllte Spritze, mit deren Hilfe fast ausnahmslos die Entfernung gelingt. Man lasse sich die Mühe nicht verdriessen, auch nach wiederholten fruchtlosen Versuchen von Neuem zur Spritze zu greifen, um schliesslich doch zum Ziele zu gelangen. Wenn Kramer sich freilich dahin ausspricht, dass erfahrungsgemäss feststehe, dass jeder fremde Körper aus jeder Stelle im Ohre unfehlbar durch wässerige Einspritzungen entfernt werden könne, so dürfte das doch nicht für alle Fälle zutreffen. Es giebt eine Anzahl von Fällen, Fremdkörper, die aufquellen, oder solche mit unregelmässiger Oberfläche, welche zwischen die Gehörgangswände eingeklemmt sind und bei denen der Wasserstrahl nicht ausreicht, sie aus ihrer Lage zu bringen. In solchen Fällen muss zu den Extraktionsinstrumenten gegriffen werden.

Bei der Anwendnng der Spritze sowohl, als der Extraktionsinstrumente ist die ovale Form des äusseren Gehörganges zu berücksichtigen. Bei kugelförmigen Fremdkörpern wird oben und unten ein Raum übrig bleiben, durch welchen der Wasserstrahl oder die Instrumente hinter den Körper gebracht werden können.

Bei den Einspritzungen kommt man am schnellsten zum Ziele, wenn man den Wasserstrahl gegen eine Gehörgangswand richtet. Hat man bei der Untersuchung gefunden, an welcher Seite das Lumen des Gehörganges noch offen ist, muss der Wasserstrahl gegen diese Seite gerichtet werden. Die eingespritzte Flüssigkeit wirkt dann in der Weise, dass sie hinter den Fremdkörper eindringt und nun in der Richtung von innen nach aussen auf den Fremdkörper einwirkt. Begünstigt wird das Austreten des Fremdkörpers, wenn bei den Einspritzungen der Kopf nach der betreffenden Seite geneigt wird. Bisweilen gelingt es, wenn man den Fremdkörper mit einem kleinen flachen Spatel von der Gehörgangswand abrückt, ihn nunmehr der Einwirkung des Wasserstrahles zugänglicher zu machen. Ausspritzungen mit Oel werden von Zaufal empfohlen, um das Aufquellen von pflanzlichen Fremdkörpern zu verhindern. Gequollene Körper können nach seiner Angabe durch Glycerin zum Schrumpfen gebracht werden. — Beim Spritzen sowohl, wie besonders bei der Anwendung der Extraktionsinstrumente hat man sich stets vor Augen zu halten, dass der Fremdkörper nicht in die Tiefe gestossen werden darf. Ist Entzündung eingetreten mit mässiger Schwellung der Gehörgangswandungen nach aussen vom Fremdkörper, so ist es, wenn keine gefahrdrohenden Erscheinungen bestehen, am zweckmässigsten, erst nach Ablauf der Entzündung zur Extraktion zu schreiten. Bei unruhigen Patienten, besonders bei Kindern, wird die Extraktion bedeutend erleichtert, wenn die Chloroformnarkose zu Hilfe genommen wird.

Die Wahl der Extraktionsinstrumente hängt ab von der Form und Beschaffenheit des Fremdkörpers, sowie von der mehr oder weniger tiefen Lage desselben. Von Instrumenten werden benutzt:

1. Die hakenförmig gekrümmte Sonde. Die gewöhnliche dünne Silbersonde wird an ihrem Ende hakenförmig umgebogen und dieses Ende nun hinter den Fremdkörper gebracht und derselbe herausbefördert; erforderlich ist, dass der Gehörgang nicht vollständig ausgefüllt ist. Jede Art von Fremdkörpern kann auf diese Weise entfernt werden. Ist keine dünne Silbersonde bei der Hand, so kann man nach Deleau eine hakenförmig umgebogene Haarnadel benutzen, die in ein Korkstück als Handgriff gesteckt ist. — Statt der Sonde können auch flache, spatelförmige Instrumente von entsprechender Krümmung verwandt werden. Wiederholt benutzte ich scharfe Löffelchen.

2. Das scharfe Häkchen (vgl. Fig. 25) ist besonders bei weichen Fremdkörpern zu verwenden. Dasselbe wird flach gestellt zwischen Fremdkörper und Gehörgangswand vorgeschoben, die Spitze nach dem Fremdkörper gedreht und von der Seite her fest in denselben eingedrückt. Unter langsamen Hin- und Herbewegungen kann nun der Körper nach aussen gezogen werden. Mehrfach habe ich das Irishäkchen der Augenärzte zur Extraktion von Fremdkörpern benutzt. Die Einführung des Häkchens muss auf's Vorsichtigste geschehen, damit die scharfe Spitze nicht in

Fig. 25.

die Haut des Gehörganges gerät, wodurch Schmerz und Blutung verursacht wird.

3. Am gefährlichsten ist die Anwendung der Zangen und Pincetten, da durch dieselben am leichtesten der Körper in die Tiefe gestossen wird. Vollständig ausgeschlossen ist die Anwendung derselben bei runden harten Fremdkörpern mit glatter Oberfläche. Nur wenn der Fremdkörper nach aussen Hervorragungen bildet und genügend weich ist, dass er mit der Zange oder Pincette leicht und sicher zu fassen ist, können diese Instrumente in Betracht kommen.

4. Die bohrerförmigen Instrumente erweisen sich in manchen Fällen von weichen Fremdkörpern, insbesondere bei Samenkörnern, vorteilhaft. Am besten eignen sich solche mit doppelter Spirale und scharfen Spitzen. Das Instrument wird durch eine Röhre, durch einen Ohrtrichter aufgesetzt und fest eingebohrt. Es dürfen jedoch diese Instrumente nur dann angewandt werden, wenn man sich durch die vorausgehende Untersuchung mit der Sonde überzeugt hat, dass der Fremdkörper nicht in die Tiefe gestossen werden kann. Die scharfen Spitzen des Bohrers dringen in manchen Fällen so leicht in den Fremdkörper ein und halten denselben so fest, dass selbst bei fester Einkeilung die Extraktion leicht gelingt.

5. Ist der Fremdkörper in die Tiefe des Gehörganges oder in die Trommelhöhle gedrungen. so kann durch gefahrdrohende, durch eiterige Entzündung der Trommelhöhle und des Warzenfortsatzes bedingte Erscheinungen die Entfernung des Fremdkörpers erforderlich werden durch Ablösung der Ohrmuschel eventuell mit Abmeisselung der hinteren Gehörgangswand. Die Ablösung der Ohrmuschel wird nach Moldenhauer[1]) in der Weise vorgenommen, dass in der Anheftungslinie der Ohrmuschel bis aufs Periost eingeschnitten wird. Der knorpelige Gehörgang wird dann mit Zuhilfenahme des Skalpellstieles abpräparirt und an seinem inneren Ende eröffnet. Zur Lockerung des Fremdkörpers empfiehlt Moldenhauer kleine stumpfwinklig gebogene Hebel, deren Innenfläche gerieft ist.

Bei einem 12jährigen Mädchen, das, mit eiteriger Mittelohrentzündung behaftet, sich eine Glasperle in's Ohr gesteckt hatte, waren Schwellungen im äusseren Teil des Gehörganges und in der Umgebung des Ohres sowohl über dem Warzenfortsatz als vor dem Ohre aufgetreten mit heftigsten Schmerzen und Fieber-

---

[1]) Archiv für Ohrenheilk. Bd. XVI, S. 59.

erscheinungen. Nach Ablösung der Ohrmuschel und des knorpeligen Gehörganges konnte ich die Perle mit dem Moldenhauer'schen Instrumente leicht entfernen. In einem zweiten Falle war die Ablösung der Ohrmuschel erforderlich zur Entfernung eines eingekeilten Johannisbrodkerns. In beiden Fällen heilte die Schnittwunde per primam intentionem.

Ist Zerstörung des Trommelfells vorhanden, so kann von den Tuben aus durch Anwendung des Politzer'schen Verfahrens oder durch wässerige Einspritzungen die Entfernung des Fremdkörpers versucht werden. Schon Deleau beschreibt einen Fall, in welchem er einen in die Trommelhöhle gelangten Stein auf diese Weise beseitigte.

Sind lebende Körper in's Ohr geraten, so werden die quälenden Erscheinungen sofort beseitigt durch Anfüllen des Gehörganges mit Flüssigkeit. Die Entfernung der Tiere gelingt durch Ausspritzen, dem in manchen Fällen die Tötung des Tieres vorausgeschickt werden muss. Das letztere geschieht durch wässerige, ölige oder Alkoholeinträufelungen. Bei Fliegenlarven können den Oeleinträufelungen nach Politzer einige Tropfen Petroleum oder Terpentin beigefügt werden. „Einige Minuten nach der Instillation verlassen die Larven ihr Versteck und kriechen aus dem Gehörgange heraus.“

Von sonstigen Methoden ist zu erwähnen das Ansaugen des Fremdkörpers an eine Röhre, schon von Alexander v. Tralles angegeben; sodann die Agglutinationsmethode. Hocker beschreibt zuerst einen Fall, in welchem durch Ankleben eines in Schellacklösung getauchten Wattepfropfes ein Stein aus dem Ohr entfernt wurde, neuerdings empfahl Löwenberg den Tischlerleim. Von älteren Autoren wurde empfohlen, weiche Fremdkörper durch glühenden Draht zu zerstören. Voltolini hat neuerdings die Galvanokaustik zu demselben Zweck vorgeschlagen. Ich habe dieselbe in einem Falle versucht, verursachte aber, trotzdem ich durch den tief eingeführten Trichter unter Beleuchtung den Brenner auf den Fremdkörper direkt aufsetzen konnte, so heftigen Schmerz, dass ich sofort davon abstehen musste. Eine ähnliche Erfahrung machte Gruber auf die Empfehlung Voltolini's hin; es traten so vehemente Entzündungserscheinungen ein, dass von weiteren Versuchen abgestanden werden musste. Bei einem von Zaufal mitgeteilten Falle schloss sich dem in Chloroformnarkose vorgenommenen galvanokaustischen Zerstörungsversuche Meningitis und der Exitus lethalis an.

Verengerungen und Verschliessungen des äusseren Gehörganges.

Verengerung der Gehörgangsmündung findet sich bisweilen bei Frauen, welche durch häufig wiederholtes Andrücken der Ohrmuschel an den Kopf (durch Hutbänder) der ersteren eine veränderte Stellung geben. Da der innere Teil der Ohrmuschel, die eigentliche Concha, den Teil eines Kugelabschnittes bildet, so muss, wenn auf den äusseren Rand derselben ein Druck ausgeübt wird, der vordere Rand des Kugelabschnittes, d. i. die hintere Begrenzung der Gehörgangsmündung, nach vorn gedrängt werden. Findet dieser Druck sehr häufig oder andauernd statt, so bleibt die Muschel in dieser Lage und führt dadurch eine Verengerung oder eine Verschliessung der Gehörgangsmündung herbei. Diese wird frei, wenn die Ohrmuschel nach aussen gezogen wird.

Sodann kann Verengerung und Verlegung des äusseren Gehörganges entstehen durch Erschlaffung der hinteren Gehörgangswand, welche bei Patienten eintritt, welche häufig an Gehörgangsentzündung, besonders Furunkelbildung, gelitten haben. Durch die bei diesen Leiden bestehenden Schwellungen, welche mit Abhebung der Haut von ihrer Unterlage verbunden sind, entwickelt sich eine Erschlaffung der Haut, welche zur vollständigen Verlegung des Gehörganges führen kann. Dieser Zustand kennzeichnet sich dadurch, dass die erschlaffte Gehörgangswand bei der Untersuchung mit dem Trichter oder mit der Sonde leicht zurückgedrängt und nunmehr ein freier Einblick in die tieferen Teile gewonnen werden kann.

Um die durch diese Veränderungen bedingten Hörstörungen zu beseitigen, können kleine röhrenförmige Instrumentchen in den Gehörgang eingelegt werden, durch welche das Lumen offen erhalten wird.

Verengerung und Verschliessung des Gehörganges kann ferner eintreten durch chronische Entzündungsprocesse, welche zu Verdickung der Haut führen, insbesondere durch Ekzem. Bisweilen kommt es zu völliger Verwachsung der Mündung. Ist nur starke Verengung vorhanden, so muss ausser der Behandlung des zu Grunde liegenden Leidens die Oeffnung selbst mit Laminaria oder Pressschwamm erweitert werden. Bei vollständigem Verschluss muss die Operation vorgenommen werden, kreuzweise Incision mit Abtragung der Lappen. In einem Falle erweiterte ich die Oeffnung, indem ich mit einem geknöpften Messer den ganzen Rand der Oeffnung ausschnitt. Die Nachbehandlung erfordert die grösste Sorgfalt. Es wird empfohlen, um ein Wiederverwachsen zu verhindern, die hergestellte Oeffnung durch fortgesetzte Einlagerung von Quellmaterial offen zu erhalten. Es hat sich diese Behandlungsmethode mir nicht bewährt, indem die eingelegten Laminariastifte nicht ertragen wurden. Ich erzielte Heilung durch Bleiröhren[1]), die mit Salbe bestrichen mehrere Wochen lang getragen werden, bis vollständige Vernarbung eingetreten ist.

Im knöchernen Teile des äusseren Gehörganges kommt es bisweilen zur Exostosenbildung. Dieselbe tritt entweder ohne nachweisbare Veranlassung auf, vermutlich durch kongenitale Anlage oder im Anschluss an Entzündungsprocesse. Im ersteren Falle ist das Wachstum ein äusserst langsames; die neugebildete Knochenmasse ist ausserordentlich hart, Elfenbeinexostose. Bei der Exostosenbildung nach Entzündung können schon in kurzer Zeit bedeutende Hervorragungen sich entwickeln. Es entsteht entweder nur eine einzelne Schwellung, breit oder gestielt, in der Regel der oberen hinteren Gehörgangswand aufsitzend, oder es bilden sich mehrere knöcherne Hervorragungen, welche das Lumen des Gehörganges verengen. In sehr seltenen Fällen kommt es durch koncentrische periostitische Auflagerungen zu gleichförmigem Verschlusse des Gehörganges. Diese auf entzündlichem Wege entstandenen Knochenneubildungen sind weniger hart, als die Elfenbeinexostosen.

Die Erscheinungen, welche die Exostosen verursachen, sind nach ihrer Grösse verschieden; während kleine Exostosen unbemerkt bleiben, wird durch grössere Neubildungen hochgradige Schwerhörigkeit verursacht. Dieselbe kann schon dadurch entstehen, dass eine noch vorhandene kleine Lücke durch Sekrete oder abgestossene Epidermis verstopft wird. In diesen Fällen kann die eingetretene Schwerhörigkeit durch Entfernung der verstopfenden Masse vorübergehend wieder beseitigt werden. Bei vorhandener eiteriger Sekretion kann durch Retention der abgesonderten Massen hinter der verengten Stelle Gefahr für das Leben des Patienten eintreten.

Moos sah in einem Falle durch Gehörgangsexostose eine Trigeminusneuralgie verursacht, welche durch die Operation der Exostose beseitigt wurde. — Bei einem Patienten war ich genötigt, eine den Gehörgang verschliessende Exostose zu entfernen, nachdem eine schwere akute Mittelohrentzündung aufgetreten war.

Die Behandlung kann sich, so lange noch nicht hochgradige

---

[1]) Diese Bleiröhren kann man sich selbst anfertigen, indem ein kleines Stück Röhre an dem einen Ende mit dem Messer abgerundet, an dem anderen Ende durch Einschneiden und Auseinanderbiegen der durchschnittenen Hälften trichterförmig erweitert wird.

Verengerung besteht und die Schwerhörigkeit nur durch vorübergehende Verstopfung der noch vorhandenen Lücke bedingt wird, auf die Entfernung der obstruirenden Massen beschränken. Gelingt es nicht mit der gewöhnlichen Ohrspritze und durch Lockerung mit der Sonde den Kanal frei zu machen, so kann eine dünne Röhre, das Paukenröhrchen, zweckmässig benutzt werden. Dieses wird hinter die verengte Stelle vorgeschoben und es wird durch dasselbe ein Wasserstrom geleitet. In der Regel wird man, besonders wenn die Exostose noch im Wachstum sich befindet, so frühzeitig als möglich dieselbe zu entfernen haben, da die Operation um so leichter gelingt, je weniger der Gehörgang ausgefüllt ist. Sind es gestielte, stark vorspringende Geschwülste, so können dieselben mit einem Meisselschlage abgesprengt werden.

Die Operation der grossen, harten Exostosen ist mit grösseren Schwierigkeiten verbunden, der enge Raum, in welchem nur unter Beleuchtung gearbeitet werden darf, sowie die die freie Uebersicht störenden Blutungen erschweren die Operation. Am sichersten und mit den geringsten Gefahren verbunden ist die Meisseloperation. In Chloroformnarkose wird ohne Rücksicht auf die überkleidende dünne Haut ein Hohlmeissel in der Längsachse des Gehörganges der Gehörgangswand, von welcher die Exostose entspringt, entlang eingetrieben, bis ein Stück oder die ganze Exostose abgesprengt ist. Es gelang mir auf diese Weise eine das ganze Gehörgangslumen ausfüllende Elfenbeinexostose mit einem Male zu beseitigen. Dieselbe hatte eine Länge von 14, eine Breite von 7 und eine Dicke von 5 mm. In einem zweiten Falle musste die Exostose stückweise entfernt werden. Gefährlicher, zeitraubender und weniger sicher als die Meisseloperation ist die Anwendung des Drillbohrers.

Die Zahl der bisher operirten Fälle ist noch eine geringe. Mit dem Meissel wurde operirt von Heinicke und Lucae; von Knorre und Bremer, nachdem der Drillbohrer sie im Stiche gelassen hatte. — Field benutzte wiederholt die Zahnbohrmaschine, er bedurfte gegen eine Stunde, um die Exostose mit einem dünnen Bohrer zu durchdringen. In einem seiner Fälle glitt der Bohrer durch das Trommelfell in die Trommelhöhle mit nachfolgender Facialislähmung, die jedoch später wieder zur Heilung kam. — Moos durchbohrte mit gutem Erfolge mit dem gewöhnlicben Drillbohrer einen 7 mm. tiefen, durch entzündliche Hyperostose des Gehörganges entstandenen Verschluss.

Die Bildung von Blutblasen im äusseren Gehörgange.

Zu den selteneren Beobachtungen gehören Blutergüsse unter die Epidermis des äusseren Gehörganges, Ansammlung von schwarzem, flüssigem Blute unter einer dünnen Epidermisdecke.

Am häufigsten treten die Blutblasen auf bei akuten Entzündungen des Mittelohrs und des äusseren Gehörganges.

In einem von mir beobachteten Falle hatte sich eine solche Blutblase gebildet neben den Symptomen einer Menière'schen Erkrankung; die Blutblase nahm die ganze vordere Gehörgangswand ein.

In einem zweiten Falle fand sich die Blutblase bei einem Patienten, der mit Residuen einer eiterigen Mittelohrentzündung plötzlich schlechteres Gehör bekam. Bei diesem hatte die Blase ihren Sitz am inneren Ende der unteren Gehörgangswand. In beiden Fällen konnten die Blasen durch Punktion beseitigt werden.

Karies und Nekrose des knöchernen Gehörganges.

Die Erkrankungen der knöchernen Wandung des äusseren Gehörganges entwickeln sich entweder durch Uebergreifen einer Otitis externa auf dieselbe oder durch Fortpflanzung von Entzündungsprocessen von den pneumatischen Räumen des Warzenfortsatzes aus. Durch Karies oder Nekrose des Knochens entstehen Substanzverluste; es kommt zur Bildung von Hohlgängen, aus welchen sich Eiter entleert. Häufig bilden sich an den Fistelrändern Granulationen oder Polypen von grösserem oder kleinerem Umfange. Die Diagnose der Fistelgänge lässt sich, wenn die Polypenbildung nicht zu ausgedehnt ist, leicht stellen mit der Hakensonde, welche in die Fistelöffnung eingeführt wird. Die polypösen Neubildungen wachsen, nachdem sie entfernt sind, immer wieder von Neuem, wenn in der Tiefe eingedicktes Sekret abgelagert ist. In solchen Fällen gelingt die Beseitigung der Schwellungen nur, wenn die abgelagerten Massen entfernt werden. Zur Entfernung derselben hat sich mir die später (Kap. VIII) zu beschreibende feste Paukenröhre auf's Trefflichste bewährt.

Bei einer Patientin, bei welcher der ganze äussere Teil des Gehörganges mit Polypen ausgefüllt war und sich in der Umgebung des Ohres drei Fisteln gebildet hatten, eine über dem Warzenfortsatz, eine in der Retromaxillargrube und die dritte auf der Backe, gelang es nicht, die Polypen mit der Schlinge zu beseitigen. Als ich die Paukenröhre hinter die Polypen geführt und mit der Spritze eine grosse Menge käsigen Eiters entfernt hatte, ging die Polypenbildung von selbst zurück. Bei der Untersuchung fand sich dann die ganze hintere Gehörgangswand zerstört und äusserer Gehörgang, Trommelhöhle und Warzenteil eine gemeinsame grosse Höhle bildend.

Bei dem Vorhandensein von kariösen Processen im äusseren Gehörgange enthalte man sich reizender Eingriffe und beschränke sich auf sorgfältige Reinigung und Desinfektion. Bei engen Oeffnungen oder bei oberflächlicher Karies erweist sich das Auskratzen mit dem scharfen Löffel von Vorteil. Nicht zu verabsäumen ist die Beseitigung von allgemeinen konstitutionellen oder Ernährungsstörungen.

Kapitel VII.

Erkrankungen des Trommelfells.

Anatomisches.

Das Trommelfell, welches die Aufgabe hat, die durch den Gehörgang aus der äusseren Luft zugeleiteten Schallwellen aufzunehmen und durch die Gehörknöchelchen nach dem Labyrinthe zu leiten, stellt eine 9 mm. hohe, 8 mm. breite, 0,1 mm. dicke, nach einwärts trichterförmig vertiefte Membran dar, welche mit ihrem etwas verdickten Rande, dem Annulus cartilagineus, in eine am inneren Ende des Gehörganges befindliche Furche, den Sulcus tympanicus, eingefügt ist. Im oberen vorderen Teile hat diese Furche den sog. Rivinischen Ausschnitt und es ist hier das Trommelfell an den Margo tympanicus der Schuppe angeheftet. Der hier oberhalb des kurzen Fortsatzes des Hammers liegende Teil wird als Membrana flaccida Shrapnelli bezeichnet. Das Trommelfell ist so nach unten vorn geneigt, dass es sowohl mit der oberen als mit der hinteren Gehörgangswand einen Winkel von 140° bildet.

An der Zusammensetzung des Trommelfells beteiligen sich drei Schichten: 1. die Kutisschichte aus Epidermis und unter dieser liegendem Bindegewebe bestehend, 2. die Membrana propria mit äusserer radiärer, innerer cirkulärer Faserung, 3. die Schleimhautschichte mit eigentümlichen Gefässpapillen, mit Pflasterepithel überkleidet. Von Blutgefässen wird das Trommelfell hauptsächlich durch einen von der Art. auricularis profunda abstammenden Gefässzweig versorgt, der von zwei Venen begleitet, entlang dem hinteren Rande des Hammergriffes zum Umbo verläuft und von hier aus sich ebenso wie die Venen radiär verzweigt. Die radiären Aeste nehmen ihren Abfluss in den am Rande befindlichen venösen Gefässkranz.

Die Blutgefässe der Schleimhautschichte und diejenigen des Kutisüberzuges des Trommelfells stehen durch ein die Membrana propria durchbohrendes Kapillarnetz mit einander in Verbindung (Kessel); ausserdem bestehen nach den sorgfältigen Untersuchungen von Moos Gefässkommunikationen längs der ganzen Peripherie des Annulus, längs des Hammergriffs und durch die Membrana flaccida. Sensible Nervenfasern enthält das Trommelfell vom Ramus meatus auditorii externi des Trigeminus.

Der inneren Fläche des Trommelfells ist der Hammergriff aufgelagert und mit ihr fest verwachsen. Der Hammergriff erstreckt sich vom oberen vorderen Rande bis zur Mitte, zum Umbo. In der Nähe des oberen Randes wird der Processus brevis als deutlich vorspringendes weisses Knöpfchen auf der Aussenfläche sichtbar und es verlaufen von demselben aus bisweilen (am stärksten bei pathologischer Einziehung des Trommelfells ausgesprochen) zwei bis drei Falten, die sog. Trommelfellfalten, nach hinten und vorn zum Trommelfellrande. Auf der inneren Seite finden sich die Winkel zwischen dem Hammergriff und dem Trommelfellfalze durch Membranen ausgefüllt, welche parallel zum Trommelfelle stehen und mit ihm zwei nach unten offenstehende Taschen, die sog. Tröltschschen Trommelfelltaschen, bilden.

Mit den meisten Erkrankungen des äusseren Gehörganges sowohl, als auch der Trommelhöhle sind Erkrankungen des Trommelfells verbunden, was bei der Kontinuität der beide Teile auskleidenden Membranen mit der inneren, resp. äusseren Trommelfellbedeckung nicht befremden kann. Da bei den Erkrankungen des Gehörganges und des Mittelohres auch die Miterkrankung des Trommelfells besprochen werden muss, so beschränken wir uns hier auf die selbständigen Erkrankungen der Membran.

Akute Entzündung des Trommelfells. Myringitis acuta.

Die akute Entzündung des Trommelfells bildet selbständig auftretend eine ziemlich seltene Erkrankung, während sie in Verbindung mit akutem Mittelohrkatarrh oder mit Otitis externa sehr häufig zur Beobachtung kommt. Als Ursache findet sich meist Erkältung durch Zugluft oder Eindringen kalter Flüssigkeit, insbesondere beim Baden.

Das Auftreten der Erkrankung ist ein sehr plötzliches mit äusserst heftigem Schmerz, zu dem sich das Gefühl von Spannung, Pulsation, Hitze gesellt, dazu kommt heftiges Ohrensausen, während das Hörvermögen im Gegensatz zur akuten Mittelohrentzündung nur wenig beeinträchtigt wird. Gewöhnlich erhält sich die Erkrankung nur einen oder wenige Tage auf ihrer Höhe, um nach rasch eintretendem Nachlass der Symptome in Heilung überzugehen. In der Regel ist nur eine Seite betroffen.

Bei der Untersuchung zeigt sich das Trommelfell stark gerötet. Anfänglich sind die einzelnen hyperämischen Gefässe besonders entlang des Hammergriffes zu erkennen. Bald tritt diffuse Rötung und Schwellung ein, die Umrisse des Hammers sind verwischt, die Oberfläche erscheint stark glänzend, blaurot. Bisweilen kommt es zu Blutextravasation unter die Kutisschichte des Trommelfells, seltener bildet sich eine seröse oder eiterige Blase. An der Hyperämie beteiligt sich auch der angrenzende Teil des äusseren Gehörganges. Die Heilung erfolgt entweder durch einfachen Rückgang der Hyperämie und Schwellung oder es kommt zu oberflächlicher Epidermisabstossung und geringer Sekretion, bisweilen mit blutiger Beimengung. Durch Perforation des Trommelfells kann auch die Trommelhöhle in Mitleidenschaft gezogen werden.

Behandlung.

Wie bei jedem akut entzündeten Organe ist auch hier als erste Regel aufzustellen, jeden Reiz fernzuhalten. Man vermeide deshalb Einspritzungen und die Luftdusche und beschränke sich auf warme Einträufelungen von Oeleu oder wässerigen Flüssigkeiten, denen einige Tropfen Opiumtinktur beigefügt werden kann. In erster Linie ist Karbolglycerin (10—20procentig) in derselben Weise wie bei der später zu besprechenden Otitis media akuta anzuwenden. Ausserdem können Blutentziehungen vor dem Ohre und zur Ableitung nach dem Darme kräftig wirkende Abführungsmittel zur Anwendung gebracht werden. Von Bonnafont wurden Skarifikationen des Trommelfells vorgeschlagen. Schwartze empfiehlt die Paracentese.

Bei einem Soldaten, der nach dem Bade plötzlich mit heftigem Schmerz im Ohre erkrankt war, fand ich bei der Untersuchung eine fast erbsengrosse, hellgelbe, glänzende Blase, welche von der hinteren Oberfläche des Trommelfells in den Gehörgang hereinragte. Nach der Punktion entleerte sich ein Tropfen seröser Flüssigkeit und trat sofort Nachlass der hochgradigen Schmerzen ein. Zwei Tage darauf hatte sich die abgehobene Epidermis wieder vollständig angelegt und war die Incisionsstelle als lineäre Narbe auf der Oberfläche des Trommelfells zu erkennen.

Chronische Entzündung des Trommelfells. Myringitis chronica.

Die chronische Entzündung des Trommelfells tritt besonders bei konstitutionell schwachen Individuen ohne besondere Symptome, bisweilen mit spannenden, juckenden Empfindungen im Ohre, seltener mit Schmerz auf. In den meisten Fällen ist dieselbe verursacht durch Fremdkörper, Ceruminalpfröpfe oder abgelagerte Sekretmassen, welche mit dem Trommelfelle in Berührung kommen. Es findet geringfügige Sekretion aus dem Ohre statt von verschiedener Beschaffenheit, indem das Sekret bald mehr serösen, bald mehr eiterigen, besonders sehr übelriechenden Charakter hat.

Durch Austrocknen wird das Sekret konsistenter, es kommt zur Borkenbildung; unter einer solchen Borke wird durch das stagnirende Sekret ein dauernder Reiz auf das unterliegende Trommelfell ausgeübt, so dass Granulationsbildung hinzutritt, wodurch die Heilung verhindert wird. Die Hörfähigkeit ist in der Regel nur wenig beeinträchtigt.

Nach gründlich vorgenommener Reinigung zeigt sich das Trommelfell glanzlos, matt, schmutzig weiss, entweder sind nur einzelne Stellen von Epidermis entblösst und angeschwollen, oder bildet ein grösserer Teil der Membran oder das ganze Trommelfell eine gerötete, granulöse Fläche.

Behandlung.

Die leichteren Formen können schon durch wiederholte gründliche Reinigung zur Heilung gebracht werden, oder es genügt die ein- oder mehrmalige Anwendung von Alaun oder Borsäure in Pulverform. Bei granulösen Schwellungen kommen Aetzungen mit Argentum nitricum oder mit Chromsäure zur Anwendung. Doch muss, um Entzündungen zu vermeiden, strenge darauf geachtet werden, dass nur die Schwellungen selbst von dem Aetzmittel getroffen werden.

Hämorrhagien in's Trommelfell.

In seltenen Fällen findet Blutaustritt zwischen die einzelnen Schichten des Trommelfells statt, besonders bei heftiger, mit hochgradiger Hyperämie verbundener Entzündung, sodann bei starken Erschütterungen. Urbantschitsch beobachtete kleine Blutextravasate nach der Luftdusche. Die Extravasate sind entweder nur punktförmig oder es bilden sich grössere Flecke, in den hochgradigsten Fällen kommt es zur Bildung von Blutblasen.

In einem Falle fand ich sehr lästiges Ohrensausen bedingt durch ein auf dem hinteren Teil des Trommelfells liegendes Blutextravasat. Nach Entfernen desselben durch vorsichtiges Abkratzen mit dem scharfen Löffel blieb das Sausen verschwunden.

Die Extravasate gelangen von selbst zur Resorption. Tröltsch beobachtete zuerst das Wandern der Extravasate vom Centrum des Trommelfells zur Peripherie auf die benachbarte Gehörgangswand.

Trommelfellzerreissungen.

Folgende Ursachen können zu Trommelfellzerreissungen Veranlassung geben:

1. Plötzliche Kompression der im äusseren Gehörgange befindlichen Luftsäule, indem entweder bei heftigem Schall, bei Explosionen eine starke Verdichtungswelle aus der umgebenden Luft auf das Trommelfell einwirkt oder die Luft im Gehörgange allein verdichtet wird, am häufigsten durch Ohrfeigen.

2. Häufig wird das Trommelfell durch feste Körper verletzt, welche in den Gehörgang entweder behufs Reinigung eingeführt werden, oder zufällig in denselben geraten, Stricknadeln, Strohhalme etc.

3. Luftverdichtung in der Trommelhöhle beim Niesen, beim heftigen Husten, bei Anwendung der Luftdusche.

4. Erschütterungen und Frakturen der Schädelknochen.

Während von älteren Autoren bezweifelt wurde, dass durch heftige Schalleindrücke Zerreissung des gesunden Trommelfells eintreten könne, wurden solche Fälle doch später unzweifelhaft festgestellt. Mir selbst ist der Fall bekannt, wo bei Schiessübungen der Artillerie eine Granate im Beobachtungshause platzte und bei drei neben einander auf einer Bank sitzenden Artilleristen auf der der platzenden Granate zugekehrten Seite Trommelfellzerreissungen verursachte. Die Rupturen bei Beohrfeigten finden sich, da die Applikation der Ohrfeigen gewöhnlich mit der rechten Hand und von vorn stattfindet, meist auf der linken Seite der Betroffenen. Nicht selten tritt Trommelfellzerreissung ein beim Inswasserspringen, indem durch das Untertauchen plötzlich die Luft im äusseren Gehörgange verdichtet wird. Begünstigt wird das Zustandekommen der Trommelfellzerreissungen durch krankhafte Veränderungen der Membran. Bei solchen kann schon durch die Luftverdichtung im Mittelohre, beim Politzer'schen Verfahren oder beim Katheterismus, Trommelfellruptur herbeigeführt werden. Ist die einwirkende Gewalt weniger beträchtlich, so kann sich die Verletzung auf das Zerreissen von Blutgefässen des Trommelfells beschränken, so dass Extravasationen unter die Kutisschichte der Membran stattfinden. In der Regel wird die untere Hälfte des Trommelfells von der Ruptur betroffen; meist ist nur eine Perforation vorhanden, bisweilen mehrere.

Bei heftigen Erschütterungen der Schädelknochen durch Schlag oder Fall kann schon durch diese ein Platzen des Trommelfells hervorgerufen werden. In anderen Fällen ist dasselbe mit Fraktur des Schläfenbeins verbunden. Die sich hierbei bildenden Fissuren betreffen häufig die hintere Gehörgangswand, von der Gegend der

Shrapnell'schen Membran ausgehend, so dass gewöhnlich an dieser die Zerreissung erfolgt.

Durch die Zerreissung erhält der Betroffene die Empfindung, dass etwas im Ohre geplatzt sei, er empfindet häufig einen heftigen Knall. Bisweilen tritt Ohnmacht ein, Schmerz ist in der Regel wenig hochgradig, das Hörvermögen ist nach dem Grade der Zerstörung und nach dem Mitergriffensein des Labyrinthes mehr oder weniger beeinträchtigt. Subjektive Geräusche sind meist in hohem Grade vorhanden. Die auf die Kopfknochen aufgesetzte Stimmgabel wird in der Regel auf der afficirten Seite besser gehört. Ist gleichzeitig Erschütterung des Labyrinthes erfolgt, so tritt das entgegengesetzte Verhalten ein.

Bei den durch fremde Körper hervorgerufenen Verletzungen können ausser dem Trommelfell die Gehörknöchelchen oder die gegenüberliegende Labyrinthwand verletzt sein.

In zwei Fällen, welche ich Gelegenheit hatte zu beobachten, fand die Verletzung mit einer Stricknadel statt, welche im hinteren, oberen Quadranten des Trommelfells eingedrungen war. Die Verletzten fielen sofort bewusstlos um, kamen rasch wieder zu sich, konnten aber wegen hochgradigen Schwindels nicht wieder aufstehen. Hierzu gesellte sich heftiges Erbrechen, das in Pausen 1—2 Tage anhielt. Ebenso lange dauerte der Schwindel in so hohem Grade, dass die Patienten nicht im Stande waren, sich im Bette zu erheben oder zu stehen. Auffallender Weise blieben mässige Schwindelerscheinungen noch lange Zeit nach eingetretener Heilung bestehen. Da bei den gewöhnlichen Stricknadelperforationen nur vorübergehend Schmerz, Sausen, Schwerhörigkeit, eventuell Ohnmacht auftritt, glaubte ich in diesen Fällen eine Dislokation des Steigbügels und dadurch verursachte Reizung des labyrinthären Nervenapparates diagnosticiren zu dürfen.

Der Trommelfellbefund bei traumatischen Rupturen ist, wenn die Untersuchung kurze Zeit nach erfolgter Verletzung vorgenommen werden kann, meist charakteristisch. Die Oeffnung hat in der Regel eine ovale, bisweilen runde Form durch Auseinanderklaffen der Wundränder. Selten sind die Wundränder durch Blutkoagulum verklebt. Bisweilen stellt die Ruptur einen Einriss mit aneinander liegenden Rändern dar. Die Oeffnung ist gewöhnlich scharf begrenzt und, was das Wichtigste ist, die Ränder sind mit einem schmalen Streifen von hellerem oder dunklerem Blutkoagulum eingefasst. Aus dem Vorhandensein der Spuren einer stattgehabten

Blutung kann in den ersten Tagen nach der Verletzung mit Sicherheit die traumatische Natur derselben diagnosticirt werden.

Bisweilen findet sich eine verschiedene Beteiligung der einzelnen Schichten des Trommelfells an der Zerreissung, indem die Wundränder der Kutisschichte stärker auseinander treten als die der tieferen Schichten. Die letzteren erscheinen dann mehr weisslich gefärbt als das übrige Trommelfell. Die charakteristischen Spuren der Blutung finden sich an den Rändern der Kutis. In einem von mir beobachteten Falle beschränkte sich die Verletzung auf die Kutisschichte.

Durch die Oeffnung erscheint bei genügender Grösse derselben die innere Trommelhöhlenwand mit knochengelber Färbung. — Beim Valsalva'schen Versuche wird mit dem Auskultationsschlauche ein Blasegeräusch gehört, während bei den Perforationen, welche durch Mittelohrentzündung hervorgerufen sind, in der Regel Schleimrasseln entsteht.

Meist gehen die Symptome in wenigen Tagen vorüber und es tritt vollständige Wiederherstellung ein. In selteneren Fällen gesellt sich Mittelohrentzündung hinzu mit den dieser zukommenden Erscheinungen; dieselbe kann chronisch werden und zu chronischem Ohrenfluss Veranlassung geben. Eine stattgehabte Labyrintherschütterung ist in prognostischer Beziehung als ungünstig zu betrachten, da meist die Hörstörung bestehen bleibt; doch kann auch nach mehreren Tagen oder Wochen noch Besserung eintreten. Die Heilung der Zerreissung erfolgt in der Regel so, dass das Trommelfell wieder vollständig normal erscheint und die Stelle der Ruptur nur schwierig zu erkennen ist. Die Heilung findet nach Politzer statt, indem sich wenige Tage nach erfolgter Perforation ein grau-gelbes Häutchen bildet, von welchem man den Eindruck erhält, als ob es sich von innen her über die Rupturöffnung geschoben hätte.

Therapeutische Eingriffe, um die Heilung einer Trommelfellruptur herbeizuführen oder zu beschleunigen, sind nicht erforderlich, da dieselbe, wenn keine Entzündung hinzutritt, von selbst erfolgt. Alle Schädlichkeiten, welche eine Entzündung herbeiführen könnten, müssen vermieden werden. Insbesondere ist das Ohr vor Erkältung zu bewahren und dürfen keine Ausspritzungen gemacht werden. Man beschränke sich auf das Einlegen antiseptischer, trockener oder mit Karbolöl getränkter Watte.

Ebenso wie die traumatischen Trommelfellperforationen stets zur Heilung gelangen, haben auch die künstlich hergestellten Oeffnungen im Trommelfell die Neigung wieder zuzuheilen. Es ist bis jetzt noch nicht gelungen, dieselben mit Sicherheit dauernd offen zu erhalten. Ich habe wiederholt, selbst wenn der Hammer mit einem beträchtlichen Teil des Trommelfells entfernt wurde, Wiederherstellung der Membran eintreten sehen. Die Versuche von Frank, durch Einlegen eines an beiden Enden mit einem kleinen Rändchen versehenen goldenen Röhrchens oder von Politzer, durch Einlegen einer Hartkautschuköse die Oeffnungen bleibend zu erhalten, sind missglückt.

Das künstliche Trommelfell.

In Fällen von teilweiser oder vollständiger Zerstörung des Trommelfells kann bisweilen die bestehende Schwerhörigkeit wesentlich gebessert werden durch die Anwendung des künstlichen Trommelfells. Die Wirkung desselben beruht, wie zuerst von Erhard nachgewiesen wurde, darauf, dass auf die Reste des Trommelfells und auf die Gehörknöchelchen ein Druck ausgeübt wird, wodurch das Schallleitungsvermögen dieser Teile bald mehr, bald weniger gebessert wird. Die Anwendung des künstlichen Trommelfells ist in allen denjenigen Fällen zu versuchen, in welchen bei hochgradiger Schwerhörigkeit beträchtliche Zerstörungen des Trommelfells oder der Gehörknöchelchen vorhanden sind und entweder keine oder nur geringe Sekretion mehr besteht. Besitzt das zweite Ohr normales Hörvermögen, so kommt das künstliche Trommelfell nicht zur Verwendung.

Das älteste, einfachste und zweckmässigste Verfahren, welches zu diesem Zwecke benutzt wird, wurde von Yearsley schon im Jahre 1848 empfohlen. Dasselbe besteht in der Einführung eines Wattekügelchens, welches mit Hilfe einer Pincette in den Gehörgang bis zu den Trommelfellresten gebracht wird. Dieses Wattekügelchen wird aus einer kleinen Menge Verbandbaumwolle, am besten mit Salicyl-, Borsäure oder Thymol imprägnirt, hergestellt, indem dieselbe zu einer kleinen Kugel gut zusammengedrückt und befeuchtet wird. Zur Befeuchtung dient Glycerin mit Wasser 1 : 4 oder Carbolöl 2%ig. Wird die Anwendung des Wattekügelchens gut ertragen, so kann dasselbe auf der Trommelfellöffnung befestigt werden durch Collodium, mit dem der Teil des Wattekügelchens befeuchtet wird, der auf die Trommelfellöffnung zu liegen kommt. 1853 beschrieb Toynbee sein künstliches Trommelfell, das rasch allgemeine Verbreitung fand. Das Toynbee'sche Instrumentchen besteht aus einem dünnen, runden Gummiplättchen, in dessen Mitte ein senkrecht abgehender Silberdraht befestigt ist, der als Handhabe bei der Einführung in den Gehörgang und beim Herausnehmen dient (vgl. Fig. 26).

Fig. 26.

Vor der Einführung dieser künstlichen Trommelfelle muss der Gehörgang gerade gerichtet werden, indem die Ohrmuschel nach hinten und aussen gezogen wird. Sie werden nun in senkrechter Richtung etwas nach vorn in die Tiefe des Gehörganges geschoben. Die sichere Einführung erfordert allerdings einige Geschicklichkeit von Seite der Patienten, doch gelingt dieselbe in weitaus den meisten Fällen, wenn denselben eine zweckmässige, nötigenfalls mehrfach wiederholte Anleitung gegeben wird. Ebenso wie die künstlichen Trommelfelle eingeführt werden, werden sie auch wieder entfernt. Der Gehörgang wird gerade gerichtet und die Trommelfelle werden an ihren Handhaben gefasst und herausgezogen. Wird das Yearsley'sche Wattekügelchen benutzt, so wird die Pincette geschlossen eingeführt und, erst wenn sie an der Watte ist, geöffnet, die Watte gefasst und ausgezogen.

Das Wattekügelchen bleibt besser als andere Instrumente in seiner Lage erhalten, die Anwendung ist eine sehr einfache, reinliche, die Watte reizt selten, begünstigt im Gegenteil die Heilung. In ihrer Wirkung hinsichtlich der Hörverbesserung steht die Watte dem Toynbee'schen Trommelfelle und seinen Modifikationen nicht nach, wirkt in vielen Fällen besser als die letzteren, während allerdings bisweilen auch das umgekehrte Verhalten stattfindet.

Die Hörverbesserung, welche mit den künstlichen Trommelfellen erzielt wird, ist in vielen Fällen eine sehr beträchtliche, während in anderen Fällen eine Veränderung des Gehöres überhaupt nicht zu erzielen ist. Am eklatantesten ist für den Patienten die Wirkung, wenn sein Gehör so weit herabgesetzt ist, dass er nicht mehr im Stande ist, die Umgangssprache zu verstehen und er nun vermittelst des künstlichen Trommelfells plötzlich in den Stand gesetzt wird, an der Konversation seiner Umgebung Teil zu nehmen. Auch bei vollständiger Zerstörung des Trommelfells, wenn von den Gehörknöchelchen nur noch der Steigbügel vorhanden ist, lässt sich durch das künstliche Trommelfell bisweilen noch günstige Wirkung erzielen.

Während in manchen Fällen das künstliche Trommelfell mehrere Tage liegen bleiben kann, ohne dass irgend welche Erscheinungen verursacht werden, tritt häufig bei länger dauernder

Anwendung der Instrumentchen Sausen, Gefühl von Druck und Schwere oder Schwindel auf. Bisweilen wird früher stattgehabte Sekretion wieder hervorgerufen. Es ist deshalb erforderlich, die künstlichen Trommelfelle anfänglich nur für wenige Stunden tragen zu lassen und erst allmählich zu länger dauernder Anwendung überzugehen. Bisweilen sind die Patienten gegen die Anwendung der Instrumentchen so empfindlich, dass davon überhaupt Abstand genommen werden muss. Am besten werden die Yearsley'schen Wattekügelchen ertragen. Knapp beschreibt einen Fall, in welchem das Wattekügelchen 29 Jahre lang getragen wurde mit sehr beträchtlicher Besserung des Gehörs.

Anstatt das Wattekügelchen mit der Pincette einzuführen, wurde von Hassenstein ein kleines Zängchen empfohlen, zwischen dessen Branchen das Kügelchen festgehalten wird. Das Zängchen bleibt mit der Watte im Ohre liegen. — Delstanche verfertigt sich ein künstliches Trommelfell in einfachster Weise selbst. Er nimmt ein Stückchen weichen Draht, dessen eines Ende umgebogen wird. Der Draht wird mit Watte so umwickelt, dass das letztere Ende kugelförmig wird, während der übrige Draht nur eine dünne Watteschicht bekommt. — Ich selbst lasse aus einer kleinen Menge Baumwolle ein Kügelchen mit dünnem Fortsatze drehen, der Fortsatz wird mit Faden umwickelt und mit einer Wachslösnng imprägnirt (vergl. Fig. 27). Solche Instrumentchen werden zu sehr billigem Preisc en gros angefertigt. — Kosegarten weist darauf hin, dass in manchen Fällen Pulvereinblasungen besonders von Alaun als künstliches Trommelfell wirken, indem das Pulver eine feste Scheibe bildet.

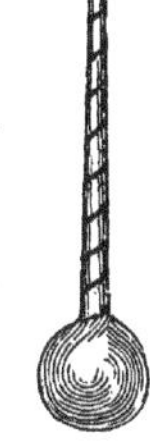
Fig. 27.

Das Toynbee'sche Trommelfell wurde von späteren Autoren in der Weise verändert, dass der Silberdraht weggelassen und ein einfaches Gummiplättchen (Hinton), ein rundes Leinwandstückchen (Gruber) oder eine kleine Papierscheibe (Blake) angewandt wurde. Diese künstlichen Trommelfelle wurden ebenfalls mit der Pincette eingeführt und mit derselben auch wieder entfernt, oder es wurde zur Extraktion ein Faden an denselben befestigt. Lucae ersetzte den Silberdraht des Toynbee'schen Trommelfells durch eine Gummiröhre. — Auf zweckmässige Weise können die aus weichem Stoffe, am besten Wachstafft, bestehenden Plättchen eingeführt werden, wenn in der Mitte derselben ein Faden befestigt wird und die beiden Enden des Fadens durch eine dünne, gerade Röhre geschoben und am Ende der Röhre festgehalten werden. Das Plättchen liegt nun dem Ende der Röhre senkrecht auf und kann mit dieser eingeführt werden. Lässt man den Faden frei und wird die Röhre herausgezogen, so bleibt das Plättchen mit dem Faden im Gehörgange. Auf dieselbe Weise kann auch ein am Faden befestigtes Wattekügelchen eingeführt werden.

Um die Wirkung des künstlichen Trommelfells zu erzielen und ausserdem die Perforation zum Verschluss zu bringen, wurden von Tangemann und Berthold Transplantationen gesunder Haut auf die Trommelfelllücke mit günstigem Erfolge vorgenommen. Noch vorteilhafter erwies sich dem letzteren die Aufpflanzung von kleinen Scheiben von Eierschalenhaut, einer dünnen, derben Haut, die sich unter der Schale des Hühnereies befindet. Das entsprechend zugeschnittene Hautstückchen wird auf der anzuklebenden Seite mit Eiweiss befeuchtet vermittelst einer an ihrem Ende schief abgeschnittenen Glasröhre, an das Ende derselben angesaugt, eingeführt.

Spannungsanomalien des Trommelfells.

Es findet sich einerseits Erschlaffung des Trommelfells, andererseits abnorm starke Spannung der Membran.

Die Erschlaffung tritt ein im Anschluss an Entzündungen, insbesondere wenn mit denselben länger dauernde Einwärtslagerung des Trommelfells verbunden war. Die Erschlaffung kann so hochgradig sein, dass sich das Trommelfell an das Promontorium und die Gehörknöchelchen (langen Ambosschenkel und Steigbügel) anlegt, so dass dieselben nach aussen über die Membran hervorragen. Nicht selten findet sich nur partielle Erschlaffung, indem besonders der hintere obere Quadrant eine Umänderung erfährt.

Die gegen diese Erschlaffungszustände vorgeschlagenen Behandlungsmethoden sind, wenn wir von den wirkungslosen Einträufelungen absehen: multiple Incisionen (Politzer), galvanokaustische Zerstörung eines Teiles der erschlafften Membran (Gruber), wodurch die Bildung festerer Narben herbeigeführt werden soll. Von Keown wurden neuerdings Bepinselungen mit Kollodium in Vorschlag gebracht.

Eine abnorme Spannung betrifft nicht selten die Trommelfellfalten, welche in manchen Fällen, auch ohne dass hochgradige Einziehung des übrigen Trommelfells vorhanden ist, stark hervorspringen. Durch die Durchschneidung dieser Falten (Politzer, Lucae) wird bisweilen eine beträchtliche Besserung der Schallleitung hergestellt. Insbesondere werden die mit der Spannung in Verbindung stehenden subjektiven Geräusche gebessert und zum Schwinden gebracht.

Zweckmässiger erweist sich in solchen Fällen die Tenotomie des Tensor tympani, worauf wir später zurückkommen.

Zu den multiplen Incisionen und zur Durchschneidung des Trommelfells wird das Trommelfellmesser benutzt. Die Incisionen werden zwischen Umbo und äusserem Rande des Trommelfells 1—2 $^1/_2$ mm lang, 4—5 Mal in 2–3 tägigen Pausen vorgenommen. Die vorspringenden Falten werden senkrecht zu ihrer Längsachse durchschnitten.

Die galvanokaustische Zerstörung eines Teiles des Trommelfells wird in der Weise vorgenommen, dass ein mit feiner Spitze versehener Brenner im tief eingeführten Ohrtrichter zum Glühen gebracht und durch eine kleine, rasch ausgeführte Bewegung durch das Trommelfell gestossen wird. Es erfordert die Operation eine sichere Führung des Brenners, damit die richtige Stelle des Trommelfells getroffen und die innere Trommelhöhlenwand nicht verletzt wird.

Kapitel VIII.

Erkrankungen des Mittelohres.

Anatomisches.

Die von sehr dünner Schleimhaut ausgekleidete Trommelhöhle hat nur kleine Dimensionen, die grösste Höhe beträgt 15 mm, die Länge vom Ostium tympanicum bis zum Eingang in das Antrum mastoideum beträgt durchschnittlich 13 mm. Die Breite ist im oberen Teile grösser, 4 mm, während das Trommelfell sich bis auf $1^1/_2$ mm der inneren Trommelhöhlenwand nähert, so dass unter pathologischen Verhältnissen leicht Anlagerung an dieselbe stattfindet.

Entsprechend ihrer Form unterscheidet man an der Trommelhöhle (vgl. die halbschematische Abbild. Fig. 28) 6 Wände. Die dem Trommelfelle gegenüber-

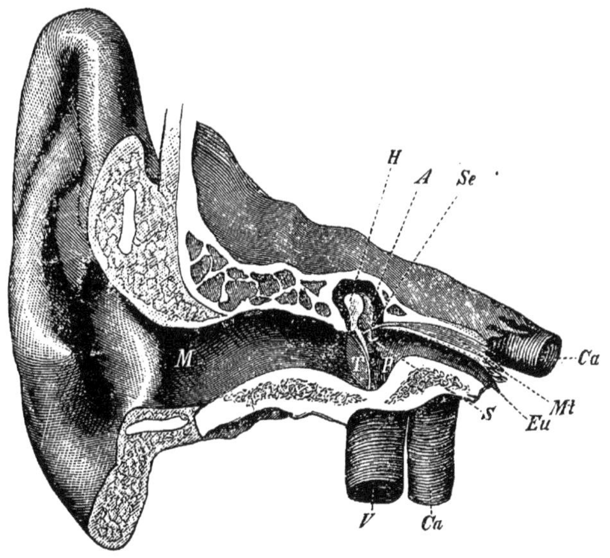

Fig. 28.

M Meatus auditorius externus, *T* Trommelfell, *H* Hammer, *A* Ambos, *S* Steigbügel, *P* Promontorium. *Eu* Eustachi'sche Röhre, *Mt* Musculus tensor tympani, *Se* Sehne dieses Muskels, *Ca* Carotis interna, *V* Vena jugularis.

liegende innere Wand begreift hauptsächlich die als Promontorium mehr oder weniger vorgewölbte Labyrinthwand in sich. Vor dem Promontorium ist die innere Trommelhöhlenwand von dem Kanal der Carotis interna nur durch eine dünne Knochenschichte getrennt, oben vorn vom Promontorium liegt der Proc. cochlearis für die Sehne des Tensor tympani, hinten oben die Fenestra ovalis, hinten unten die Fenestra rotunda. In der Regel sind bei der Besichtigung vom äusseren Gehörgange aus die beiden Fenster hinter dem hinteren Trommelfellrande verborgen, bisweilen liegen jedoch beide Fenster bei fehlendem Trommelfelle frei zu Tage. Nach oben und hinten vom ovalen Fenster springt die äussere Wand des Kanales des N. facialis als bogenförmiger Längswulst hervor. Die äussere Wand der Trommelhöhle wird hauptsächlich vom Trommelfelle oberhalb desselben von einem Teil der Schuppe gebildet. Die obere Wand besteht aus einer dünnen Knochenplatte, welche die Abgrenzung nach der mittleren Schädelgrube bildet (Tegmen tympani). Die untere Wand hat eine rauhe Oberfläche, es befindet sich unter ihr durch eine mehr oder weniger dichte Knochenschichte getrennt die Incisura jugularis mit dem Bulbus venae jugularis. Die vordere und hintere Trommelhöhlenwand bilden in ihrem oberen Teile die untere Begrenzung, die erstere der Mündung der Eustachi'schen Röhre, die letztere des Einganges in das Antrum mastoideum.

Die Schleimhaut der Trommelhöhle ist von flimmerndem Pflasterepithel überkleidet. Vereinzelte Schleimdrüsen wurden zuerst durch Tröltsch in der Nähe des Ostium tympanicum tubae nachgewiesen.

Die Schallleitung vom Trommelfelle nach dem Labyrinthe wird durch die Gehörknöchelchen vermittelt, durch Hammer, Ambos und den in die Fenestra ovalis eingefügten Steigbügel. Wie wir gesehen haben, ist der Hammer durch seinen Griff mit der inneren Fläche des Trommelfells verwachsen, der Hals biegt sich medialwärts ab, so dass der Kopf des Hammers frei in den oberen Teil der Trommelhöhle hereinragt. Zum Halse gehen vom Rande des Rivini'schen Ausschnittes Bandmassen (Axenband des Hammers, Helmholtz), welche den Hammer in seiner Lage nach hinten und vorn fixiren. Durch das Ligam. superius ist der Kopf des Hammers an die obere Trommelhöhlenwand angeheftet. Oberhalb des kurzen Fortsatzes des Hammers finden sich zwischen Hammerkopf und äusserer Trommelhöhlenwand kleine Hohlräume, welche durch membranöse Stränge, die beide Teile verbinden, gebildet werden. Die äussere Begrenzung der am kurzen Fortsatze liegenden Räume bildet die Shrapnell'sche Membran. Die nach rückwärts gerichtete Fläche des Hammerkopfes bildet mit dem Ambos ein eigentümlich beschaffenes Sperrgelenk, durch welches bei medialen Bewegungen des Trommelfells die Gelenkflächen fest an einander gepresst werden, während Bewegungen in entgegengesetzter Richtung ungehindert stattfinden können. Von den beiden Fortsätzen, mit welchen der Ambos versehen ist, ist der kurze gerade nach hinten nach dem Eingange in das Antrum mastoideum gerichtet, während der längere parallel dem Hammergriffe nach hinten und unten verläuft. An der Spitze des langen Fortsatzes artikulirt derselbe mit einer konvexen Fläche (processus lenticularis) mit dem konkaven Köpfchen des Steigbügels. Die beiden Schenkel des Steigbügels sind horizontal gestellt, die Basis des Steigbügels ist vermittelst einer schmalen Ringmembran in die Fenestra ovalis eingefügt.

Die Fläche des Trommelfells ist 15—20 Mal grösser, als die des ovalen Fensters. Die Spitze des Hammergriffs ist anderthalb Mal so weit von der Drehungsachse entfernt, als die Spitze des Ambosses, welche auf den Steigbügel drückt. Der Druck auf den Steigbügel ist deshalb anderthalb Mal so gross als die Kraft, welche die Spitze des Hammerstiels eintreibt.

Die mechanische Aufgabe des Trommelhöhlenapparates ist eine Bewegung von grosser Amplitude und geringer Kraft, welche das Trommelfell trifft, zu verwandeln in eine von geringer Amplitude und grösserer Kraft, die dem Labyrinthwasser mitzuteilen ist (Helmholtz). Die Exkursionen der Steigbügelplatte übersteigen nach Messungen von Helmholtz jedenfalls nicht $^1/_{10}$ mm.

Mit den Gehörknöchelchen stehen zwei Muskeln in Verbindung, welche auf die Lagerungs- und Spannungsverhältnisse derselben von Einfluss sind: 1. der Musc. tensor tympani entspringt in dem der Eustachi'schen Röhre parallel verlaufenden Kanale, biegt in eine dünne Sehne auslaufend am Proc. cochlearis der inneren Trommelhöhlenwand fast senkrecht ab, verläuft quer durch die Trommelhöhle, um sich am oberen Ende des Hammergriffs zu inseriren; 2. der Musc. stapedius ist in die Eminentia pyramidalis der hinteren Trommelhöhlenwand eingeschlossen, seine Endsehne kommt durch eine kleine Oeffnung zum Vorschein und inserirt am hinteren Rande des Capitulum stapedis. Politzer führte durch seine Versuche den Nachweis, dass der Musc. tensor tympani von der motorischen Portion des Trigeminus, der Musc. stapedius vom Nerv. facialis versorgt wird. Viele Personen sind im Stande, ihren Tensor tympani gleichzeitig mit den Kaumuskeln zu kontrahiren, wobei ein eigentümliches, knackendes Geräusch entsteht.

Mit Blutgefässen wird die Trommelhöhle versorgt: 1. durch die Arteria stylomastoidea, welche von der Auricularis posterior entspringend während ihres Verlaufes durch den Fallopischen Kanal Zweige zur Trommelhöhlenschleimhaut und zu den Zellen des Warzenfortsatzes abgiebt; 2. durch die Arteria tympanica aus der Pharyngea ascendens, welche durch den Boden der Trommelhöhle mit dem gleichnamigen Nerv eintritt; 3. treten von der Art. meningea media kleine Zweige durch die Sutura petro-squamosa in die Trommelhöhle; 4. giebt die Carotis interna während ihres Verlaufes durch das Felsenbein 1—2 feine Gefässchen dahin ab. Der venöse Abfluss erfolgt einerseits in die Venae meningeae mediae, andererseits in die Venengeflechte, welche das Kiefergelenk umgeben. Anastomosen bestehen mit den Gefässen des äusseren Gehörganges, sowie mit denen des Labyrinthes (Politzer).

Von Nerven ist es hauptsächlich der Glossopharyngeus, welcher die Trommelhöhle mit sensitiven Fasern versorgt, indem ein kleiner Ast desselben als N. tympanicus s. Jakobsonii durch den Boden der Trommelhöhle eintritt, in einer häufig teilweise überbrückten Furche über das Promontorium verläuft und sich auf der Trommelhöhlenschleimhaut ausbreitet. Der Nervus tympanicus steht in Verbindung einerseits durch den Nerv. petrosus superficialis minor, der unter dem Kanale des Musc. tensor tympani verläuft, mit dem Ganglion oticum Trigemini andererseits durch kleine Zweige, welche aus dem die Carotis interna umgebenden Geflechte entspringen, mit dem Sympathicus. Die so aus Glossopharyngeus-, Trigeminus- und Sympathicusfasern bestehende Nervenendausbreitung in der Trommelhöhle wird als Plexus tympanicus bezeichnet. Vom Nervus facialis zweigt sich vor seinem Austritte aus dem Foramen stylomastoideum die Chorda tympani ab. Dieselbe tritt in nach vorn und unten konkavem Bogen auf die innere Fläche der hinteren Trommelfelltasche, geht oberhalb der Sehne des Tensor tympani über den Hals des Hammers weg, um dann wieder nach abwärts steigend durch die Fissura Glaseri die Trommelhöhle zu verlassen und mit dem N. lingualis trigemini in Verbindung zu treten. Die Chorda tympani enthält Geschmacksfasern, welche die vordere Zungenhälfte versorgen und sekretorische Fasern für die Speicheldrüsen. — Nach Tierexperimenten von Gellé und Berthold wird die Trommelhöhle vom Trigeminus aus mit trophischen Fasern versorgt.

Besonders der Letztere fand durch sehr zahlreiche Experimente, dass Durchschneidungen des Trigeminus sowohl an seinem Stamme als auch an seinen Wurzeln entzündliche Erscheinungen im Mittelohre hervorrufen, Ausreissen des Glossopharyngeus und Exstirpation des Ganglion cervicale supremum verursachen keine Veränderungen in der Trommelhöhle.

Nach hinten aussen steht die Trommelhöhle in Verbindung mit den lufthaltigen Zellen des Warzenfortsatzes, welche, bevor sie in die Trommelhöhle übergeheu, eine gemeinschaftliche Höhle, das Antrum mastoideum bilden. Dieses Antrum liegt nach hinten und oben von der inneren Hälfte des knöchernen Gehörganges und ist von demselben durch eine 3—4 mm dicke Knochenschichte getrennt. Die pneumatischen Räume erstrecken sich über den ganzen Warzenfortsatz und finden sich häufig auch zwischen oberer Gehörgangswand und mitt-

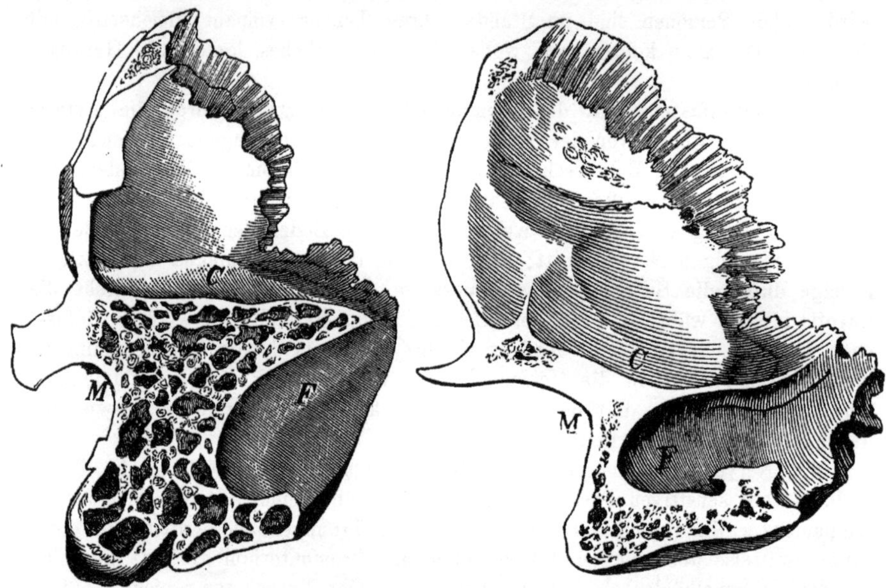

Fig. 29. Fig. 30.

F Fossa sigmoidea, *M* Meatus auditorius extern., *C* Cavum cranii.

lerer Schädelgrube. Ihre Gesammtausdehnung ist wesentlich bedingt durch das Verhalten des in der Fossa sigmoidea verlaufenden Sinus transversus und das der mittleren Schädelgrube. Nach meinen Messungen[1]), welche mit denen Bezold's übereinstimmen, nähert sich die Fossa sigmoidea häufig bis auf wenige Millimeter der hinteren Gehörgangswand. Die Verschiedenheiten, welche sich in dieser Beziehung finden, sind sehr beträchtlich, wie aus den Abbildungen Fig. 29 u. 30 hervorgeht, welche senkrecht zur Gehörgangsachse geführte Sägeschnitte darstellen, und Fig. 31 u. 32, welche horizontale, durch die Mitte des Gehörganges gelegte Schnitte repräsentiren, je einer bei geringer, der andere bei starker Vorwölbung des Sinus. Ist die Vorwölbung beträchtlich und die mittlere Schädelgrube nur durch eine dünne Knochenschichte von der oberen Gehörgangswand

[1]) Ueber die Perforation des Warzenfortsatzes. v. Langenbeck's Archiv f. Chirurgie, Bd. XXI.

getrennt, was ich als Tiefstand der mittleren Schädelgrube bezeichnet habe (vgl. Fig. 30), so wird der Raum der Zellen bedeutend eingeschränkt. Wenn der Sinus transversus stark nach vorn tritt, nimmt er auch gleichzeitig die Richtung nach aussen (vgl. die Abbildung Fig. 32), so dass in hochgradigen Fällen, wie ich von zweien mitgeteilt habe, die äussere Fläche des Warzenfortsatzes usurirt und der Sinus unter und hinter der Ohrmuschel der Knocheubedeckung verlustig geht. Ausserdem finden sich auch sonst an der Oberfläche des Warzenfortsatzes bisweilen Substanzverluste, sog. Dehiscenzen des Knochens, welche zu Emphysem der bedeckenden Haut Veranlassung geben können.

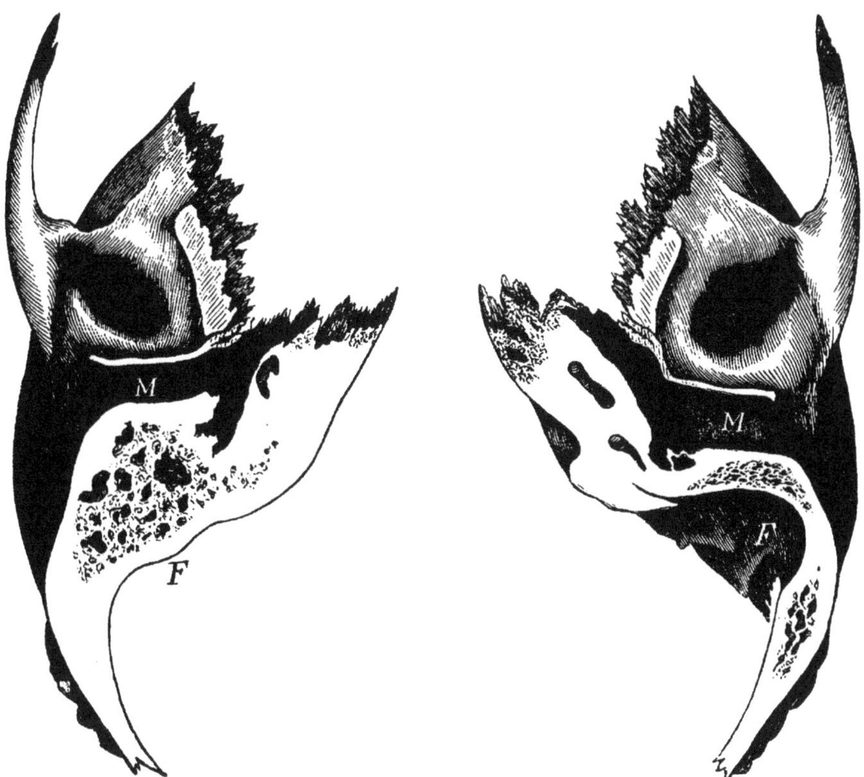

Fig. 31. Fig. 32.

M Meatus auditorius extern., *F* Fossa sigmoidea.

Nach vorn und innen setzt sich die Trommelhöhle in die Eustachi'sche Röhre fort, indem ihre Wände zu einem circa 1 mm hohen, 2 mm breiten Kanal sich verengern. Derselbe liegt über dem Kanale der Carotis interna, unter dem Kanale des Musc. tensor tympani und hat eine Länge von 12 mm. Er setzt sich fort in eine knorpelig membranöse Röhre von 24 mm Länge. Der letztere Teil besteht aus Knorpel, der in Form einer nach unten offenen Rinne die vordere, hintere und obere Wand des Kanales bildet. Nach vorn und unten ist diese Rinne durch Weichteile abgeschlossen.

Die Tuba Eustachii hat hauptsächlich den Zweck, einen regelmässigen Luftaustausch zwischen Trommelhöhle und äusserer Atmosphäre zu vermitteln. In geschlossenen Hohlräumen im Körper findet eine Resorption und Dekomposition der Luft mit Verdünnung derselben statt. Es muss deshalb, um eine gleichmässige Spannung zu erhalten, ein häufiger Austausch eintreten. Da eine offene Tube die Trommelfellschwingungen beeinträchtigen würde, besteht dieser Austausch nicht fortwährend, sondern die Tube wird durch bestimmte Muskelaktionen erst durchgängig gemacht. Im Ruhezustande der Tuben liegen die Wände des membranösen Teiles dem Knorpeldache lose an, und zwar, wie meine Untersuchungen im pneumatischen Kabinet[1]) ergeben haben, in der Weise, dass bei starkem Luftdrucke keine Luft durch die Tuben nach der Trommelhöhle tritt, dass dagegen in verdünntem Luftraume ein Austreten von Luft aus der Trommelhöhle durch die Tuben schon bei geringer Druckdifferenz erfolgt. Durch jede Spannung der Muskeln wird die Durchgängigkeit der Tuben erleichtert.

Während der Musc. tensor veli s. Dilatator tubae vorwiegend die Entfernung der membranösen Wand vom knorpeligen Dache bewirkt, scheint der Levator veli, der entlang dem Boden der Röhre verläuft, hauptsächlich die Funktion zu haben, durch die Spannung der Wandungen die Röhre durchgängig zu machen. Mit der Aktion dieser beiden Muskeln findet gleichzeitig die Spannung resp. Hebung des Gaumensegels statt. Die verschiedenen Stellungen der membranösen Tubenwand, sowie des Gaumensegels ergeben sich aus folgendem Schema.

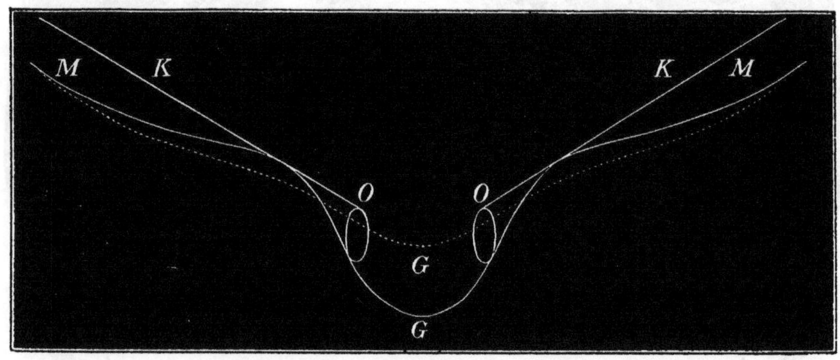

Fig. 33.

Durch O, O sind die Pharyngealostien, durch K, K ,das knorpelige Dach, durch M, M die membranöse Wand der Tuben, durch G das Gaumensegel bezeichnet. Die Ruhestellung ist weiss in Linie, das Verhalten beim Schlingakte punktirt gezeichnet.

1. In der Ruhestellung der Muskulatur sind die Pharyngealostien weit klaffend, das Gaumensegel steht tief, die membranöse Wand der Tuba liegt dem Knorpeldache an. Bei Luftkompression im Nasenrachenraume (im pneumatischen Kabinet) tritt keine Luft in die Trommelhöhle.

---

[1]) Bei 22 Erwachsenen, mit welchen ich das pneumatische Kabinet bestieg, wurde der Luftdruck so weit gesteigert (bis zu 200 mm Hg.), bis der dadurch verursachte Schmerz am Trommelfell nicht mehr ertragen werden konnte. Lufteintritt in die Trommelhöhle fand stets nur statt, wenn ein Schlingakt ausgeführt wurde. Experimentelle Studien über die Funktion der Eustachi'schen Röhre etc. Leipzig 1879.

2. Beim Schlingakte sind die Pharyngealostien stark verengt, einen Verschluss vortäuschend, das Gaumensegel ist am stärksten gehoben, die membranöse Wand ist in ihrer ganzen Ausdehnung vom Knorpeldache abgehoben.

Dass die Tuben während des Schlingaktes geöffnet werden, konnte ich durch meine manometrischen Versuche nachweisen, indem schon bei Anwendung von minimalen Druckstärken im Nasenrachenraume der Lufteintritt in die Trommelhöhlen erfolgt. Gelingt die Lufteintreibung bei solchem Drucke nicht, so muss auf eine Störung der unter normalen Verhältnissen durch den Schlingakt stattfindenden Trommelhöhlenventilation geschlossen werden.

Die Eröffnung der Tuben erfolgt in der Weise, dass mit Zunahme der Muskelaktion die Durchgängigkeit der Tuben eine leichtere wird.

Akute Entzündung des Mittelohres. Otitis media acuta.

Die meisten akuten Erkrankungen des Ohres treten gleichzeitig mit akuten Katarrhen der Nasen- und Rachenschleimhaut, in der Regel in Folge von Erkältung auf. Es sind dies besonders die leichteren Formen der Entzündung, wie sie am häufigsten bei Kindern beobachtet werden. Die schwere, eiterige Form der Entzündung wird dagegen sowohl bei Kindern, als bei Erwachsenen vorwiegend verursacht durch exanthematische Krankheiten, Masern, Scharlach, Typhus, Pocken, sodann durch Diphtherie.

In der Mehrzahl der Fälle wird nur eine Seite von der Erkrankung betroffen. Sind beide Seiten erkrankt, so kann dies in sehr verschiedenem Grade stattfinden. Bei hochgradigen Entzündungen finden sich bisweilen beiderseits vollständig gleiche Veränderungen. Am meisten disponirt zu den akuten Erkrankungen des Mittelohres sind schwächliche, skrophulöse Individuen, überhaupt solche, die zu Erkrankungen der Schleimhäute geneigt sind.

Man hat versucht, die akuten Erkrankungen danach zu unterscheiden, ob dieselben mit Perforation des Trommelfells verbunden sind oder nicht, perforative und nicht perforative Entzündung, da jedoch Perforation auch bei ganz leichten Entzündungen eintreten kann, erscheint eine solche Einteilung nicht zweckmässig. Dieselbe stützt sich vielmehr auf die Heftigkeit des Auftretens und auf die Beschaffenheit des Sekretes, wir unterscheiden demnach den akuten Katarrh oder den akuten einfachen Katarrh mit schleimig-serösem Sekrete und die akute Entzündung oder die akute eiterige Entzündung mit eiteriger Beschaffenheit des Sekretes. Wir dürfen jedoch nicht vergessen, dass beide Formen nur der Intensität des Auftretens nach verschieden sind.

Bei dem einfachen Katarrh finden sich die Gefässe der Mittelohrschleimhaut injicirt, die Schleimhaut selbst mässig geschwollen, anfänglich seröse, später schleimige Sekretion. Bei den höheren Graden der Entzündung tritt mit starker Erweiterung der Blutgefässe sehr beträchtliche Schwellung der Schleimhaut ein und es geht die schleimige in eiterige Sekretion über. Nach Toynbee sind, wenn die Trommelhöhlenschleimhaut während eines Anfalls von akuter Entzündung untersucht wird, die Blutgefässe so gross und zahlreich, dass bei einer flüchtigen Besichtigung die Membran wie von einer Schichte dunkel gefärbten Blutes bedeckt erscheint. Bei genauerer Untersuchung bemerkt man jedoch, dass dieses Blut auf die Höhle der Gefässe beschränkt ist, und dass die letzteren sehr stark ausgedehnt sind.

Neue Aufschlüsse über die Entstehung und das Wesen der akuten Mittelohrentzündung verdanken wir Zaufal.[1]) Derselbe fand in einem Falle am 6. Tage der Erkrankung in dem durch Paracentese entleerten schleimig-eiterigen Sekrete den Diplokokkus Pneumoniae A. Fränkel, in einem anderen Falle im profus eiterigen Sekrete nach mindestens 20tägiger Dauer der Erkrankung denselben Kokkus ohne pyogene Mikroorganismen. In beiden Fällen war die Erkrankung mit akuter Rhinitis aufgetreten ohne Pneumonie.

In 3 Fällen von Otitis media acuta suppurativa konnte Zaufal[2]) im Sekrete den Streptokokkus pyogenes nachweisen. Zwei dieser Fälle waren mit Abscessen in der Umgebung des Ohres complicirt. Diese Fälle weisen darauf hin, „dass der Streptokokkus pyogenes, wenn auch nicht ausschliesslich bei den von der Otitis media abhängigen ernsten beziehungsweise lebensgefährlichen Komplikationen: Meningitis und Abscessen des Processus mastoideus und Senkungsabscessen, wahrscheinlich auch bei der Encephalitis, Labyrinthitis, Sinusthrombose und Pyämie ohne Sinusthrombose eine bedeutende Rolle spielt resp. sie veranlasst.“ — Schon früher waren von Netter Streptokokken im meningealen Exsudate bei Caries des Felsenbeins und von Moos im Labyrinthe von an Diphtherie Verstorbenen nachgewiesen. Von dem letzteren wurden neuerdings die Beobachtungen Zaufal's bestätigt.[3])

---

[1]) Prag. med. Wochenschr. No. 8, 1888.

[2]) Ibid. No. 20—21, 1888.

[3]) Deutsche med. Wochenschr. No. 44, 1888.

Der akute Katarrh des Mittelohres. Otitis media catarrhalis acuta.

Die Erkrankung beginnt in der Regel plötzlich mit bald schwächerem, bald stärkerem, stechendem Schmerz. Der Erkrankte bekommt die Empfindung des Verstopftseins, des Verlegtseins des Ohres, es treten subjektive Geräusche hinzu, welche den Charakter des Sausens oder Brausens, häufig des Klopfens, synchronisch mit dem Pulse, haben. Das Hörvermögen ist herabgesetzt, anfänglich nur in geringem Grade, beträchtlich, wenn Exsudation eingetreten ist. Durch die Herabsetzung des Hörvermögens unterscheidet sich die Erkrankung hauptsächlich von der Myringitis acuta. Nicht selten wird die eigene Stimme in dem kranken Ohre stärker vernommen, schallt im Ohre. Besonders bei Kindern ist von Anfang an das Allgemeinbefinden gestört und ist Fieber vorhanden. Die Schmerzen werden in der Regel sehr heftig, sind gewöhnlich in der Nacht am stärksten, während bei Tage vollständige Remission eintreten kann. Dieselben werden nicht nur im Ohre selbst, sondern in der ganzen betreffenden Kopfhälfte empfunden, die Bewegungen im Kiefergelenk verursachen Schmerz, ebenso Druck auf den Warzenfortsatz, wenn die Zellen desselben, wie dies besonders häufig bei Kindern der Fall ist, mitergriffen sind.

Die Symptome treten rasch auf, erhalten sich einen oder mehrere Tage auf ihrer Höhe, um sich, besonders wenn Perforation des Trommelfells und Ausfluss aus dem Ohre eintritt, eben so rasch wieder zu verlieren. Doch bleibt noch für einige Zeit schmerzhaftes Gefühl, Empfindung von Völle und Druck im Ohre, Schwerhörigkeit und Sausen bestehen.

In den leichteren Fällen kann sich die Erkrankung auf einfache Hyperämie beschränken, ohne dass es zur Exsudation kommt. Es bestehen Schmerz und subjektive Gehörsempfindungen. Besonders bei Kindern treten solche akute Hyperämien sehr heftig auf und werden als Ohrenzwang bezeichnet, dieselben können nach wenigen Stunden wieder vollständig verschwinden. In anderen Fällen kommt es schon in der ersten Nacht zur Perforation des Trommelfells, es entleert sich eine reichliche Menge mit Blut vermischten Serums, das später schleimig wird. Nach erfolgter Perforation tritt in der Regel Nachlass der Entzündungserscheinungen ein. Die Sekretion kann schon nach wenigen Stunden wieder aufhören und die Perforation sich rasch wieder verschliessen.

Bei der Untersuchung findet sich das Trommelfell bald mehr,

bald weniger hochgradig entzündet. Beschränkt sich die Hyperämie hauptsächlich auf die Trommelhöhlenschleimhaut ohne wesentliche Entzündung des Trommelfells selbst, so nimmt dasselbe eine hellrote diffuse Färbung an, welche von dem Durchscheinen der geröteten Schleimhaut des Promontoriums herrührt. In der Regel ist jedoch das Trommelfell selbst von der Entzündung ergriffen und zeigt diejenigen Erscheinungen, die wir bei der akuten Myringitis kennen gelernt haben. Anfänglich tritt die Hyperämie der Gefässe, sodann die diffuse Rötung und Schwellung auf. In Folge von Durchfeuchtung und Lockerung der Epidermis wird die Oberfläche getrübt, erscheint wie mit einem grauen Belage bedeckt. Am häufigsten findet sich die hintere obere Hälfte des Trommelfells mehr gerötet und stark nach dem Gehörgange vorgewölbt, was durch den von der Innenseite her auf dem Trommelfell lastenden Druck des Exsudats bedingt ist. Bisweilen bilden sich die schon bei der Myringitis beschriebenen Cysten auf dem Trommelfelle Der Durchbruch des Trommelfells kann in der oberen oder unteren Hälfte des Membran stattfinden, gewöhnlich vorn und unten. Die Perforationsöffnung ist bei diesen leichteren Graden der Entzündung in der Regel klein, stecknadelkopfgross oder wenig grösser, so dass rasch die Heilung erfolgen kann.

Nach Rückgang der Erscheinungen bleibt das Trommelfell noch einige Zeit getrübt, die Gefässe bleiben hyperämisch, um bald wieder normales Aussehen zu erhalten. In selteneren Fällen, besonders nach wiederholtem Auftreten der Entzündung, kann Schwellung, Trübung, Kalkeinlagerung oder Atrophie zurückbleiben. Bisweilen tritt keine Resorption des Exsudates in der Trommelhöhle ein und damit der Zustand, welchen wir beim chronischen Katarrh des Mittelohres besprechen werden. Nur selten bleibt eine stattgehabte Perforation des Trommelfells bestehen und schliesst sich an die akute Entzündung die chronische an mit Umbildung des Sekretes in ein eiteriges.

Wiederholt auftretende Mittelohrentzündungen bei Kindern weisen auf das Vorhandensein von adenoiden Wucherungen im Nasenrachenraume hin. Nach Entfernung der Wucherungen treten die Entzündungen nicht mehr auf.

Akute eiterige Mittelohrentzündung. Otitis media purulenta acuta.

Auch für die akute eiterige Mittelohrentzündung bilden Nasen-

und Rachenkatarrh die häufigste Ursache. So fand Knapp[1]) unter seinem reichen Beobachtungsmaterial (8229 Patienten) 564 Fälle mit akuter Mittelohreiterung (6,53 %). Bei 64 % der Fälle von Mittelohreiterung konnte als Ursache Nasen- und Rachenkatarrh festgestellt werden. Die schwersten Formen der Entzündung kommen im Verlaufe und im Gefolge der exanthematischen Krankheiten vor. Burckhardt-Merian erwähnt das procentarische Verhältniss des Vorkommens von Mittelohrentzündungen bei Scharlach von 2 Epidemieen; bei der einen trat die Komplikation bei 33,3 %, bei der anderen bei 22,2 % der an Scharlach Erkrankten auf. Bezold[2]) fand unter 1243 Typhusfällen 48 (4 %) mit akuter Mittelohrentzündung, von diesen 41 mit Trommelfellperforation. Sodann kann die Entzündung verursacht werden durch direkte Reizung des Ohres bei Verletzungen durch Fremdkörper, bei operativen Eingriffen durch Eindringen kalten Wassers oder chemisch reizender Stoffe.

Von Roosa wurde zuerst auf das Auftreten schwerer Mittelohrentzündungen in Folge des Eindringens von Wasser in's Mittelohr bei der Nasendusche aufmerksam gemacht. Ich habe dieses Eindringen von Wasser in's Mittelohr schon beobachtet beim Einziehen von Wasser in die Nase aus der vorgehaltenen Hand sowie beim Eindringen von Wasser in die Nase beim Baden. — Mehrere Fälle kamen zu meiner Beobachtung, in welchen schwere Mittelohrentzündungen hervorgerufen waren durch die hintere, gegen Nasenblutung ausgeführte Nasentamponade. Bougier fand unter 27 Ertrunkenen 21 Mal Wasser im Mittelohr, während unter 23 nach dem Tode in's Wasser gelangten nur einmal Wasser im Mittelohr nachgewiesen werden konnte (cf. Lannois L'oreille au point du vue anthropologique et medico-légal. Lyon, 1887).

Die beim akuten Katarrh beschriebenen Erscheinungen treten bei der eiterigen Entzündung noch hochgradiger auf. Die Schmerzen sind äusserst heftig, kontinuirlich; die subjektiven Gehörsempfindungen unerträglich, die Pulsationen der Arterien erscheinen „wie Hammerschläge“, jeder Schalleindruck verursacht schmerzhafte Empfindung. Die Schmerzen werden nicht nur in das Ohr verlegt, sondern der ganze Kopf oder nur die betreffende Kopfhälfte ist davon ergriffen, sie werden besonders in der Nacht sehr heftig und verursachen vollständige Schlaflosigkeit. Diese Schmerzen steigern sich bei Bewegungen, Erschütterungen, Aufregungen, Genuss von erregenden Speisen oder Getränken. Häufig sind die

---

[1]) Zeitschr. f. Ohrenheilk. Bd. VIII., S. 36.

[2]) Ueber die Erkrankungen des Hörorgans bei Ileotyphus. Arch. f. Ohrenheilkunde. Bd. XXI, S. 8.

Bewegungen des Unterkiefers so schmerzhaft, dass das Oeffnen des Mundes beim Sprechen oder das Kauen erschwert ist und der Patient darauf angewiesen ist, flüssige Nahrungsstoffe zu sich zu nehmen. Bei Druck auf die Gegend des Kiefergelenkes tritt bedeutender Schmerz auf. Zu den Schmerzen tritt Eingenommenheit des Kopfes, Empfindung von Druck und Schwere in demselben, ausserdem können sich noch cerebrale Erscheinungen hinzugesellen, Schwindel, Delirien. In diesen Fällen kann eine Meningitis vorgetäuscht werden und sind diagnostische Irrtümer besonders bei den Erkrankungen der Kinder sehr häufig. Das begleitende Fieber ist gewöhnlich sehr hochgradig, häufig mit Schüttelfrösten.

Erstreckt sich die Kongestion auf das Labyrinth und tritt auch hier Entzündung ein, so wird die schon durch die Veränderungen in der Trommelhöhle bedingte Schwerhörigkeit noch mehr gesteigert und es kann zu vollständiger Taubheit kommen. Weder laut in's Ohr gerufeue Worte, noch auf den Schädel aufgesetzte Uhr oder Stimmgabeln werden vernommen.

Die Erscheinungen am Trommelfelle sind im ersten Stadium der Eutzündung dieselben wie bei der Myringitis und beim einfachen Katarrh, gewöhnlich tritt auch Schwellung und scharlachrote Färbung des äusseren Gehörganges ein. Bald ändert sich jedoch die Oberfläche, indem die gelockerte Epidermis grauweisse Membranen bildend den Gehörgang auskleidet. Nach wenigen, durchschnittlich nach 2—3 Tagen, doch auch schon am ersten Tage oder weit später nach 14 Tagen und mehr tritt die Perforation des Trommelfells ein. Wenn vorher keine oder nur geringe Sekretion in Folge der Entzündung des äusseren Gehörganges vorhanden war, so entleert sich jetzt eine reichliche Menge zuerst seröser, später schleimig-eiteriger oder rein eiteriger Flüssigkeit. Die Sekretion ist in der Regel sehr reichlich, indem fast fortwährendes Abtröpfeln von Sekret aus dem Ohre stattfindet. Die Perforation lässt sich, auch wenn die Sekretion geringer ist, leicht an dem pulsirenden Lichtreflex (vgl. S. 16) in der Tiefe des Gehörganges erkennen. Durch Ausspritzen oder Abtupfen mit Watte die Perforation freizulegen ist im ersten Stadium der Entzündung, so lange noch heftige Schmerzen bestehen, nicht rätlich, da durch diese Manipulationen die Schmerzen und die Entzündung gesteigert werden können.

Was die Zerstörung des Trommelfells betrifft, so entstehen bald nur kleine Perforationen, bald durch eiterige Schmelzung der

Schichten des Trommelfells sehr ausgedehnte Substanzverluste, indem entweder nur ein schmaler Rand und kleine Reste am Hammergriff übrig bleiben, oder die Membran in ihrer ganzen Ausdehnung zerstört wird. Häufig zeigt die Entzündung auch bezüglich der Gehörknöchelchen einen destruirenden Charakter, indem dieselben aus ihren Verbindungen gelöst und ausgestossen werden. In der Regel ist es nur der Hammer und Ambos, welche zu Grunde gehen.

Hat der Durchbruch stattgefunden, so lassen gewöhnlich die bis zu diesem Zeitpunkte äusserst intensiv gewordenen Erscheinungen nach. Die Schmerzen mildern sich, die subjektiven Gehörsempfindungen gehen zurück, ebenso die Fiebererscheinungen. Waren cerebrale Symptome vorhanden, so schwinden dieselben ebenfalls rasch nach dem Durchbruche. Nicht immer kommt es jedoch nach eingetretener Perforation zu Nachlass der Erscheinungen, bisweilen bleiben die Schmerzen und die übrigen Erscheinungen in früherer Intensität noch einige Zeit bestehen.

War das Trommelfell durch frühere Entzündung verdickt, so dass es dem Durchbruch des in der Trommelhöhle angesammelten Exsudates Widerstand entgegensetzt, so wird der Eintritt des Durchbruchs verzögert und die Erscheinungen bleiben auf ihrer Höhe, bis entweder von selbst der Durchbruch erfolgt oder die Incision gemacht und derselbe dadurch künstlich herbeigeführt wird.

Der die Entzündung begleitende oder verursachende Nasenrachenkatarrh ist in manchen Fällen sehr heftig, mit anginösen Beschwerden und starker Sekretion verbunden. Es ist dann mit der Nasenrachenerkrankung auch die Tubenschleimhaut erkrankt und geschwollen, so dass, wenn die Luftdusche versucht wird, dieselbe nur schwierig gelingt.

Die Entzündung des äusseren Gehörganges kann neben der Mittelohrentzündung sehr heftig und mit hochgradiger Schwellung verbunden sein. Häufig finden sich die Lymphdrüsen vor und unterhalb des äusseren Ohres akut angeschwollen. Auch tritt besonders vor dem Ohre nicht selten eine diffuse Schwellung ein. Durch Ausbreitung des Entzündungsprocesses auf die Zellen des Warzenfortsatzes ist derselbe auf Druck sehr empfindlich, es kommt zu ödematöser Schwellung der bedeckenden Kutis oder zu Periostitis mit Eiterbildung und Durchbruch nach aussen. Die komplicirende Periostitis des Warzenfortsatzes entwickelt sich besonders dann, wenn der Abfluss des eiterigen Sekretes gehemmt ist.

Die Ausgänge der akuten eiterigen Mittelohrentzündung sind:

1. Vollständige Heilung, indem keine wahrnehmbaren Veränderungen zurückbleiben.

2. Es bleiben Narben, Perforationen oder Verwachsungen des Trommelfells mit der Labyrinthwand zurück.

3. Verlust der Gehörknöchelchen, Beeinträchtigung der Schwingungsfähigkeit des Schallleitungsapparates durch Verdichtungsprocesse und Sklerosirung der die Gehörknöchelchen und ihre Verbindungen überkleidenden Schleimhaut.

4. Hochgradige Schwerhörigkeit durch bleibende Störungen im Labyrinthe.

5. Es bleibt Sekretion bestehen und es nimmt dadurch die Erkrankung den Uebergang in die chronische Entzündung mit deren Folgezuständen, die wir bei dieser besprechen werden.

6. Es kann der Tod eintreten durch Uebergreifen der Entzündung auf die Meningen. Besonders leicht findet dies statt bei Kindern, bei welchen die Sutura petro-squamosa noch nicht vollständig verknöchert ist.

Ueber das Auftreten der Mittelohrentzündung bei Scharlach verdanken wir Burckhardt-Merian[1]) genauere Mitteilungen. Es sind leichtere Fälle zu unterscheiden mit regelmässigem Verlauf und schwere, welche durch Diphtherie bedingt sind, die vom Rachen aus durch die Tuben sich auf die Trommelhöhle fortpflanzt. In weitaus den meisten Fällen stellen sich im Stadium der Desquamation nach vorausgegangenen Temperatursteigerungen Ohrenschmerzen ein, die, zuerst nur anfallsweise auftretend, bald einen vollkommen neuralgischen Charakter annehmen. Hochgradige Schwerhörigkeit entwickelt sich meist rasch. Drüsenschwellungen in der Umgebung des Ohres fehlen selten. Mit Eintreten der Perforation des Trommelfells schwindet das Fieber, die Schmerzen und der soporöse Zustand, wenn ein solcher vorhanden war. Die Erkrankung unterscheidet sich von der gewöhnlichen Mittelohrentzündung durch die Raschheit, mit der sich grosse Substanzverluste des Trommelfells entwickeln. Vollständiger Verlust des Trommelfells fand B. bei 34,3% seiner Fälle. „Die Prognose ist eine um so ungünstigere, je länger der Process unbehandelt sich selbst überlassen geblieben ist, während je frühzeitiger eine rationelle Behandlung diesen Affektionen gegenüber tritt, um so intakter das

---

[1]) Volkmann's Sammlung klin. Vorträge, Nr. 182. 1880.

Gehörorgan aus dem Scharlach hervorgehen wird." Bei der Untersuchung des von diphtherischer Entzündung befallenen Ohres findet sich im ersten Stadium der Erkrankung der Gehörgang mit membranösen Auflagerungen ausgefüllt, welche teils aus dem Mittelohre durch das zerstörte Trommelfell sich vordrängen, teils auch auf den Gehörgangswandungen aufsitzen. Diese Auflagerungen haften fest auf ihrer Unterlage und lassen sich mit der Spritze nicht oder wenigstens sehr schwierig entfernen. Die Sekretion ist anfänglich sehr gering, wird erst nach Abstossung der Massen beträchtlich.

Moos fand bei an Diphtherie Verstorbenen entweder sekretorischen Katarrh im Mittelohr oder beginnende diphtherische Entzündung im inneren Ohre, beträchtliche Veränderungen an den Hörnerven, den Blutgefässen und Lymphräumen, dem Perioste und den Knochen. In allen Fällen fanden sich Streptokokken, welche jedoch nicht als specifische, sondern als accidentelle Mikroorganismen zu betrachten sind.

Während es bei den mit Rachendiphtherie verbundenen Entzündungen des Mittelohres wahrscheinlich ist, dass die Uebertragung des Krankheitsprocesses durch die Tuben stattfindet, müssen wir für die bei den sonstigen Infektionskrankheiten auftretenden Mittelohrentzündungen eine andere Entstehungsweise annehmen. Gelegentlich einer Mitteilung über die Erkrankungen der Hörorgane bei Typhus exanthematicus habe ich darauf hingewiesen[1]), dass an der bei diesen Erkrankungen bestehenden allgemeinen Hyperämie der verschiedenen Teile des Kopfes die Hörorgane einen sehr wesentlichen Anteil nehmen. Die Affektion der Hörorgane stellt sich ein, wenn die Hyperämie hier bestehen bleibt und Extravasation von körperlichen Elementen und Transsudation von Flüssigkeit eintritt. Von anderer Seite wird angenommen, dass die specifischen Krankheitserreger bei den Infektionskrankheiten mit Vorliebe das Ohr in Mitleidenschaft ziehen, oder dass Entzündungserreger vom Nasenrachenraume aus in's Mittelohr gelangen.

Behandlung.

Von den meisten Autoren wird die Behandlung des akuten einfachen Katarrhs und der akuten eiterigen Entzündung voll-

[1]) Zeitschrift für Ohrenheilkunde. Bd. VIII., S. 212.

ständig getrennt geschildert, da jedoch beide Erkrankungen nur verschiedene Grade desselben Entzündungsprocesses sind und gleichzeitig je das eine oder andere Ohr verschieden betroffen sein kann, so lassen sich zwar wohl die Krankheitsbilder getrennt schildern, die Behandlung jedoch muss nach gleichen Grundsätzen erfolgen. Ich ziehe es deshalb vor, um Wiederholungen zu vermeiden, die Behandlung beider Formen gemeinschaftlich zu besprechen.

Als bestes Mittel, um besonders im Beginn der Erkrankung die Schmerzen zu beseitigen und bisweilen den Krankheitsprocess zu koupiren, wurde von Bendelack-Hewetson die Anwendung von Carbolglycerin empfohlen. Ich habe über die ausgezeichneten Erfolge, welche ich mit diesem Mittel in der Stärke von 1 : 10 erzielen konnte, schon früher berichtet. Bisweilen gelingt es, mit einer Einträufelung die Schmerzen und die Entzündung sofort dauernd zu beseitigen, besonders bei Kindern. Die Anwendung des Mittels kann somit auf's wärmste empfohlen werden. Unangenehme Folgen, etwaige Reizungen im Gehörgange, werden nie beobachtet.

Gelingt es nicht, die Entzündung durch wiederholte Einträufelungen mit Carbolglycerin zu beseitigen, so kommt es in erster Linie darauf an, alle Schädlichkeiten, durch welche die Entzündung gesteigert werden kann, fern zu halten. Um keinen Temperaturschwankungen ausgesetzt zu sein, müssen die Patienten im Zimmer gehalten, bei eiteriger Entzündung mit Fieber in's Bett gesprochen werden. Ebenso wie bei den akuten Entzündungen des äusseren Gehörganges und des Trommelfelles müssen erregende Speisen, alkoholische Getränke, psychische Erregungen, körperliche Anstrengung auf's strengste vermieden werden. Reizende Eingriffe, forcirte Einspritzungen und Luftdusche sind im ersten Stadium der Erkrankung zu unterlassen.

Ebenso wie bei der Otitis externa acuta hat sich mir auch bei der akuten Mittelohrentzündung in vielen Fällen die kombinirte Anwendung von Wärme und Kälte bewährt. Ich lasse die Gegend unterhalb der Ohrmuschel mit kalten Kompressen oder mit einem Eisbeutel bedecken und gleichzeitig in den äusseren Gehörgang warme Eingiessungen machen, oder warme Schwämme auf die Mündung desselben auflegen. Wird die Anwendung der Kälte nicht ertragen, oder erweist sich dieselbe ohne Wirkung, wie dies besonders bei den mit heftigen Nasen- und Rachenkatarrhen verbundenen Entzündungen der Fall ist, so beschränke man sich auf Priessnitz'sche Umschläge oder auf das Bedecken der Ohrgegend mit einer Lage von Watte, was besonders in den leichteren Fällen beim einfachen Katarrh genügt.

Zu den warmen Eingiessungen in das Ohr können wässerige Flüssigkeiten mit oder ohne Zusatz von einigen Tropfen Opiumtinktur verwandt werden oder erwärmtes Oel. Das letztere hat den Vorzug, dass seine Einwirkung eine nachhaltigere ist. — Das besonders von Laien vielfach angewandte Einleiten von Wasserdämpfen durch Trichter erwies sich Knapp von Nutzen, wenn nach eingetretener Perforation die Sekretion nachliess und gleichzeitig Ohr- und Kopfschmerzen von Neuem wieder anfingen.

Sind die Entzündungserscheinungen noch in Zunahme begriffen und ist hochgradige Schmerzhaftigkeit vorhanden, so muss vor der Luftdusche gewarnt werden, da die Schmerzen durch dieselbe gesteigert werden. Ist die Schmerzhaftigkeit und die Entzündung nicht bedeutend, oder hat dieselbe bereits ihren Höhepunkt überschritten, so kann mit Lufteintreibungen begonnen werden, auch ohne dass Trommelfellperforation eingetreten ist. Diese Lufteintreibungen müssen aber auf's Vorsichtigste mit Anwendung geringer Druckstärken ausgeführt werden. Werden dieselben gut ertragen, so fühlen sich die Patienten sofort bedeutend gebessert und es wird die Heilung und die Wiederherstellung des Hörvermögens sehr beschleunigt.

Die von einzelnen Autoren für alle Fälle von akuter Trommelhöhlenerkrankung empfohlene Trommelfellparacentese ist bei den leichteren Erkrankungen, beim einfachen Katarrh, bei mässiger Schmerzhaftigkeit nicht erforderlich. Dagegen ist die Paracentese angezeigt, wenn starke Vorwölbung des Trommelfells durch den auf der Innenfläche lastenden Sekretdruck besteht und dasselbe unter Andauer der Schmerz- und Fiebererscheinungen dem spontanen Durchbruch Widerstand leistet. Ausserdem muss die Paracentese gemacht werden, wenn nach Rückgang der Entzündungserscheinungen hochgradige Schwerhörigkeit bestehen bleibt, verursacht durch Sekretansammlung im Mittelohre.

Die Paracentese wird mit dem Trommelfellmesser (vgl. die Abbild. 34[1]) ausgeführt, indem die am stärksten vorgewölbte Stelle

---

[1]) Das Trommelfellmesser besteht aus einem Griffe, an dessen einem Ende in stumpfem Winkel eine mit Schraube versehene Hülse angebracht ist. In dieser

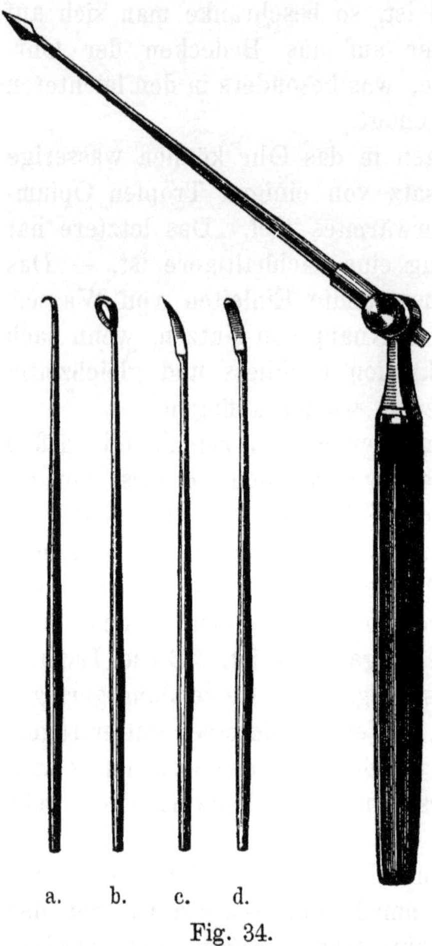

Fig. 34.

incidirt wird. Besteht gleichmässige Vorwölbung, so wird im unteren hinteren Teil des Trommelfells die künstliche Oeffnung angelegt, da hier die Entfernung zwischen Trommelfell und innerer Trommelhöhlenwand am grössten ist. Nach der Incision wird zur Herausbeförderung des Sekretes die Luftdusche vorgenommen. Bisweilen heilt die hergestellte Oeffnung so rasch wieder zu, dass von neuem paracentesirt werden muss.

Die verschiedensten Mittel werden empfohlen gegen die oft nach eingetretener Perforation des Trommelfells besonders mit nächtlichen Exacerbationen andauernden Schmerzen, ohne dass noch entzündliche oder von Sekretverhaltung herrührende Erscheinungen bestehen. Im Allgemeinen erweisen sich die Narkotika, Opium und Morphium, nicht sehr erfolgreich. Besser wirkt Chloralhydrat, bisweilen kann durch Jodkalium in Dosen von $\frac{1}{2}$—1 g in Lösung Nachlass der Schmerzen erzielt werden. Bei neuralgischen Beschwerden mit Schlaflosigkeit ist die Anwendung des inducirten Stromes auf die seitliche Hals- und auf die Nackengegend in manchen Fällen von guter Wirkung.

Hülse kann das Messer in beliebiger Stellung festgeschraubt werden. Derselbe Griff dient zur Aufnahme eines Häkchens zur Entfernung von Fremdkörpern (a.), der Kurette (b.), meines Stichelmessers (c.), eines geknöpften Messers (d.). Sodann können Tenotome, spatelförmige Ansätze zur Ablösung von Trommelfell-Verwachsungen und andere Ansätze, in diesesem Griffe befestigt werden. — Ein kleiner nur zwischen Daumen und Zeigefinger zu haltender Griff wird von Burckhardt-Merian empfohlen.

Um die Hyperämie zu beschränken, kommen in den leichteren Fällen Abführmittel zur Anwendung, in den schwereren ausserdem noch Blutentziehungen. Im ersteren Falle empfiehlt sich das Infusum Sennae compositum, Ricinusöl, Bitterwasser. Die Blutentziehungen erweisen sich am wirkungsvollsten, wenn die Erkrankung auf das Ohr beschränkt ist, während sie bei gleichzeitiger heftiger Entzündung der Nasen- und Rachenschleimhaut häufig im Stiche lassen. Sie werden in der auf S. 72 angegebenen Weise vorgenommen. Ist der Warzenfortsatz auf Druck schmerzhaft, oder die bedeckende Kutis hyperämisch, so wird durch eine Blutentziehung auf diesem bisweilen Linderung verschafft. Eine stärkere Blutentziehung ist mit der von manchen Autoren empfohlenen, sog. Wilde'schen Incision verbunden. Es wird über die ganze Länge des Warzenfortsatzes durch die bedeckende Haut ein Einschnitt bis auf's Periost gemacht.

Ist Trommelfellperforation eingetreten, so wird durch Entfernung des Sekretes und durch regelmässig ausgeführte Luftdusche der Ausfluss bald beschränkt, mit dem Aufhören desselben beginnt die Trommelfellöffnung sich zu schliessen. Schon wenn die heftigsten, akuten Entzündungserscheinungen rückgängig geworden sind, kann zu Borsäureeinblasungen übergegangen werden, die ohne zu reizen, die Sekretion verringern und die Heilung beschleunigen. Vor der frühzeitigen Anwendung starker Adstringentien muss gewarnt werden. Dagegen können dieselben, wenn keine Schmerzen vorhanden sind, nachdem die Sekrete gründlich entfernt wurden, in schwacher Lösung (Zinc. sulf. 0,1 : 10—20,0) eingeträufelt und das Eindringen in die Trommelhöhle durch Druck auf den Tragus befördert werden. Ebenso erweisen sich diese schwachen adstringirenden Lösungen zweckmässig, wenn sie vermittelst des Katheters durch die Tuben eingespritzt werden, in den Fällen, in welchen keine Trommelfellperforation stattgefunden hat.

Bleiben trotz vorhandener Trommelfellperforation die Schmerzen, häufig verbunden mit Eingenommenheit des Kopfes oder mit Kopfschmerzen bestehen, so beruht dies darauf, dass der Abfluss des Sekretes ein ungenügender ist, sei es, dass die Oeffnung im Trommelfell zu klein ist, oder dass die Schwellung der Schleimhaut im Mittelohr so beträchtlich ist, dass sie den Sekretabfluss erschwert. Besonders ist dies der Fall bei Perforationen im hinteren oberen Quadranten des Trommelfells. Der ganze Quadrant wölbt sich kuglig oder zitzenförmig vor, an der Spitze der Vorwölbung sitzt die kleine Perforation. Diese Vorwölbung kann so stark sein, dass sie die vordere Gehörgangswand berührt, wodurch der Sekretabfluss noch mehr erschwert wird. In solchen Fällen muss die Vorwölbung gespalten werden, am besten mit dem Sichelmesser. Bisweilen ist es vorteilhaft, eine Gegenöffnung im unteren Teil des Trommelfells anzulegen. Wiederholt habe ich starke Vorwölbungen mit dem Schlingenschnürer vollständig abgetragen. Politzer empfiehlt in solchen Fällen Injektionen von warmem Wasser in das Mittelohr durch den Katheter vorzunehmen. Wenn trotz dieser Eingriffe, welche einen freieren Sekretabfluss durch die Trommelfellöffnung zu erzielen suchen, starke Sekretion bestehen bleibt, wenn auch nach vorgenommener Luftdusche immer von Neuem Sekret aus der Trommelfellöffnung hervorquillt, wenn früher Schmerzhaftigkeit des Warzenfortsatzes vorhanden war oder dieselbe noch besteht, so deutet dies darauf hin, dass auch der Warzenfortsatz mit erkrankt ist, insbesondere wenn ausserdem noch Schwellung im Gehörgang und Kopfschmerzen mit Benommenheit, verbunden mit Fiebererscheinungen vorhanden sind, so muss die Aufmeisselung des Warzenfortsatzes vorgenommen werden, auch wenn derselbe an seiner Oberfläche keine Entzündungserscheinungen zeigt und auf Druck nicht schmerzhaft ist. Nach der Aufmeisselung verschwindet die Sekretion aus der Trommelhöhle sehr rasch und kommt die Paukenhöhlenerkrankung schnell zur Heilung.

In anderen Fällen treten die Entzündungserscheinungen am Warzenfortsatz stärker hervor, es kommt zu starker Schmerzhaftigkeit, Rötung der Haut und ödematöser Schwellung, sehr bald ist Fluktuation nachzuweisen. In seltenen Fällen findet eine solche Abscessbildung nicht auf der Oberfläche des Warzenfortsatzes selbst statt, sondern auf der Oberfläche der Schuppe oder auf der inneren Oberfläche des Warzenfortsatzes. Die hierbei in Betracht kommenden Verhältnisse werden bei der chronischen Mittelohreiterung noch besprochen werden.

Die Abscesse müssen frühzeitig durch tiefe Incision eröffnet werden. In der Regel schwinden dann alle bedrohlichen Erscheinungen. Bleiben dieselben bestehen, so hat sich die Aufmeisselung des Warzenfortsatzes anzuschliessen.

Die mit der Mittelohrentzündung verbundenen akuten Nasenrachenkatarrhe werden mit Gurgelungen oder mit Inhalationen mit dem bekannten Sigle'schen Dampfapparate behandelt. Es werden

1—2procentige Lösungen von Natr. chlorat., Natr. bicarbon. oder von Kali chloricum benutzt. In vorgerückterem Stadium erweist sich die Anwendung von Borax als Schnupfpulver recht günstig. Im ersten Stadium der Nasenrachenkatarrhe Einspritzungen in die Nase oder Einpinselungen und Aetznngen vorzunehmen, erscheint nicht rätlich, da durch dieselben die Entzündung gesteigert werden kann.

Sind keine Entzündungserscheinungen mehr vorhanden und bleibt trotzdem die Sekretion bestehen, so kommen die bei der chronischen Mittelohreiterung zu besprechenden Mittel zur Anwendung.

Die Behandlung der diphtherischen Entzündungen findet nach Burckhard-Merian in der Weise statt, dass man sucht die zähen Fibringerinnsel aus dem äusseren Gehörgange mit Schlingenschnürer oder Kurette zu entfernen; die Reste sollen mit 10% Salicylspiritus imprägnirt oder mit reiner Salicylsäure bestäubt werden. Daneben sollen mehrmals täglich Einspritzungeu von 10% Salicylspiritus 1—2 Kaffeelöffel auf 100 g Wasser genommen werden. Unter dieser „leider ziemlich schmerzhaften“ Behandlung sistirt gewönlich im Laufe einer Woche der diphtherische Process und unerwartet rasch schliesst sich die Perforation. — Von Gottstein wird die Lösung und Entfernung der Membranen auf einfachere und weniger schmerzhafte Weise durch Ohrbäder mit Aq. calcis bewirkt. — Moos und Wolf erzielten durch subkutane Pilokarpin-Einspritzungen (0,005—0,01 pro dosi 1—2 Mal täglich) günstige Erfolge. Es kommt zur Absonderung von grossen Mengen wässeriger Flüssigkeit, der Process nimmt einen günstigen Verlauf und das Hörvermögen wird rasch gebessert.

Bei nekrotischer Abstossung der Gehörknöchelchen wird bisweilen die Eiterung dadurch unterhalten, dass die abgestossenen Knöchelchen in der Trommelhöhle liegen bleiben. Es gelang mir wiederholt, solche in den unteren Teil der Trommelhöhle herabgesunkene Knöchelchen mit der Sonde in andere Lage zu bringen und mit der Spritze zu entfernen.

Die Erkrankungen der Eustachi'schen Röhre.

Verengerung und Verschluss der Eustachi'schen Röhre.

Ebenso wie die akuten Entzündungen des Mittelohres sehr häufig verbunden sind mit katarrhalischer Entzündung der Schleimhaut des Nasenrachenraumes, sind es auch die chronischen. Die Vermittelung zwischen beiden findet durch die Eustachi'schen Röhren statt. Ausserdem kommt es besonders bei Kindern häufig vor, dass die Eustachi'schen Röhren erkrankt sind ohne gleichzeitige Erkrankung des Mittelohres, indem in diesem nur auf mechanischem Wege in Folge der Ventilationsbehinderung Funktionsstörungen herbeigeführt werden. Nach Bezold betrifft mehr als die Hälfte aller Tubenerkrankungen Kinder.

Am wichtigsten und häufigsten sind diejenigen Erkrankungen, welche durch Verengerung oder Verstopfung des Lumens der Röhre die Tubenventilation beeinträchtigen oder aufheben. Findet der durch die Tuben vermittelte Luftaustausch zwischen Trommelhöhlenluft und äusserer Atmosphäre nicht mehr statt, so tritt durch Gasaustausch eine Verminderung des Luftgehaltes der Trommelhöhle ein, wodurch die auf dem Trommelfelle lastende äussere Atmosphäre das Uebergewicht erhält und das Trommelfell nach einwärts gedrängt wird. Gleichzeitig werden durch Vermittelung des Hammers auch die Gehörknöchelchen nach einwärts gedrängt und der Steigbügel dadurch ins ovale Fenster eingepresst. Die Hörstörungen, welche dadurch verursacht werden, sind meistens sehr beträchtlich. Ausserdem bestehen, jedoch nicht immer, Ohrensausen und die Empfindung von Verlegtsein, Verstopftsein des Ohres.

Die Ursachen, welche eine Verengerung oder Verstopfung der Tuben hervorrufen, sind folgende:

1. Schwellung der Schleimhaut in der ganzen Ausdehnung oder in einzelnen Teilen. Die pathologischen Veränderungen, welche den Schwellungen zu Grunde liegen, sind Hyperämie und Oedem beim akuten, Zelleninfiltration und Bindegewebsneubildung beim chronischen Katarrh. Eine wesentliche Rolle spielt hierbei das Drüsengewebe, das in der Tubenschleimhaut eingelagert ist, echte Balgdrüsen, adenoides Gewebe und acinöse Drüsen. Besonders im mittleren Teile der knorpeligen Tuben finden sich die Balgdrüsen in solcher Menge angesammelt, dass sie die ganze Dicke der Tubenschleimhaut einnehmen. Nach Gerlach wäre diese Ansammlung entsprechend der Pharynxmandel als Tubenmandel zu bezeichnen. Diese Schwellungen der Tubenschleimhaut stehen fast ausnahmslos in Verbindung mit Nasen- und Rachenkatarrhen. Besonders häufig finden sich bei den syphilitischen Rachenaffektionen die Tuben mitergriffen.

2. Verstopfung der Röhre insbesondere an der Mündung durch

Sekretmassen. Die Ventilationsbehinderung kann sowohl durch zähe oder eingedickte Sekretansammlung in der Eustachi'schen Röhre bedingt sein, als auch dadurch, dass die Wandungen durch das Sekret mit einander verkleben und dadurch die Oeffnung des Lumens durch die Muskelaktion nicht gelingt.

3. Nicht selten wird ohne Erkrankung der Tuben selbst durch Druck der benachbarten Organe auf die Mündung eine Verengerung oder ein Verschluss derselben berbeigeführt. Dies kann geschehen durch Hypertrophie der Pharynxtonsille und des Drüsenlagers der Rosenmüller'schen Grube, die sogenannten adenoiden Wucherungen im Nasenrachenraume (vgl. S. 69); durch Schwellung des hinteren Endes der unteren Nasenmuschel, was an Volumen so zunehmen kann, dass es die Tubenmündung bedeckt; durch Neubildungen, welche aus der Nase in den Nasenrachenraum gelangen oder sich hier entwickeln. Sodann spielt die Schwellung des weichen Gaumens und der Tonsillen eine Rolle beim Zustandekommen der Verengerungen der Tuben, doch scheinen dieselben mehr durch die gleichzeitige Miterkrankung der Tuben, als durch mechanischen Druck bedingt zu werden, wenigstens hat man häufig Gelegenheit, bei den hochgradigsten Tonsillarhypertrophieen keine Schwerhörigkeit zu beobachten.

4. Als Kollaps der Tubenmündung bezeichnete Dieffenbach das Verhalten der Tuben bei Erschlaffung der Muskeln, insbesondere bei gespaltenem Gaumensegel. Da hier die Ansatzpunkte der Muskeln fehlen, findet keine Einwirkung derselben auf die Tuben, keine Oeffnung der letzteren statt. Doch mnss bemerkt werden, dass in den meisten Fällen von gespaltenem Gaumen keine Schwerhörigkeit besteht. Es wird zwar vielfach angenommen, dass ein Kollaps der Tubenwände auch bei sonstigen Erkrankungen des Gaumensegels, insbesondere bei paretischen Zuständen desselben, vorkomme, doch ist die Diagnose auf solche nicht immer mit Sicherheit zu stellen. Am besten lässt sich darüber durch die manometrische Bestimmung des Widerstandes, welchen das Gaumensegel bei seinen Aktionen einem einwirkenden Luftdruck bietet, Aufschluss gewinnen. v. Tröltsch glaubt, dass eine solche Beeinträchtigung der Muskelaktion im Gefolge des chronischen Rachenkatarrhes auftreten könne.

5. Nach ulcerösen Processen, besonders bei Syphilis, kann es sowohl zur Verengerung, als auch zu vollständiger Verwachsung der Tubenmündung kommen.

Die Diagnose der ohne Trommelhöhlenaffektion bestehenden Tubenerkrankung wird gestellt aus dem Trommelfellbefund und aus der nach der Luftdusche eintretenden bedeutenden Verbesserung oder vollständigen Wiederherstellung des Gehöres.

Fig. 35.

Fig. 36.

Bei der Untersuchung erscheint das Trommelfell in seiner ganzen Ausdehnung nach einwärts gezogen, behält jedoch seine durchscheinende Beschaffenheit mit glatter, glänzender Oberfläche (vgl. die Abbildungen: Fig. 35, normales Trommelfell; Fig. 36, nach einwärts gezogenes Trommelfell). Mit der stärkeren Einwärtsdrängung der ganzen Membran bekommt auch der Hammergriff eine mehr horizontale, nach einwärts hinten gerichtete Stellung, erscheint perspektivisch verkürzt. Durch die stärkere Anlagerung des Trommelfells an den Hammergriff tritt dieser deutlicher hervor und es ragt besonders der kurze Fortsatz als weisser Dorn stark nach aussen vor. Vom kurzen Fortsatz verlaufen ebenfalls stark vorspringende Falten nach vorn und hinten zum oberen Trommelfellrande. Von denselben ist gewöhnlich die hintere am stärksten ausgeprägt. Bisweilen lagert sich das Trommelfell dem Hammerambosgelenk an, das dann als weisser knopfförmiger Vorsprung im hinteren oberen Quadranten des Trommelfells zu erkennen ist. Durch Anlagerung des mittleren Teiles des Trommelfells an das Promontorium erscheint derselbe gelblich gefärbt. Da der periphere Rand des Trommelfells eine etwas festere Beschaffenheit als der übrige Teil der Membran hat, leistet derselbe dem einwirkenden Luftdruck grösseren Widerstand und entsteht dadurch eine periphere Knickung der Membran, auf welche Politzer zuerst die Aufmerksamkeit lenkte, indem der periphere Rand sich weniger eingezogen zeigt, als der übrige Teil des Trommelfells. Bei längerer Dauer der Einziehung kommt es durch die andauernde Dehnung der Membran zu Verdünnung, besonders im oberen hinteren Quadranten. Nach der Luftdusche wölben sich die verdünnten Stellen bisweilen als blasenförmige Ausstülpungen nach dem Gehörgange hervor und können mit Narben verwechselt werden. Nach der Luftdusche tritt das Trommelfell und der Hammergriff wieder in die normale Stellung zurück. Das Trommelfell wölbt sich stärker nach aussen als der Hammergriff, so dass derselbe weniger deutlich zu erkennen ist. Die Oberfläche des Trommelfells ist nicht mehr glatt und glänzend, weil das zuvor gedehnte Trommelfell wieder auf kleinere Ausdehnung zusammenschrumpft.

In der Mehrzahl der Fälle bleibt jedoch die Einwirkung der Tubenverengung auf das Mittelohr keine rein mechanische, sondern es kommt in demselben zu Entzündung, es entwickeln sich Hyperämie, Exsudation und Verdichtungsprocesse, die wir im nächsten Abschnitte der Besprechung unterziehen werden. In Folge lange bestehender Einwärtslagerung des Trommelfells kann Kontraktur des Musc. tensor tympani entstehen mit sekundärer Retraktion der Sehne (Politzer).

Der Grad der Beschränkung der Durchgängigkeit der Tuben lässt sich bestimmen durch Messung des Luftdruckes, welcher erforderlich ist, um während des Schlingaktes Luft in die Trommelhöhlen treten zu lassen. Während hierzu, wie wir früher gesehen haben, in der Norm minimale Druckstärken erforderlich sind, gelingt bei Verengerung der Tuben der Luftdurchtritt erst bei einem Druck von 100--200 mm Hg. oder wir sind überhaupt nicht im Stande, vermittelst des Politzer'schen Verfahrens Luft in die Trommelhöhle zu treiben und es muss zum Katheterismus übergegangen werden. Strömt die Luft durch den Katheter mit minimalem Drucke in die Trommelhöhle, so kann geschlossen werden, dass das Ventilationshinderniss seinen Sitz an der Tubenmündung hat. Findet auch der durch den Katheter, dessen Schnabel in der Tubenmündung lagert, eingepresste Luftstrom beträchtlichen Widerstand, so kann angenommen werden, dass auch im peripheren Teile der Tube ein Hinderniss vorhanden ist.

Ist das Ventilationshinderniss durch mangelhafte Funktion der Tubengaumenmuskulatur bedingt, so kann dieselbe erkannt werden durch mangelhaftes Heben des Gaumensegels bei Schling- und Sprechbewegungen, sodann aber ist eine Parese der Gaumensegelmuskeln auf manometrischem Wege nach der von mir angegebenen Methode[1]) nachzuweisen. Strömt während der Artikulation, insbesondere der Vokale, die Luft frei oder bei sehr geringem Drucke nach dem unteren Teile des Rachens, so kann eine mangelhafte Funktion der Muskulatur angenommen werden. Leistet dagegen das Gaumensegel einem Drucke von 40—100 mm Hg. Widerstand, so entspricht dies dem normalen Verhalten.

Um einen vollständigen Aufschluss über das Verhalten der Tuben zu bekommen, kann die Sondirung resp. Bougirung in der früher (S. 53) angegebenen Weise vorgenommen werden. Nach Urbantschitsch[2]) kann auch bei anscheinend nicht erschwerter Durchgängigkeit der Tuben für Luft eine Verengerung im Tubenkanal bestehen, die in der Regel ihren Sitz am Isthmus tubae hat.

---

[1]) Centralbl. f. die med. Wissensch., Nr. 15. 1880.

[2]) Wien. med. Presse, Nr. 1, 2 u. 3. 1883.

Früher wurde angenommen, dass durch die Einwärtslagerung des Trommelfells und der Gehörknöchelchen erhöhter Labyrinthdruck und dadurch die meist hochgradige Schwerhörigkeit verursacht werde. Sogar neuerdings noch sucht Boucheron die verschiedensten akuten und chronischen Schwerhörigkeiten auf erhöhten Labyrinthdruck, von ihm Otopiesis genannt, zurückzuführen. Nach den anatomischen und physiologischen Untersuchungen kann es jedoch keinem Zweifel unterworfen sein, dass ein solcher nicht bestehen kann, da die Labyrinthflüssigkeit, worauf wir später noch zurückkommen, durch die Aquädukte und durch den Porus acusticus internus mit der Schädelhöhle in Kommunikation stehen.

Die Erscheinungen, besonders die Schwerhörigkeit, treten, wenn sie durch akuten Katarrh bedingt sind, gewöhnlich rasch auf, so dass die Angaben der Patienten auf ganz plötzliche Erkrankung lauten, ebenso rasch können dieselben wieder verschwinden, wenn der Katarrh rückgängig geworden ist, indem eine kräftige Schlingbewegung, Schnäuzen, Niesen oder Gähnen genügt, um die Tuben für den Luftstrom wieder durchgängig zu machen. Der Lufteintritt geschieht mit der Empfindung des Krachens oder eines Knalles im Ohre und es kann damit vollständige Wiederherstellung erfolgt sein. Bisweilen ist diese Besserung nur von kurzer Dauer und die alten Erscheinungen kommen nach Resorption der durch die Tuben eingetretenen Luft wieder zum Vorschein, bis wieder von Neuem Luft in genügender Menge eintritt und damit die Erscheinungen dauernd beseitigt bleiben. Findet die Wiedereröffnung der Tuben nicht von selbst statt, so bleiben die Erscheinungen Wochen und Monate lang bestehen, bis schliesslich durch Abschwellen der Schleimhaut die spontane Eröffnung doch noch erfolgt, oder durch unsere Behandlung durch wenige Lufteintreibungen die Schwerhörigkeit beseitigt wird. In den Fällen jedoch, in welchen es zu Verdichtungsprocessen in der Schleimhaut gekommen ist, kann dauernde Beeinträchtigung der Schwingungsfähigkeit im Schallleitungsapparate bestehen bleiben.

Ein vollständiger Verschluss der Tuben kann nicht, wie das früher geschah, aus dem Misslingen der Luftdusche und der Bougirung diagnosticirt werden, es muss vielmehr das Fehlen der Tubenöffnung rhinoskopisch konstatirt werden.

Der gänzliche Verschluss ist ein ziemlich seltener Befund und wurde in den meisten Fällen als Folgeerscheinung syphilitischer Zerstörungen mit Verlust eines Teiles des Tubenknorpels beobachtet. Solche Fälle sind beschrieben von Gruber,

Lindenbaum, Dennert (beiderseitiger Verschluss). Ich selbst hatte Gelegenheit, in einem Falle das vollständige Fehlen der Tubenmündung und des inneren Endes des Tubenknorpels zu konstatiren. Das Hörvermögen für die Uhr war $^{20}/_{120}$ cm, für laute Sprache 3 m. In dem Dennert'schen Falle[1]) war die Schwerhörigkeit beträchtlicher, dieselbe konnte durch Anlegen einer Oeffnung im Trommelfell und durch Gehörgangsluftdusche dauernd gebessert werden.

Behandlung.

Bei der Behandlung handelt es sich in erster Linie darum, durch Lufteintreibung in die Trommelhöhle die Schwerhörigkeit zu beseitigen. In den leichteren Fällen ist das Hinderniss, welches die Tuben für den Luftdurchtritt bieten, ein geringes. Es war mir bei meinen Druckbestimmungen auffallend, dass bei Ausführung des Politzer'schen Verfahrens häufig schon ein Druck von 60—80 mm Hg. genügt, um Luft in die Trommelhöhlen treten zu lassen, während freilich in anderen Fällen, besonders zur erstmaligen Eröffnung der Röhren, weit höhere Druckstärken erforderlich sind. Da bei Anwendung höherer Druckstärken die Lufteintreibung besonders bei Kindern Schmerz verursacht und eine stärkere Gewalteinwirkung durchaus nicht erforderlich ist, vielmehr schädlich sein kann, halte ich es für wichtig, die Lufteintreibungen mit möglichst geringem Drucke auszuführen. Bestand die Ursache der Ventilationsbehinderung nur in Schleimansammlung in den Tuben oder in Verkleben der Wände derselben, so genügen einige oder wenige Lufteintreibungen, entweder nur vermittelst des Politzer'schen Verfahrens oder, was in selteneren Fällen erforderlich ist, vermittelst des Katheters, um völlige Herstellung zu erzielen.

Häufig passirt es, dass durch regelmässig wiederholte Lufteintreibungen scheinbar vollständige Heilung erzielt wird; sobald die Lufteintreibungen jedoch unterlassen werden, tritt wieder Verschlimmerung ein. Es geht daraus hervor, dass die Tuben für den freien Luftdurchtritt noch nicht eröffnet sind, dass noch Veränderungen bestehen, welche direkt in Angriff genommen werden müssen. Bei Kindern handelt es sich in solchen Fällen fast ausnahmslos um adenoide Wucherungen im Nasenrachenraume, die entfernt werden müssen.

Ist die Schwellung noch frischeren Datums, so dass anzunehmen ist, dass noch keine ausgedehnteren Infiltrationen vorhanden sind, so werden Einspritzungen in die Tuben durch den Katheter von

---

[1]) Deutsche Zeitschr. f. prakt. Med., Nr. 44. 1878.

adstringirenden Flüssigkeiten vorgenommen (Lösung von Zinc. sulf. 0,1 : 10—20,0 Aq. destill.). Bei älteren Entzündungen, insbesondere wenn aus dem Befunde der Rachenschleimhaut zu entnehmen ist, dass entsprechend auch die drüsigen Organe der Tubenschleimhaut an der Schwellung beteiligt sind, muss zu stärkeren Mitteln gegriffen werden. Ich bediene mich in diesen Fällen entweder der Höllensteinlösungen (0,5 : 10—30,0 Aq. destill.) oder, und zwar häufiger, der Jodglycerinlösungen (Kali jod. 3,0, Jod. pur. 0,3, Glycer. pur. 10,0—30,0). Die Injektionen werden in der Weise vorgenommen, dass man wenige Tropfen in den Katheter bringt und nun durch schwachen Druck auf den Ballon dieselben in die Tube fliessen lässt, um ein Eindringen der injicirten Flüssigkeit in die Trommelhöhle zu vermeiden. Ausserdem werden Aetzungen vermittelst Höllensteins in Substanz, indem derselbe auf einen dicken Silberdraht aufgeschmolzen und durch den Katheter eingeführt wird, ausgeführt.

Von grosser Wichtigkeit ist es, gleichzeitig bestehende Katarrhe der Nasen- und Rachenschleimhaut zum Rückgang zu bringen; es muss gegen dieselben die erforderliche Behandlung, Nasendusche, Gurgelungen, Pinselungen, Aetzungen, eingeleitet werden. Ebenso müssen diejenigen Zustände, welche von der Nachbarschaft aus durch Druck auf die Mündung der Tuben die Ventilationsstörung herbeiführen, beseitigt werden, insbesondere die Schwellungen und Neubildungen im Nasenrachenraume, hypertrophische Pharynxtonsillen, adenoide Wucherungen und Nasenpolypen.

Bei den Tubenschwellungen sowohl, wie bei den Exsudativkatarrhen des Mittelohres muss stets die Nase auf's sorgfältigste untersucht werden, nicht selten finden wir, auch wenn von den Patienten über keinerlei Erscheinungen von Seite der Nase geklagt wird, Schwellungen an den hinteren Enden der unteren Muscheln, welche die Ohrerkrankung verursachen.

Am häufigsten zur Anwendung kommen die Pinselungen, Gurgelungen und die Inhalationen. Die ersteren werden mit Höllensteinlösung 1 : 20—50 oder mit Jodglycerinlösungen vorgenommen. Die Gurgelungen wirken einerseits auf die Schleimhaut selbst ein, andererseits bewirken sie, wenn sie mit Schluckbewegungen kombinirt werden, eine Kräftigung der Tubengaumensegelmuskulatur (v. Tröltsch). Die zu diesem Zwecke benutzten Flüssigkeiten enthalten Kali chloricum, Alaun oder Tannin ($^1/_2$—2%). Um auf die Muskeln direkt zu wirken, wird in manchen Fällen mit Vorteil der elektrische, besonders der inducirte Strom angewandt, in der Weise, dass eine Elektrode auf die äussere Fläche des Halses zu liegen kommt, während die andere vom Munde aus auf die untere Fläche des Gaumensegels aufgesetzt wird. Ausserdem kann ein an seinem Ende mit dünnem Knöpfchen versehener Draht, der durch das Paukenröhrchen gezogen ist, als Elektrode dienen. Das in dieser Weise armirte Paukenröhrchen wird durch einen Katheter in die Tube eingeführt und so eine direkte Einwirkung auf dieselbe erzielt. Die Schwellungen in der Nase müssen galvanokaustisch, mit Chromsäure, mit der kalten Schlinge oder auf anderem Wege beseitigt werden.

Nachdem die von den älteren Ohrenärzten sehr häufig angewandten Bougirungen der Tuben ziemlich ausser Gebrauch gekommen waren, wurden dieselben neuerdings wieder sehr warm empfohlen durch Urbantschitsch. Derselbe hält Bougirungen der Ohrtrompete für angezeigt in allen Fällen von chronischen Erkrankungen des Mittelohres, in denen bei vorhandenen Symptomen von Schwerhörigkeit und subjektiven Gehörsempfindungen der Isthmus tubae weniger als $1^1/_2$—$1^1/_3$ mm Lichtung besitzt. Nicht selten wird durch die Bougirung ein besserer Erfolg erzielt als mit den Lufteinblasungen. Die Erfolge beruhen nicht allein darauf, dass nach der Bougirung die Luftdusche besser zur Wirkung gelangt, sondern, wie Urbantschitsch nach seinen Versuchen annimmt, ausserdem auch darauf, dass der bei der Bougirung auf die sensiblen Trigeminuszweige in der Tuba einwirkende Reiz sich als Reflexwirkung auch auf den Hörsinn erstreckt.

Am schwierigsten sind die Narbenbildungen zu behandeln. Von den älteren Ohrenärzten wurden schneidende Instrumente konstruirt, welche in die Tuben eingeführt werden sollen, um mit denselben die vordere Wand einzuschneiden. Dauernde Erfolge sind damit nicht zu erzielen.

Bei vollständiger Verwachsung der Tubenwände können die dadurch herbeigeführten Erscheinungen gebessert werden, wenn eine Oeffnung im Trommelfell angelegt wird. Durch dieselbe wird bei Luftkompression im äusseren Gehörgange Luft in die Trommelhöhle getrieben. Schon dadurch kann, auch wenn die hergestellte Oeffnung später wieder sich schliesst, dauernd Besserung erzielt werden. Ist dies nicht der Fall, so muss danach gestrebt werden, durch Exstirpation des Hammers dennoch die Oeffnung dauernd zu erhalten.

Abnormes Offenstehen der Eustachi'schen Röhre. Tympanophonie oder Autophonie.

Während im Allgemeinen in der Ruhestellung der Tubengaumenmuskulatur bei Einwirkung von sehr beträchtlichem Luftdruck (100—200 mm Hg.), wenn der Schlingakt vermieden wird, kein Luftdurchtritt durch die Tuben nach der Trommelhöhle stattfindet, wie ich bei meinen Versuchen im pneumatischen Kabinet nachweisen konnte, giebt es Ausnahmefälle, bei welchen schon bei geringem Druck Luftdurchtritt erfolgt. In solchen Fällen findet auch beim Valsalva'schen Versuche der Luftdurchtritt durch die Tuben bei sehr geringem Drucke statt und es kommen bei der Ein- und Ausatmung Respirationsbewegungen des Trommelfells zur Beobachtung, indem während der Atmung ein Luftaustausch zwischen Trommelhöhlen- und Rachenluft erfolgt. Unter solchen Verhältnissen kann es vorkommen, dass die Tuben sich vorübergehend noch mehr öffnen und die als Tympanophonie oder Autophonie bezeichneten Erscheinungen auftreten, ein aussergewöhnlich starkes Hören der eigenen Stimme, die gesprochenen Worte dringen so intensiv in das Ohr, dass sie Schmerz verursachen (Rüdinger). So berichtet Jago, dass er zeitweise an Offenstehen der einen Tube leidet, indem er bei jeder Exspiration Hervortreibung des Trommelfells bemerkt und die eigene Stimme viel lauter hört, als gewöhnlich. Flemming ist im Stande, durch willkürliche Muskelkontraktion sich die Tuben zu öffnen und Tympanophonie zu erzeugen, jede Ein- und Ausatmung wird dabei als lautes Rauschen empfunden, bei der Phonation hört Flemming einen eigentümlich lauten, glockenartig dröhnenden Klang. Eine Schauspielerin, bei welcher ich die Erscheinungen der Tympanophonie zu beobachten Gelegenheit hatte, hörte plötzlich, wenn sie auf der Bühne war, mitten in ihrem Vortrage die eigene Stimme unangenehm stark schallend in's Ohr dringen, was für sie ausserordentlich störend und belästigend war. Nachdem dieser Zustand kurze Zeit gedauert hatte, kehrte das normale Verhalten zurück.

In anderen Fällen bleibt die Autophonie dauernd bestehen. Die eigene Stimme dringt mit trompetenartigem, schmetterndem Schalle ins Ohr, und es wird bei der In- und Exspiration ein starkes Rauschen im Ohre vernommen. Alles Sprechen wird von dem mit der Erscheinung Behafteten aufs unangenehmste empfunden, so dass er sich ängstlich hütet, laut zu sprechen. Brunner macht zuerst darauf aufmerksam, dass die Autophonie hauptsächlich beim Aussprechen der sogenannten Resonanten, der Konsonanten m, n und ng besteht (s. S. 62). Nach Brunner's Beobachtungen, welche ich Gelegenheit hatte zu bestätigen, besteht die Autophonie nicht in liegender Stellung und bei nach vorn geneigtem Kopfe. Da durch die Anlagerung der unteren vorderen, membranösen Tubenwand an das Knorpeldach der ventilartige Verschluss der Tuben hergestellt wird, so können alle Processe, welche eine Volumverringerung oder Elasticitätsverminderung dieser Wand herbeiführen, zum Offenstehen der Tuben und damit zur Autophonie Veranlassung geben. Dieselbe kommt vor bei akuten und chronischen Nasenrachen- und Mittelohrentzündungen. Ausserdem sah ich sie auftreten bei starker Herabsetzung des Kräftezustandes [1]). Bei einem nach heftiger Pneumonie in seiner Ernährung sehr herabgekommenen Patienten kam es zur Autophonie, die wieder schwand, als sich der Kräftezustand besserte. Ich gewann daraus die Anschauung, dass in solchen Fällen durch die Volumverminderung der Weichteile unterhalb des Tubenknorpels das Offenstehen der Tube veranlasst wird.

Um sich davon zu überzeugen, ob die Tympanophonie durch abnormes Offenstehen der Tuben bewirkt wird, führte Poorten einen Katheter in die Tubenmündung, der am konvexen Teil des Schnabels eine Oeffnung hatte. Wurde die Oeffnung geschlossen, so hörte die Tympanophonie auf, trat aber wieder ein nach Aufhebung des Verschlusses.

Die Prognose ist im Allgemeinen ungünstig, besonders wenn es sich um atrophische Processe handelt, während bei Katarrhen und in Fällen, in welchen der mangelhafte Kräftezustand eine Rolle spielt, Aussicht auf Heilung besteht.

Die Autophonie kommt sehr selten zur Beobachtung. Ich hatte unter mehr als 10 000 Patienten nur drei Mal Gelegenheit, sie zu beobachten.

Behandlung.

Liegen dem abnormen Offenstehen der Tuben katarrhalische Processe zu Grunde, so werden wir dieselben in der bereits oben angedeuteten Weise zu beseitigen suchen. Bei mangelhaftem Kräftezustand muss dieser gehoben werden. Durch verschiedene Ein-

---

[1]) Mitteilung in der otologischen Sektion der Naturforscherversammlung in Freiburg. 1883.

griffe, welche die Schleimhaut in Schwellung versetzen, durch Nasendusche, durch Injektionen, durch reizende Pulvereinblasungen kann die Autophonie vorübergehend beseitigt werden; mit dem Rückgang der Schwellung stellt sich dieselbe jedoch wieder ein. Um die Erscheinung für den Patienten weniger lästig zu machen, haben sich mir Einträufelungen von Glycerin in den Gehörgang und festes Verstopfen desselben sehr gut bewährt. Ist die Autophonie besonders lästig, so könnte versucht werden, zur künstlichen Verstopfung der Eustachi'schen Röhre zu schreiten durch Einlegen von kurzen katheterähnlichen Instrumenten.

Neurosen der Ohrmuscheln.

Zu den äusserst selten zur Beobachtung kommenden Erkrankungen gehören die Innervationsstörungen, klonische Krämpfe der Ohrmuskeln. Es können betroffen werden der Musc. tensor tympani, der Musc. stapedius, sowie die Tubenmuskulatur.

Krampf des Musc. tensor tympani finden wir bisweilen vorübergehend nach äusseren Einwirkungen, insbesondere nach dem Katheterismus. Es entsteht ein nacheinander auftretendes, knackendes Geräusch, das auch objektiv wahrnehmbar ist. Wie bereits früher (S. 59) erwähnt, wurde von Bremer[1]) ein Fall mitgeteilt, in welchem das durch die Muskelkontraktion verursachte Geräusch nach einem Willensimpuls 100—150 Mal in der Minute hervorgebracht werden konnte. In der Regel treten die Tensorkontraktionen auf in Begleitung von klonischem Krampf des Gaumensegels oder auch der äusseren Kehlkopfmuskeln. Schwartze beobachtete bei einem Patienten die sich rasch wiederholenden knackenden Geräusche synchronisch mit Kontraktionen des weichen Gaumens. Gleichzeitig waren Einwärtsbewegungen am Trommelfell zu konstatiren. Bei einem, von Böck mitgeteilten Falle war das Geräusch und die Hebung des Gaumens synchronisch mit dem Pulse, ohne Trommelfellbewegungen. Ebenso fehlten dieselben bei einem von Politzer beschriebenen Falle. Politzer gelang es, das Geräusch durch den faradischen Strom in 6 Sitzungen dauernd zu beseitigen.

Von Lucae wurde zuerst darauf hingewiesen, dass bei starker Kontraktion der Gesichtsmuskeln, insbesondere des Orbicularis palpebrarum auch der Musculus stapedius, der vom Facialis mitversorgt wird, zur Kontraktion gebracht werden kann. Nach

---

[1]) Monatsschr. f. Ohrenh., Nr. 10. 1879.

Hitzig tritt hierbei ein tiefes Summen im Ohre ein. Es wurden nun bei Facialiskrampf ebenfalls Gehörsempfindungen beobachtet, deren Entstehung wir durch eine Mitbeteiligung des Musc. stapedius erklären müssen. Bei einer Patientin Gottstein's[1]) ging Anfällen von Blepharospasmus ein unerträgliches Rauschen in beiden Ohren voraus, das später kontinuirlich wurde. So lange ein Fingerdruck auf einen bestimmten Punkt am vorderen unteren Winkel des Processus mastoideus ausgeübt wurde, sistirte das Sausen, ebenso bei Anwendung des faradischen Stromes. Mit Hilfe des letzteren konnte das Rauschen dauernd beseitigt werden. Bei mimischem Gesichtskrampf hatte eine von mir beobachtete Patientin die Empfindung des Klapperns einer Mühle, oder des Rauschens beim langsamen Flügelschlage eines grossen Vogels. Mit der Zeit gingen diese Einzelempfindungen in ein tiefes Summen über. Der elektrische Strom, sowohl der inducirte als der konstante, erwiesen sich wirkungslos. Ein „tiefes, rauhes, flatterndes Geräusch, ganz so, wie wenn vor unsern Ohren ein mächtiger Flügelschlag vorbeirauschen würde", kommt nach Brunner[2]) bisweilen bei freudiger Gemütsbewegung, in Momenten grosser Rührung vor. Die Empfindung der Flügelschläge entspricht der Dauer der einzelnen Muskelkontraktionen.

Fremdkörper in der Eustachi'schen Röhre.

Die bis jetzt beobachteten Fälle von Fremdkörpern in der Eustachi'schen Röhre sind folgende: Fleischmann fand bei der Sektion eines Mannes, welcher lange Zeit an Ohrgeräuschen gelitten hatte, eine Gerstengranne in der Tube. Heckscher beobachtete eine Rabenfeder in derselben. Andry erzählt, dass ein Spulwurm durch die Tube in die Trommelhöhle gewandert war und die heftigsten Schmerzen verursachte. Neuerdings beschreibt Reynolds einen Fall, in welchem mehrere Spulwürmer vom Nasenrachenraume aus nach Zerstörung der Trommelfelle nach aussen wanderten. Nachdem von Schwartze zur Behandlung von Tubenverengerungen die Einführung von Laminariabougies empfohlen war, passirte es wiederholt, dass Teile derselben abbrachen und in den Tuben zurückblieben (Mayer, Hinton). Polypen, welche in der Trommelhöhle wurzelnd sich in die Tuben erstreckten, sind von Meissner und Voltolini beschrieben. Es wären hierher auch noch die Pfröpfe eingedickten Sekretes zu rechnen, welche bisweilen die Tuben verschliessen; einen interessanten diesbezüglichen, von Dauscher beobachteten Fall beschreibt Semeleder: rhinoskopisch war ein 7 mm weit über die Tubenmündung hervorragender gelblich-grauer Pfropf zu konstatiren, der durch Einspritzungen vermittelst des Katheters entfernt wurde. Nach der Ent-

1) Arch. f. Ohrenheilk. Bd. XVI, S. 63.
2) Zeitschr. f. Ohrenheilk. Bd. X, S. 176.

fernung trat mit einem Knalle, als ob eine Kanone abgefeuert worden wäre, Schmerz und Schwindel auf und war das Hörvermögen sofort wieder hergestellt. — Bei Ausführung der Nasendusche mit einer Hartkautschuckspritze passirte es Schalle, dass ein abgesprungenes 6 mm langes, 1,5 mm dickes Stückchen Hartkautschuck in die Trommelhöhle geriet, hier akute Entzündung verursachte und nach eingetretener Trommelfellperforation vom Gehörgange aus wieder entfernt werden konnte. — Urbantschitsch beschreibt den interessanten Fall, in welchem ein von der Mundhöhle in den Pharynx gelangter 3 cm langer Haferrispenast durch die Ohrtrompete in die Trommelhöhle wanderte und nach eingetretener Entzündung mit Trommelfellperforation seinen Weg in den äusseren Gehörgang fortsetzte, von dem aus er von der Patientin mit einer Haarnadel entfernt werden konnte. — Urbantschitsch erwähnt bei dieser Gelegenheit einen von Albers mitgeteilten Fall, in welchem eine Nähnadel vom Gehörgange aus in den Pharynx gelangte und erbrochen wurde.

Chronischer Katarrh des Mittelohres ohne Perforation des Trommelfells. Exsudatansammlung im Mittelohre. Otitis media catarrhalis chronica.

Die sekretorische Form der chronischen, nicht mit Trommelfellperforation verbundenen Mittelohrentzündung tritt einerseits auf selbständig, indem ohne Veranlassung oder im Anschlusse an eine Allgemeinerkrankung insbesondere an akute Exantheme unter unbedeutenden lokalen Erscheinungen die Auskleidung der Trommelhöhle in den Zustand der chronischen Entzündung gerät mit Hyperämie, Schwellung und vermehrter Sekretion. Andererseits bildet die Erkrankung sehr häufig die Begleitungserscheinung von Katarrhen der Nasenrachenschleimhaut, gleichzeitig mit Erkrankung der Eustachischen Röhren. Die Schwerhörigkeit ist in diesen Fällen bedeutender, als bei den einfachen Tubenkatarrhen, und wird durch die Luftdusche in geringerem Grade gebessert. Sodann kann die Exsudation als Folgezustand des akuten Katarrhes oder der akuten Entzündung, wenn dieselbe in die chronische übergeht, bestehen bleiben, indem nach dem Rückgang aller Entzündungserscheinungen das Exsudat weder resorbirt wird, noch durch die Tuben abfliesst.

Für die Beschaffenheit der Ansammlung ist die Art der Entstehung nicht massgebend; sowohl wenn die Ansammlung durch akuten Mittelohrkatarrh mit oder ohne Nasenrachenkatarrh verursacht wurde, als auch beim selbständigen Auftreten kann das Exsudat einen serösen oder einen schleimigen Charakter haben. Unter 97 Fällen von chronischer Sekretansammlung fand Schwartze[1])

[1]) Arch. f. Ohrenheilk. Bd. VI. S. 182.

bei der Paracentese die Beschaffenheit 8 Mal serös, 14 Mal serös-schleimig, 67 Mal rein schleimig, 8 Mal schleimig-eiterig. In sehr veralteten Fällen hat die Ansammlung am häufigsten einen schleimigen Charakter. Dieser Schleim ist in der Regel äusserst zähe, fadenziehend, farblos.

Um die Feststellung der Erscheinungen am Trommelfelle und die Deutung derselben hat sich besonders Politzer verdient gemacht, dessen Darstellung wir im wesentlichen folgen. Ist die Trommelhöhle von Exsudat ganz ausgefüllt, so erscheint die Färbung des Trommelfells gesättigter, dunkler und ist dem Grau häufig ein schwach bouteillengrüner Schimmer beigemischt. Ist das Exsudat schleimig-eiterig, so erhält die dunklere Färbung einen gelblichen Ton, der am stärksten hinter dem Umbo in der Gegend des Promontoriums ausgesprochen ist. Diese gelbliche Färbung, von durchschimmerndem Sekrete herrührend, kann verwechselt werden mit Anlagerung des Trommelfells an das Promontorium bei hochgradigen Einziehungen. Ist man im Zweifel, so kann die Diagnose des einen oder anderen Zustandes durch vorsichtiges Betasten mit der Sonde sichergestellt werden. Ist nur eine geringe Menge von Sekret in der Trommelhöhle vorhanden, so finden wir am Trommelfell, wenn es nicht getrübt ist, eine scharf markirte Linie, entsprechend der Grenze des Exsudates, ein Verhalten, das zuerst von Politzer erkannt wurde, jedoch sehr selten zur Beobachtung kommt. Durch Rückwärts- und Vorwärtsneigen des Kopfes ändert sich entsprechend der Niveauveränderung des Exsudates diese Linie. Die unter der Niveaulinie liegende Trommelfellpartie zeigt eine dunklere Färbung, während oberhalb durch die hinter dem Trommelfelle liegende Luftschichte die Färbung eine hellere ist. Nach der Luftdusche sind bisweilen in dem Sekrete Luftblasen, welche sich bilden, durch das Trommelfell zu erkennen. Ist das Trommelfell getrübt, so lässt sich durch dasselbe kein Aufschluss über das Vorhandensein von Exsudat gewinnen.

Die Oberfläche des Trommelfells findet sich sehr verschieden; während bei Tubenverengerung und geringer Menge zähen Exsudates das Trommelfell hochgradig eingezogen ist, ist dasselbe in anderen Fällen, insbesondere bei reichlicher, schleimig-eiteriger Sekretion in toto abgeplattet. Der schlaffste Teil des Trommelfells, der hintere obere Quadrant, zeigt sich bei reichlicher Sekretansammlung am meisten, bisweilen als halbkugeliger Sack vorgewölbt, so dass wir ein Bild erhalten, wie wir es bei Atrophien des Trommelfells bei aufgehobener Tubenventilation nach der Luftdusche eintretend besprochen haben.

Die Auskultation bietet uns nicht immer sichere Anhaltspunkte für das Vorhandensein von Exsudat in der Trommelhöhle. Sind Rasselgeräusche zu hören, so können dieselben durch aus den Tuben in die Trommelhöhle getriebene Schleimblasen bedingt sein. Hat die Schleimansammlung eine zähe Beschaffenheit, so tritt kein Rasseln ein. Dagegen kann aus einem gut vernehmbaren Anschlagegeräusch auf das Fehlen von Exsudation geschlossen werden. Den sichersten Beweis für das Vorhandensein von Exsudat in der Trommelhöhle liefert eine Probeincision des Trommelfells, welche, ohne dass man zu befürchten braucht Schaden anzurichten, ausgeführt werden kann.

Die Schwerhörigkeit bei Exsudatansammlung in der Trommelhöhle ist, insbesondere wenn dieselbe mit Tubenschwellung und mit veränderten Spannungsverhältnissen der schallleitenden Teile verbunden ist, sehr beträchtlich. Die Kopfknochenleitung ist, wenn das Labyrinth frei von der Erkrankung ist, vollständig erhalten. Nicht selten werden eigentümliche Geräusche von den Patienten vernommen, ein Knacken und Rasseln oder Schnalzen im Ohre; bei Bewegungen des Kopfes tritt bisweilen die Empfindung ein, als ob sich im Ohre etwas hin- und herbewege. In manchen Fällen bessert sich in der Rückenlage das Hörvermögen beträchtlich, während in aufrechter Stellung dasselbe sich wieder verschlechtert, Erscheinungen, welche durch die Bewegungen des Exsudates in der Trommelhöhle bedingt sind. Die sonstigen subjektiven Gehörsempfindungen sind in der Regel nicht beträchtlich, treten bald stärker, bald schwächer auf oder sie fehlen ganz. Bisweilen werden jedoch die Ohrgeräusche und Schwindelerscheinungen sehr hochgradig.

Ist die Exsudation eine eiterige, so kann auch, ohne dass es zur Trommelfellperforation kommt, der Process zu Karies der Wandungen führen und durch Ausbreitung nach der Schädelhöhle den tödlichen Ausgang veranlassen. Am häufigsten finden sich solche eiterige Ansammlungen bei Lungenphthise und nach Typhus. Auffallend häufig wurde eiterig-schleimiges Sekret in den Trommelhöhlen bei Neugeborenen gefunden.

Behandlung.

Die Behandlung hat Folgendes anzustreben: 1) Beseitigung des vorhandenen Exsudates, 2) Beseitigung der die Bildung desselben veranlassenden Einflüsse, 3) Einwirkung auf die in chronischer Entzündung befindliche Schleimhaut.

In vielen Fällen genügt die vollständige Entfernung des Sekretes, um dauernde Heilung eintreten zu lassen. Bleiben dagegen die Ursachen, welche die Ansammlung hervorrufen, unverändert bestehen, so wird es nach der Entfernung von neuem zu Exsudationen kommen. Dies ist insbesondere der Fall bei der durch Nasenrachenkatarrhe mit Tubenschwellung bedingten Erkrankung.

Die Entfernung des Exsudates kann auf verschiedene Weise bewerkstelligt werden. Wird durch die Tuben Luft in die Trommelhöhle eingetrieben, wobei am zweckmässigsten der Kopf nach der entgegengesetzten Richtung vorn übergeneigt wird (Politzer), so wird dadurch das Exsudat verdrängt und es fliesst nach dem Nasenrachenraume ab. Das Abfliessen gelingt leicht bei dünnflüssigem Exsudate, und es kann schon nach mehrmals wiederholter Luftdusche die vollständige Beseitigung des Exsudates erzielt werden. Erschwert ist dieselbe bei gleichzeitig bestehender Tubenschwellung. Ist dagegen das Exsudat dick, zähflüssig, so gelingt es nicht, auf diesem Wege die Entfernung herbeizuführen, es muss die Paracentese des Trommelfells vorgenommen werden[1]) und nach einer ausgiebigen Incision ebenfalls vermittelst der Luftdusche das Sekret nach dem äusseren Gehörgange getrieben werden. In manchen Fällen reicht die Luftdusche nicht aus, die Entfernung gelingt erst durch Einspritzungen lauwarmen, einprocentigen Salzwassers durch den Katheter (Schwartze), wonach sich jedoch häufig Entzündungen einstellen.

Von verschiedener Seite wurde empfohlen, das Exsudat durch Aussaugen zu entfernen, sowohl vom Gehörgange durch das paracentesirte Trommelfell (Hinton, Schalle), als von den Tuben aus. Zum ersteren Zwecke wurde die Pravaz'sche Spritze mit einer dünnen Röhre als Ansatz oder besondere Instrumente, der Exsudatsauger von Schalle, benutzt, zum letzteren kann das sogenannte

---

[1]) Frank stellte bereits in seinem Lehrbuche (Erlangen 1845) die praktische Regel auf, das Trommelfell jederzeit zu perforiren, wenn die sonstigen Erscheinungen eine Schleimansammlung im Mittelohre erkennen lassen. Ausserdem galt als Indikation für die Paracentese des Trommelfells Undurchgängigkeit der Tuba Eustachii, Bluterguss in die Trommelhöhle und Verdickung des Trommelfells. Es waren somit schon damals die Indikationen für die Ausführung der Operationen dieselben wie jetzt. Fabrici hielt die Operation auch zum Zwecke der Diagnose für zulässig.

Paukenröhrchen verwendet werden, das durch den Katheter in die Trommelhöhle vorgeschoben werden soll (Weber-Liel). Beide Methoden werden deshalb nur wenig angewandt, da sie bei dünnflüssigem Sekrete nicht erforderlich sind, indem die Entfernung auf einfachere Weise gelingt, während das dickflüssige Sekret zu zähe ist, um durch dünne Röhrchen, auch wenn zum Aussaugen starke Kraft verwendet wird, seine Entfernung bewirken zu können. Um eine gründliche Entfernung der abgelagerten Massen zu erreichen, kann die bei der chronisch-eiterigen Mittelohrentzündung noch näher zu beschreibende feste Paukenröhre angewandt werden.

Zur Paracentese des Trommelfells wird das Trommelfellmesser (cfr. S. 144) benutzt, nach vorausgehender Anästhesirung des Trommelfells. Um den Sekretabfluss zu erleichtern, wird die Incision in der unteren Hälfte des Trommelfells, meist im hinteren Teile vorgenommen. Durch die nachfolgende Luftdusche oder Einspritzungen werden bisweilen sehr grosse Sekretmengen, die aus der Trommelhöhle und aus dem Warzenfortsatze stammen, entleert. Die hergestellte Oeffnung schliesst sich in der Regel nach wenigen Tagen, bleibt nur, wenn reaktive Entzündung eintritt, längere Zeit bestehen. Die ersten Tage nach der Paracentese und der vollständigen Entfernung der Sekrete wird nun die Luftdusche vorgenommen, um noch vorhandene geringe Reste des Exsudates zu beseitigen und eine abnorme Stellung des Trommelfells wieder auszugleichen. Entzündliche Reaktion tritt nur in seltenen Fällen auf, gewöhnlich am 2. oder 3. Tag, und geht in der Regel rasch vorüber.

Besteht gleichzeitig Tubenschwellung mit Ventilationsbehinderung, so muss gegen dieselbe auf die im letzten Abschnitte besprochene Weise eingeschritten werden, insbesondere dürfen Erkrankungen in der Nase und im Nasenrachenraume nicht unberücksichtigt bleiben.

Zur Beförderung der Resorption von Exsudatmassen, die nach den besprochenen Eingriffen noch zurückbleiben, werden Einspritzungen durch die Tuben gemacht von alkalischen Lösungen, Natr. carbon. 1,0 : 100,0 Aq. destill. oder am zweckmässigsten Liq. Kali caustic. gtt. 3 : 30,0 Aq. destill. Besteht hyperämische Schwellung, so kommen Adstrigentien, Zinc. sulf. 0,1—0,2 : 20,0 Aq. destill., zur Anwendung.

Chronische eiterige Mittelohrentzündung. Otitis media purulenta chronica.

Bei eiteriger Sekretion aus dem Ohre haben wir es in weitaus den meisten Fällen mit einer Erkrankung der Trommelhöhle zu thun, deren Schleimhaut das Sekret producirt, das sich durch einen im Trommelfell vorhandenen Substanzverlust nach aussen entleert. Nur in einer sehr kleinen Anzahl von Fällen stammt das Sekret aus dem äusseren Gehörgange bei selbständiger Entzündung desselben.

Die häufigste Ursache für die chronische Mittelohreiterung giebt die akute Mittelohrentzündung ab, welche unter mangelhafter Behandlung, bei andauernd einwirkenden schädlichen Einflüssen, bei ungünstigen konstitutionellen Verhältnissen den Uebergang in die chronische Form der Entzündung nimmt. Insbesondere gelangt die akute Entzündung schwer zur Heilung bei beträchtlicher Zerstörung des Trommelfells, wie sie häufig bei den exanthematischen Krankheiten auftritt. Die Anamnese ergiebt deshalb bei der chronischen Mittelohreiterung in der Mehrzahl der Fälle Scharlach, Typhus, Masern als Ursache der Erkrankung.

Die Beschaffenheit des Sekretes ist sehr verschieden, serös-eiterig, schleimig-eiterig, eiterig. Bei der Untersuchung findet sich häufig der ganze äussere Gehörgang mit dem Sekret ausgefüllt, das entweder eine gleichförmige Beschaffenheit hat, oder es sind demselben klumpige oder membranöse Stücke beigemengt, welche entweder aus eingedickten Sekretmassen oder aus abgestossenem Epithel bestehen. In manchen Fällen ist die Absonderung äusserst profus, so dass die eingelegten Wattetampons sehr häufig durchfeuchtet sind und oft gewechselt werden müssen, in anderen Fällen sehr gering, so dass man bei der Untersuchung nur in der Tiefe des Gehörganges oder in der Trommelhöhle eiterigen Belag findet. Ist der Abfluss des Sekretes gehindert, bei kleinen Perforationsöffnungen, starker Schwellung oder Polypenbildung, so dickt sich das Sekret im Laufe der Zeit ein, es bilden sich krümliche, fetzige Massen mit dünnflüssigem Eiter untermischt; dieselben finden sich besonders in den oberen und hinteren Teilen der Trommelhöhle, sowie im Antrum mastoideum.

Das Sekret der Mittelohrschleimhaut bietet der Luft ausgesetzt unter dem Einfluss der Körpertemperatur einen sehr günstigen

Boden für Zersetzungsvorgänge, es entwickeln sich Bakterien aller Art, die in übelriechendem Sekrete in kolossalen Mengen vorhanden sind. Der Geruch des Sekretes ist dadurch bei alten Otorrhoen oft äusserst unangenehm, hat einen süsslich-fauligen Charakter. Ist putride Zersetzung eingetreten, so wird der Geruch sehr intensiv, dem von faulendem Käse ähnlich. In solchen Fällen kommt es bisweilen vor, dass sich die Silbersonde braun färbt durch das Auftreten von Schwefelwasserstoff. Wegen des Ekel erregenden Geruches des Sekretes wird der Besitzer der Otorrhoe häufig von seiner Umgebung gemieden, jeder, der ihm nahe kommt, sucht der unangenehmen Atmosphäre bald wieder zu entrinnen.

In manchen Fällen werden die Patienten belästigt durch den mit unangenehmem Geruch und Geschmack verbundenen Sekretabfluss nach dem Rachen durch die Eustachi'sche Röhre, wodurch Verdauungsstörungen veranlasst werden können.

Die Perforationen des Trommelfells besitzen eine sehr verschiedene Ausdehnung, in einzelnen Fällen sind sie kaum stecknadelknopfgross, während in anderen Fällen die ganze Membran zerstört ist. Gewöhnlich ist nur eine Perforation vorhanden, sehr selten zwei oder sogar mehrere Oeffnungen. Bei grösseren Perforationen ist meist der Trommelfellrand erhalten und es bleiben Reste zu beiden Seiten des Hammergriffs. Der letztere ist häufig so stark nach einwärts gezogen, dass er eine horizontale Stellung einnimmt und bei der Untersuchung nur der stark vorspringende kurze Fortsatz zu erkennen ist. Doch kommt es auch vor, dass der Hammer seine normale Stellung beibehält und frei nach unten ragt. Die Reste des Trommelfells sind gewöhnlich verdickt, häufig mit Kalkablagerungen versehen. Die Oberfläche zeigt in der Regel ebenfalls Abweichungen, indem bald die ganze Membran oder nur Teile derselben nach einwärts gezogen und häufig mit der gegenüberliegenden Trommelhöhlenwand verwachsen sind.

Kleinere Perforationen sehen nach Entfernung des Sekretes bei wenig intensiver Beleuchtung schwarz aus und grenzen sich dadurch von der Umgebung scharf ab, bei grösseren Perforationen dagegen zeigt sich im Hintergrunde die Trommelhöhlenschleimhaut. Dieselbe befindet sich im Zustande der chronischen Entzündung mit hyperämischer Schwellung, Zellenfiltration und Bindegewebsneubildung. Entweder ist die Schwellung eine gleichmässige, mit glatter Oberfläche, oder es bilden sich einzelne cirkumskripte Hypertrophien, welche der Oberfläche ein granulöses Aussehen geben. In manchen Fällen besteht Atrophie der Schleimhaut. Um sich vom Zustande der Schleimhaut zu überzeugen, kann man sich der Sonde bedienen.

Eine besondere Stellung in der Pathologie der chronischen Mittelohreiterung nehmen diejenigen Processe ein, bei welchen eine Perforation der Shrapnell'schen Membran besteht. Bei der ungünstigen Lage der Perforation ist der Sekretabfluss erschwert, wodurch leicht gefährliche Komplikationen eintreten können. Der Sitz der Eiterung ist schwer zugänglich, so dass für die Behandlung besondere Eingriffe erforderlich sind. In einer verhältnissmässig grossen Anzahl von Fällen gelingt es nicht, vermittelst der durch die Eustachi'sche Röhre vorgenommenen Lufteintreibungen den Eiter durch die Oeffnung in der Shrapnell'schen Membran auszutreiben, da eine Kommunikation zwischen beiden nicht besteht.

Von Prussak und von Politzer wurde nachgewiesen, dass zwischen der Shrapnell'schen Membran und dem Hammerhals ein oder mehrere von zarten, dünnen Membranen umkleidete, kleine Hohlräume sich befinden. Von Kretschmann wurde neuerdings ein etwas grösserer Raum geschildert, der als Hammer-Amboss-Schuppenraum bezeichnet wird. Diese anatomischen Erfahrungen führten zu der Annahme, dass in diesen Hohlräumen die Eiteransammlung stattfinde und bei Abschluss derselben nach der Paukenhöhle zu die Kommunikation zwischen Eustachi'scher Röhre und Perforationsöffnung aufgehoben sei.

In meiner Sammlung pathologischer Präparate befinden sich 5 Schläfenbeine, an welchen die an der Leiche zu beobachtenden Veränderungen sich ersehen lassen.[1]) Von vier Präparaten mit Perforation der Shrapnell'schen Membran entstammen drei Patienten, welche durch Hirnabscess, und eins einem Patienten, welcher durch Sinusthrombose das Leben einbüssten. Bei dem Inhaber eines fünften Präparates bestand während des Lebens nicht komplicirte chronische eiterige Mittelohrentzündung mit Perforation des Trommelfells vorn unten und einer Narbe in der Shrapnell'schen Membran.

In der Paukenhöhle bestanden folgende Veränderungen. Es fand sich in drei Fällen der obere Teil der Paukenhöhle, den die Amerikaner als „Attic" bezeichnen, für den ich den Namen

---

[1]) Ueber Veränderungen in der Paukenhöhle bei Perforation der Shrapnell-schen Membran. Von Dr. Arthur Hartmann in Berlin. Deutsche med. Wochenschr. No. 45. 1888.

„Kuppelraum“ wählen möchte, abgeschlossen von dem unteren Teil durch Membranen, welche in der Höhle des Hammerhalses nach vorn und nach hinten von demselben sich zwischen innerer und äusserer Paukenhöhlenwand ausspannten. Die Membranen erstrecken sich von der Tensorsehne nach vorn über die tympanale Oeffnung der Eustachi'schen Röhre, nach hinten bis zur unteren Wand des Zuganges zum Warzenfortsatz. In einem Falle ist die Abschliessung eine vollständige, in zwei Fällen besteht eine kleine Oeffnung vor der Tensorsehne zwischen vorderem Teil des Kuppelraumes und vorderem unterem Teil der Paukenhöhle. Ausserdem bestehen in diesen Fällen membranöse Verbindungen zwischen Trommelfell und Paukenhöhlenwand.

Unter solchen Verhältnissen ist die Kommunikation zwischen Eustachi'scher Röhre und der Perforationsöffnung in der Shrapnell'schen Membran gehindert. Eine gründliche Entfernung von eingedickten Sekreten und angesammelten Massen im Kuppelraum kann nur durch Ausspülungen vermittelst der Paukenröhre erwartet werden, da bei Ausspülungen durch die Eustachi'sche Röhre der obere Teil des Kuppelraumes nicht getroffen wird.

In dem vierten Fall bestehen Verwachsungen zwischen Trommelfell und Amboss einerseits, und Amboss und innerer Paukenhöhlenwand andererseits, durch welche der hintere Teil des Kuppelraumes von dem unteren hinteren Teil der Paukenhöhle abgeschlossen ist.

Bei dem fünften Präparate mit Narbenbildung in der Shrapnell'schen Membran gehen sowohl vom Hammer als vom Amboss membranöse Stränge nach der äusseren Wand des Kuppelraumes. Dieselben lassen einen nach oben offenen Gang zwischen sich, der mit einem Exsudatpfropf ausgefüllt ist.

Bei dreien dieser Fälle bestanden Polypen, die vom Perforationsrande ausgehend, teils in der Perforation, teils im äusseren Teil des Kuppelraumes ihren Sitz hatten. Die Gehörknöchelchen, besonders der Hammerkopf, zeigen kariöse Veränderungen.

Bei zweien der obigen Fälle bestand der Inhalt von Paukenhöhle und Warzenfortsatzhöhle aus sog. Cholesteatommassen, Perlgeschwülsten, bei zweien aus käsigen, eingedickten Eitermassen.

Nach diesen Präparaten scheint es nicht, dass die vorgebildeten Prussak'schen, Politzer'schen, Kretschmann'schen Hohlräume, die von sehr zarten Membranen umschlossen werden, eine wesentliche Rolle spielen, es scheint vielmehr, dass da, wo sich eingedickte Eiter- oder Epithelmassen ablagern oder Granulationen sich bilden, sich in der Umgebung membranöse Stränge entwickeln, welche die als Fremdkörper wirkenden Massen von dem übrigen Teil der Paukenhöhle abzuschliessen suchen.

Aus den verschiedenfachen Neubildungen membranöser Stränge zwischen Paukenhöhlenwandungen und Gehörknöchelchen ergiebt sich die weitere therapeutische Schlussfolgerung, dass, wenn es sich darum handelt, das Trommelfell mit den Gehörknöchelchen zu entfernen (Kessel'sche Operation), die Verbindungsstränge erst ausgiebig gelöst werden müssen, um die Entfernung gelingen zu lassen.

Während die Trommelhöhlenschleimhaut für gewöhnlich durch das Trommelfell einen Schutz gegen äussere Einflüsse besitzt, ist sie bei fehlendem Trommelfell allen Einflüssen der Atmosphäre ausgesetzt. Es treten deshalb im Verlaufe der chronischen Mittelohreiterung nicht selten akute Exacerbationen auf. Während derselben ist die Sekretion vorübergehend beschränkt, um schon am zweiten oder dritten Tage um so reichlicher zu werden. Die Trommelhöhle und das Trommelfell befinden sich im Zustande frischer Entzündung, gleichzeitig stellen sich intensive Schmerzen ein, zu denen Ohrensausen, pulsirende Geräusche und stärkere Schwerhörigkeit tritt. Nicht selten kommt es zu solchen reaktiven Entzündungen in Folge von therapeutischen Eingriffen, nach Operationen oder nach der Anwendung von reizenden Medikamenten. Auch wenn die Entzündung der Schleimhaut vollständig rückgängig geworden ist, bleibt die Disposition zu neuer Erkrankung bei vorhandenem Substanzverlust im Trommelfelle bestehen. Am häufigsten wird dieselbe durch Eindringen kalten Wassers beim Waschen oder Baden hervorgerufen.

Die Schwerhörigkeit bei der eiterigen Mittelohrentzündung hängt nur zum Teile ab von der Grösse der Trommelfellperforation, hauptsächlich von der mehr oder weniger erhaltenen Schwingungsfähigkeit der Labyrinthfenster, so dass unter Umständen bei kleiner Perforation sehr beträchtliche Schwerhörigkeit bestehen kann, während andererseits bei vollständigem Fehlen des Trommelfells, sowie auch des Hammers und des Ambosses gute Hörfähigkeit vorhanden sein kann. In der Regel ist die Kopfknochenleitung erhalten und verstärkt; ist auch diese beträchtlich eingeschränkt, so muss auf gleichzeitig im Labyrinth noch bestehende Störungen geschlossen werden. Ein auffallend gutes Hörvermögen besteht meist bei Perforation der Shrapnell'schen Membran.

In manchen Fällen sind subjektive Gehörsempfindungen und Schmerzen im Ohre vorhanden, meistens fehlen dieselben. Die letzteren können auftreten in erster Linie bei Sekretverhaltung, sodann bei Ausbreitung der Entzündung oder der Destruktion, und wie ich aus meinen Sektionsbefunden glaube annehmen zu dürfen, bei Verdichtungsprocessen im Knochen, bei Sklerosirung des Warzenfortsatzes. Moos lenkte die Aufmerksamkeit auf das Vorkommen von Trigeminusneuralgien im Verlaufe der eiterigen Mittelohraffektionen. Dieselben betreffen stets nur einen Ast des Trigeminus, am häufigsten den ersten, seltener den zweiten oder dritten, stets nur auf der Seite der Ohraffektion[1]).

Mosler[2]) beobachtete einen schweren Fall von Nieskrampf (circa 30 Niesanfälle nacheinander, zwischen den einzelnen Paroxymen nur Pausen von $^1/_2$—1 Minute), bedingt durch eiterige Mittelohrentzündung. Während der Anfälle befand sich die betreffende Patientin in der bedauernswertesten Lage. Durch Druck auf das entzündete Ohr konnten die Anfälle gesteigert werden; mit Verschlimmerung des Ohrleidens nahmen die Anfälle zu, bei Besserung wurden sie seltener.

In grosser Häufigkeit (46 Mal unter 50 Fällen) konnten von Urbantschitsch bei eiteriger Mittelohrentzündung Anomalien der Geschmacksperception auf der Zungenoberfläche der erkrankten Seite nachgewiesen werden, verursacht durch Uebergreifen des Entzündungsprocesses auf die Chorda tympani. Auch vollständiger Verlust des Geschmackes auf der entsprechenden Hälfte der Zungenoberfläche wurde bei eiteriger Mittelohrentzündung beobachtet. In einem Falle, bei welchem ich die Auskratzung eines Polypenrestes am hinteren Rande des Trommelfells vornahm, erfolgte Geschmackslähmung auf den vorderen zwei Dritteln der gleichseitigen Zungenoberfläche durch Verletzung der Chorda tympani, welche diesen Teil der Zunge mit Geschmacksfasern versorgt.[3])

---

[1]) Nach Moos kommen Trigeminusneuralgien bei folgenden Ohraffektionen zur Beobachtung: bei akuter eiteriger Entzündung der Trommelhöhle, bei chronischer Entzündung des Warzenfortsatzes ohne Phlebitis des Sinus transversus und endlich bei Cholesteatom der Trommelhöhle. In der otologischen Sektion der Naturforscherversammlung in Freiburg teilte Moos einen Fall mit, in welchem die Neuralgie durch eine Exostose im äusseren Gehörgang veranlasst war.

[2]) Virchow's Arch. Bd. XIV, S. 557.

[3]) Die Beziehungen der Chorda tympani zur Geschmacksperception auf den vorderen zwei Dritteln der Zunge. Von Ed. Schulte. Zeitschr. f. Ohrenheilk. Bd XV, S. 67.

Durch direkte Reizung der Chorda tympani bei Einspritzungen, Pulvereinblasungen, bei Berührung mit der Sonde, bei der Entfernung von Polypen werden nicht selten Geschmacksempfindungen auf der entsprechenden Zungenhälfte hervorgerufen.

Durch Uebergreifen der Entzündung auf den Facialkanal kann es zu vorübergehender oder dauernder Lähmung des Nervus facialis kommen. Entweder handelt es sich nur um entzündliche Infiltration oder um Druck, der von den Wandungen des Kanales auf den Nerven ausgeübt wird. In beiden Fällen kann durch Rückbildung der Entzündung und Resorption der abgelagerten Produkte, oder wenn der einwirkende Druck beseitigt wird, eine Besserung oder eine Wiederherstellung eintreten. In den schweren Fällen kommt es zu eiteriger Erweichung und Zerstörung des Nervenstammes. Bei kariöser Zerstörung der Kanalwandung ist die Prognose eine sehr ungünstige, dagegen tritt bisweilen bei Sequesterbildung im Warzenfortsatze nach Entfernung des abgestossenen Knochens Heilung ein. Im Allgemeinen ist die Prognose günstiger bei Kindern als bei Erwachsenen.

Verlauf und Ausgänge.

Die Dauer des Leidens ist eine sehr verschiedene, in manchen Fällen gelangt dasselbe nach Monate oder Jahre langem Bestehen von selbst zur Heilung oder es bleibt durchs ganze Leben eiterige Absonderung, bald stärker, bald schwächer auftretend, bestehen. Tritt Heilung ein, so geht die Schleimhautschwellung zurück, die Oberfläche überkleidet sich mit derbem Epithel, erscheint jetzt trocken, hellrot oder gelblich. Die Trommelfellöffnung bleibt entweder bestehen oder dieselbe schliesst sich. Häufig finden sich Verwachsungen mit der inneren Trommelhöhlenwand. Sind beträchtliche Zerstörungen des Trommelfells mit Verlust der Gehörknöchelchen vorhanden, so findet eine Regeneration nicht mehr statt, während bei erhaltenem Hammer und, wenn noch ein Rand der Membran übrig geblieben ist, selbst den grössten Teil des Trommelfells einnehmende Substanzverluste durch Narbengewebe ersetzt werden können. Nach der Abheilung zeigen sich die Reste des Trommelfells in der Regel stark verdickt, häufig mit Kalkeinlagerungen versehen. Sind die Gehörknöchelchen noch vorhanden, so ist ihre Schwingungsfähigkeit meist beeinträchtigt oder ganz aufgehoben, ihr Schleimhautüberzug, sowie die Verbindung mit dem ovalen Fenster kann vollständig rigide geworden sein. Ebenso kann die das runde Fenster überkleidende Schleimhaut ihre Schwingungsfähigkeit verloren haben. In beiden Fällen ist die Schwerhörigkeit eine sehr hochgradige.

Die Prognose der Mittelohreiterung ist je nach der Ausdehnung, nach dem Charakter und je nachdem Komplikationen bestehen, eine sehr verschiedene. Da die Komplikationen sich jeder Mittelohreiterung anschliessen können, werden wir uns dieselben stets vor Augen halten müssen und uns die Worte Wilde's ins Gedächtniss zurückrufen, dass, so lange ein Ohrenfluss besteht, wir niemals zu sagen vermögen, wie, wann und wo er endigen wird, noch wohin er führen kann.

Ein mit eiteriger Mittelohrentzündung Behafteter wird von der Aufnahme in eine Lebensversicherung oder von der Zulassung zum Militairdienste auszuschliessen sein. Ist Heilung eingetreten mit Verschluss der Trommelfellperforation, so wird sowohl der Versicherung, als auch dem Militairdienste kein Hinderniss im Wege stehen. Ist eine Oeffnung im Trommelfell bestehen geblieben, die Schleimhaut jedoch trocken mit dermoider Beschaffenheit, so ist die Disposition zu gefährlichen Recidiven eine sehr geringe, so dass eine Lebensversicherung, wenn auch unter erschwerten Bedingungen, stattfinden und ebenso auch der militairischen Dienstpflicht genügt werden kann.[1])

---

[1]) Nach der Rekrutirungsordnung fürs Deutsche Reich machen folgende, das Hörorgan betreffende Krankheiten bedingt tauglich (kommen zur Ersatzreserve): d) Taubheit auf einem Ohre nach abgelaufenen Krankheitsprocessen; e) Mässiger Grad von chronischer Schwerhörigkeit auf beiden Ohren (Hörweite [für Flüstersprache cfr. S. 26] von ungefähr 4 m abwärts bis 1 m).

Dauernde Untauglichkeit besteht bei: 28) Fehlen einer Ohrmuschel; 29) Taubheit oder unheilbare Schwerhörigkeit auf beiden Ohren (eine Hörweite von ungefähr 1 m abwärts); 30) Erhebliche schwer heilbare Krankheitszustände des Gehörapparates; 37) Stummheit, Taubstummheit.

Bei militairisch ausgebildeten Mannschaften wird die Felddienstfähigkeit aufgehoben bei den oben unter d) und e) genannten Krankheiten. Die Feld- und Garnisondienstfähigkeit wird aufgehoben bei den unter 28), 29) und 30) genannten Krankheiten.

Absatz 30) lautete früher:

„Bleibende Durchlöcherung des Trommelfells, sowie andere erhebliche schwer heilbare Krankheitszustände des Gehörapparates." Es mussten jedoch während eines Rapportjahres (1878—79) 462 von den eingestellten Mannschaften wegen Durchlöcherung des Trommelfells aus der preussischen Armee als dienstunbrauchbar entlassen werden. Auf Grund der Abänderung steht nunmehr den Obermilitairärzten die Entscheidung zu, ob die Erkrankung eine gefährliche oder eine

Das Fortbestehen der Sekretion kann bedingt sein durch den Reiz, welchen abgelagerte, meist in Zersetzung begriffene Sekrete auf die unterliegende Schleimhaut ausüben; häufig wird dasselbe veranlasst durch Polypenbildung oder durch Miterkrankung der knöchernen Wände (Karies, Nekrose). In einer nicht unbedeutenden Anzahl von Fällen giebt die eiterige Mittelohrentzündung die Todesursache ab durch Uebergreifen des Entzündungsprocesses auf die benachbarten Blutgefässe (Sinusphlebitis, Sinusthrombose) oder auf das Innere der Schädelhöhle (Meningitis, Hirnabscess). Begünstigt wird das Zustandekommen dieser Komplikationen durch die Ablagerung und Stagnation von Sekretionsproduktien in der Trommelhöhle und ihren Ausbuchtungen, insbesondere im Warzenfortsatze.

Die der eiterigen Mittelohrentzündung sich anschliessenden Komplikationen:

1. Ablagerung von Sekretionsprodukten und Cholesteatombildung in der Trommelhöhle und ihren Ausbuchtungen.

Die Retention und Ablagerung von Absonderungsprodukten findet besonders statt, wenn Hindernisse vorhanden sind, welche sich dem freien Sekretabflusse in den Weg stellen, bei engen, ungünstig gelegenen Perforationsöffnungen im Trommelfelle, bei Verwachsungen der Membran mit der inneren Trommelhöhlenwand, bei Polypenbildung, bei Schwellungen in der Trommelhöhle oder im äusseren Gehörgange. Es findet bei einer solchen Behinderung des Sekretabflusses eine Art von Filtration statt, indem die festen Bestandtheile des Sekretes zurückbleiben, während die flüssigen abfliessen. Durch die auf solche Weise erfolgende Eindickung des Sekretes nehmen die abgelagerten Massen eine käsige oder krümlige Beschaffenheit an.

Bei noch bestehender Absonderung oder nachdem dieselbe bereits ihr Ende erreicht hat, bilden sich bisweilen Perlgeschwülste oder Cholesteatome. Dieselben bestehen aus abgestossenen Epithelmassen, die entweder nur einzelne Membranen bilden, oder kugelige erbsen- bis haselnussgrosse koncentrisch geschichtete Gebilde. Die Zellen, aus welchen diese Geschwülste bestehen, sind grosskernige

---

leichte, unkomplicirte ist, welche bei sonst gesunden und kräftigen Mannschaften keinen Grund zur Unbrauchbarkeitserklärung abgiebt. Es wird somit bei den Obermilitairärzten eine genaue Kenntniss der Pathologie des Ohres vorausgesetzt.

platte Epithelzellen, denen mehr oder weniger zahlreiche Cholestearinkrystalle beigemengt sind. Die Epithelmassen sind als das Produkt einer Abschuppung der dermoid entarteten Schleimhautoberfläche zu betrachten. Am häufigsten findet sich die Desquamation im Antrum mastoideum, seltener in der Trommelhöhle. Die Ablagerung der Absonderungsprodukte lässt sich meist bei der Untersuchung erkennen, indem hinter der verengten Stelle, insbesondere in der Tiefe der Trommelhöhle, eingedickte oder membranöse Massen entdeckt, mit der Sonde gelockert und entfernt werden können. Zuweilen ist die Trommelhöhle und das Antrum mastoideum vollständig mit käsigen oder cholesteatomatösen Massen angefüllt. Der Ausfluss aus dem Ohre ist unter diesen Verhältnissen sehr gering oder er kann ganz fehlen.

Die abgelagerten Massen üben auf die knöchernen Wandungen einen Reiz aus, der zu Sklerose, zu Druckatrophie, zu Karies und Nekrose führen kann. Je nach der Richtung, nach welcher sich diese Processe erstrecken, kann es zum Durchbruch nach aussen, nach der äusseren Oberfläche des Warzenfortsatzes und nach dem Gehörgange oder nach den benachbarten Blutgefässen und in die Schädelhöhle kommen.

Die Erscheinungen, zu welchen diese Ablagerungen als solche Veranlassung geben können, sind Gefühl von Druck und Schwere im Kopfe, Kopfschmerz, Schwindel, Fieber. Häufig treten akute, mit heftigem Schmerz verbundene Exacerbationen auf. Mit der Beseitigung der angesammelten Massen werden die Erscheinungen zum Schwinden gebracht, wenn noch keine weiteren Komplikationen sich dazugesellt haben.

Besteht vollständige Behinderung des Sekretabflusses, so kommt es zu den heftigsten Erscheinungen, hohem Fieber, hochgradigsten Schmerzen im Ohre und im Kopfe, Erscheinungen meningitischer Reizung, Schwindel, Erbrechen.

2. Polypenbildung.

Die Ohrpolypen entwickeln sich besonders bei veralteten, vernachlässigten Otorrhoen. Sie kommen bald nur als kleine, den Wandungen der Trommelhöhle aufsitzende Knötchen zur Beobachtung, bald füllen sie den äusseren Gehörgang aus. Die grosse Mehrzahl der Ohrpolypen entspringt von der Labyrinthwand. Unter 100 Fällen sahen Moos und Steinbrügge[1]) 75 von dort ent-

[1]) Zeitschr. f. Ohrenheilk. Bd. XII, S. 43.

springen, während 25 ihren Sitz im äusseren Gehörgang hatten. Von den Trommelfellrändern entspringen sie selten, bisweilen sind die Gehörknöchelchen, insbesondere der Hammer, in die Polypenmasse eingebettet. In der Regel bilden sich Polypen bei Erkrankungen der Knochen, besonders bei Sequesterbildung. Sie begünstigen die vollständige Ausstossung des Sequesters und tragen wohl auch zu dessen Verkleinerung bei. Ihren Ursprung nehmen die Polypen entweder mit schmalem, dünnem Stiele oder sie sitzen der Unterlage mit breiter Basis auf. In manchen Fällen drängt sich ein Trommelhöhlenpolyp mit dünnem Stiele durch eine kleine Perforationsöffnung des Trommelfells und präsentirt sich als Polyp des äusseren Gehörganges. Mehrere Fälle sind beobachtet, in welchen Trommelhöhlenpolypen bestanden, ohne dass Perforation des Trommelfells vorhanden war. Zehn Mal war unter den 100 Fällen von Moos und Steinbrügge die Polypenbildung Begleiterscheinung von Karies. Nach ihrem Baue lassen sich drei verschiedene Formen von Polypen unterscheiden: Granulationsgeschwülste, Fibrome und Myxome. Die ersteren werden am häufigsten beobachtet (nach Moos und Steinbrügge 55 unter 100): sie bestehen aus areolärem Bindegewebe, in welches Exsudatzellen und Bindegewebszellen in grösserer oder geringerer Anzahl eingelagert sind. Sie enthalten zahlreiche Blutgefässe und schleimhaltige Flüssigkeit. Ihr Bau ist ein papillärer. Wenn die Papillen stark wuchern und mit ihren Enden sich aneinander legen, so entstehen drüsenartige Schläuche oder abgeschlossene Hohlräume, Schleimcysten. Bei längerem Bestehen entwickeln sich die zelligen Elemente zu Spindelzellen und Bindegewebsfasern, die Geschwulst bekommt eine festere, derbere Beschaffenheit, ein Teil der Blutgefässe obliterirt. Die Granulationsgeschwulst wird zum Fibrom. Der Ueberzug dieser Polypen besteht bei den tiefer sitzenden aus Cylinderepithel, das bisweilen mit Flimmerhaaren besetzt ist. Je mehr der Polyp nach aussen rückt, um so mehr nimmt das Epithel eine platte Form an und bekommt schliesslich eine epidermoidale Beschaffenheit. Die Oberfläche der Granulationsgeschwülste ist meist höckerig, himbeerförmig, die der Fibrome glatt. Die Farbe ist je nach dem Blutreichtum und der Epithelbekleidung verschieden. Die seltenste Form der Ohrpolypen bilden die Myxome von gallertartiger Beschaffenheit (5 unter 100).

Ist Polypenbildung eingetreten, so wird dadurch die Otorrhoe unterhalten und es kann dieselbe erst nach Entfernung der vorhandenen Polypen beseitigt werden. Bei Manipulationen im äusseren Gehörgang, beim Reinigen oder beim Ausspritzen kommt es leicht zu Blutung aus der Polypenoberfläche oder es ist häufig dem Sekrete auch ohne direkte Veranlassung Blut beigemengt, was für die Diagnose verwertet werden kann.

Die Polypen können Jahre lang bestehen ohne andere Erscheinungen als Schwerhörigkeit und Ohrenfluss. Zu Gefahr geben sie Veraulassung, wenn sie den Abfluss des hinter ihnen gebildeten eiterigen Sekretes behindern.

3. Erkrankung der knöchernen Wandungen.

a) Sklerose. In sehr vielen Fällen findet sich im Gefolge der chronischen eiterigen Mittelohrentzündung durch reaktive Vorgänge Sklerosirung der das Mittelohr umschliessenden Knochenkapsel; besonders im Warzenfortsatze entwickelt sich eine vollständige Umwandlung der das Antrum mastoideum umgebenden Hohlräume, an deren Stelle eine gleichförmige, elfenbeinharte Knochensubstanz tritt. Ich fand an der Leiche wiederholt den ganzen Warzenfortsatz aus solcher Knochenmasse bestehend, in anderen Fällen nur einen koncentrischen Ring um das Antrum mastoideum von derselben gebildet.[1])

Wendt sah bei Sektionen öfters die Höhlen und Zellen des Warzenfortsatzes durch Schwellung ihrer Schleimhautauskleidung völlig ausgefüllt, das Lumen derselben gänzlich aufgehoben, was in den höchsten Graden zu einer mit heftigem Schmerz verbundenen Einklemmung der Schleimhaut Veranlassung giebt. Ebenso fand Buck die Zellenräume mit einer rötlichen, pulpösen Masse ausgefüllt.

Es kann nun keinem Zweifel unterworfen sein. dass sich Sklerose aus diesen Krankheitsprocessen entwickelt, indem eine Hyperplasie des Knochengewebes, eine Ostitis interna osteoplastica sich damit verbindet. Die Knochenbildung nimmt schliesslich den ganzen Binnenraum der früher lufthaltigen Zellen ein.

Sowohl in dem früheren akuten Stadium des Processes der entzündlichen Schwellung, als auch in dem späteren Stadium der Sklerose bestehen meist hochgradige Schmerzen. Diese Schmerzen werden beseitigt, wenn der sklerotische Knochen angebohrt oder aufgemeisselt wird, auch ohne dass das Antrum mastoideum eröffnet

---

[1]) Ueber Sklerose des Warzenfortsatzes. Zeitschr. f. Ohrenheilk. Bd. VIII.

wird. In zwei Fällen, bei welchen nach längst abgelaufenen Otorrhoen hochgradige Schmerzen im Ohre bestanden, welche in die Warzenfortsatzgegend lokalisirt wurden, fand ich bei der Sektion, ohne dass Entzündung der Schleimhaut vorhanden war, Sklerose des Warzenfortsatzes. Ich vermute, dass der Schmerz durch den bei der Neubildung von Knochengewebe stattfindenden Druck auf den in den Warzenzellen sich ausbreitenden Ast des Trigeminus hervorgerufen wurde.

Die Sklerose des Warzenfortsatzes findet sich entweder als selbständig verlaufende Periostitis und Ostitis interna, welche nach bereits abgelaufener Trommelhöhlenentzündung sich weiter entwickelt oder als ein die Trommelhöhlenentzündung begleitender Krankheitsprocess, der mit dem Fortschreiten der ersteren entweder stationär bleibt, oder ebenfalls weiter schreitet.

Während früher angenommen wurde, dass mit der Sklerosirung des Warzenfortsatzes eine allgemeine Vergrösserung desselben stattfinde, habe ich an der Hand von Leichenpräparaten nachgewiesen, dass dies für gewöhnlich nicht der Fall ist, die Sklerosirung sich vielmehr auf das Innere des Warzenfortsatzes beschränkt. Nur bei der mit Druckatrophie verbundenen Sklerose kommt es bisweilen zu einer Gesammtvergrösserung des Warzenfortsatzes.

b) Atrophie des Knochens.

Durch Druck der im Antrum mastoideum befindlichen Ablagerungen, insbesondere der Perlgeschwülste, kann eine Atrophie des Knochens eintreten, welche schliesslich zum Durchbruch der abgelagerten Massen führen kann. So fand ich bei einem Präparate, welches sich in meiner Sammlung befindet, Cholesteatommassen im erweiterten Antrum nur durch eine papierdünne Schichte des sonst sklerotischen Knochens vom äusseren Gehörgange getrennt. Wird auch diese Schichte durchbrochen, so erfolgt nach vorausgegangener Vorwölbung der hinteren Gehörgangswand die spontane Entleerung von Cholesteatommassen in den Gehörgang. Mehrfach wurde der Durchbruch nach der äusseren Oberfläche des Warzenfortsatzes beobachtet, seltener ein solcher nach dem Innern des Schädels.

c) Karies und Nekrose des Felsenbeines. Die destruktiven Knochenprocesse kommen am häufigsten bei Leuten mit schwächlicher Konstitution, bei skrophulösen oder phthisischen Individuen, die nicht selten schon mit anderen innerlichen Leiden behaftet sind, zur Beobachtung. Sowohl bei akuter, als bei chronischer Mittelohrentzündung kann es zu Karies oder Nekrose des Felsenbeines kommen. Die überkleidende Schleimhaut wird zerstört und der von ihr bedeckte Knochen blossgelegt, wodurch sich eine ulcerative Ostitis, Karies superficialis, entwickelt. Begünstigt wird das Auftreten der Karies, wenn Ansammlung von in Zersetzung begriffenen Absonderungsprodukten besteht. Wird durch den Entzündungsprocess ein Teil des Knochens seiner Blutzufuhr beraubt, so kommt es zur Nekrose. Durch dieselbe kann ein grosser Teil des Felsenbeines zerstört und ausgestossen werden.

Die destruktiven Knochenprocesse betreffen sowohl die Wandungen der Trommelhöhle, als insbesondere den Warzenfortsatz, dessen Hohlräume durch ihre Beschaffenheit und durch ihre Lagerung eine günstige Gelegenheit für die Ablagerung von Sekretionsprodukten bieten. Am häufigsten findet die Fortpflanzung der Eiterung nach aussen statt, indem sich kariöse Kanäle nach der äusseren Oberfläche des Warzenfortsatzes entwickeln. Am gefährlichsten ist die Fortpflanzung nach der Schädelhöhle durch Zerstörung des Daches der Trommelhöhle und des Antrum mastoideum mit Eröffnung der mittleren Schädelgrube oder durch die Bildung kariöser Kanäle nach der hinteren Schädelgrube. Seltener werden durch Zerstörung der unteren oder vorderen Wand der Trommelhöhle die Vena jugularis oder die Carotis interna afficirt. Blutungen können ausser aus diesen Gefässen aus den Blutleitern der Schädelhöhle oder aus der Arteria meningea media und der Arteria stylomastoidea stattfinden. Bei den venösen Blutungen strömt das Blut dunkelrot, ziemlich gleichmässig, bei den arteriellen hellrot, stossweise aus. Karotisblutungen können so stark sein, dass das Blut in einem dicken Strahl aus dem Gehörgange tritt. Diese Blutungen können in wenigen Minuten zum Tode führen. Der Facialkanal kann eröffnet und dadurch Facialparalyse herbeigeführt werden. Das Labyrinth ist durch seine feste Knochenkapsel, welche dem destruirenden Process Widerstand leistet, geschützt, wenn nicht durch Zerstörung der membranösen Labyrinthfenster die Eiterung sich auf das Innere fortpflanzt und von da durch den Porus acusticus internus auf die hintere Schädelgrube übergreift. Um die knöcherne Labyrinthkapsel herum bilden sich dagegen häufig kariöse Kanäle, entweder nach hinten unten bis zur hinteren Schädelgrube, oder in anderen Fällen zwischen oberer Wand des Labyrinthes und mittlerer Schädelgrube. Findet so auf verschiedenen Seiten kariöse Zerstörung statt, so kann das Labyrinth vollständig oder teilweise vom übrigen Teil des Felsenbeines getrennt und ausgestossen werden.

Am seltensten kommt die vollständige Ausstossung des Labyrinthes zur Beobachtung. Weniger selten sind Ausstossungen der Schnecke. In einem Falle konnte ich einen Sequester extrahiren, der alle Halbcirkelkanäle, den Vorhof mit den Fenstern, einen Teil der Schnecke und den Meatus auditorius internus enthielt. Eine solche Abstossung erfordert sehr lange Zeit. In diesem Falle bestand die auch von Andern beobachtete Erscheinung, dass der Patient nach der Heilung bei allen mit Stimmgabeln verschiedener Tonhöhe angestellten Versuchen angab, den Ton der auf die Mitte des Schädels aufgesetzten Gabeln auf der labyrinthlosen Seite zu hören. Mit der Labyrinthnekrose ist Facialisparalyse verbunden.

In sehr seltenen Fällen pflanzt sich der kariöse Process unter dem Canalis semicircularis superior fort durch den Hiatus subarcuatus, der aus der Kindheit übrig gebliebenen Andeutung der Fossa subarcuata (v. Tröltsch), von welcher aus Blutgefässe nach der Trommelhöhle verlaufen. Je ein solcher Fall ist von Voltolini, Odenius, v. Tröltsch, ein vierter aus meiner eigenen Sammlung beschrieben.

Beim Durchbruch der Eiterung nach der äusseren Oberfläche des Warzenfortsatzes bildet sich starke Schwellung und Rötung hinter der Ohrmuschel. Diese selbst wird von ihrer Unterlage abgehoben, nach aussen und vorn gedrängt. Die Infiltration der Weichteile ist oft sehr beträchtlich, so dass man bei Eröffnung des Abscesses nicht selten erst in der Tiefe von 2 cm und mehr auf den Knochen stösst. Bei dieser Abscessbildung ist besonders im kindlichen Lebensalter zu berücksichtigen, dass dieselbe meist dadurch entsteht, dass der Eiterabfluss nach dem Gehörgange durch nur kleine Perforationen, durch Polypen, eingedickte Sekretmassen oder Sequester gehemmt ist und der Eiter sich nun durch den Warzenfortsatz nach aussen Abfluss zu verschaffen sucht. Für die Behandlung ergiebt sich daraus, dass es nicht genügt, den Abscess über dem Warzenfortsatz zu eröffnen und gegebenen Falls den Warzenfortsatz aufzumeisseln, es muss ausserdem der freie Sekretabfluss aus der Trommelhöhle nach dem äusseren Gehörgange wieder hergestellt werden.

Nicht selten kommt es bei akuter oder chronischer eiteriger Mittelohrentzündung zu Abscessbildung auf der Oberfläche des

Warzenfortsatzes, ohne dass eine Kommunikation mit den Hohlräumen desselben besteht. Nach Incision unter antiseptischen Kautelen tritt in solchen Fällen rasch die Heilung ein.[1])

Auf eine besondere Form der Ausbreitung des Entzündungsprocesses auf die Oberfläche des Warzenfortsatzes macht neuerdings Bezold[2]) aufmerksam, und zwar auf die Ausbreitung nach der inneren Fläche der Spitze des Warzenfortsatzes. Hier sind die pneumatischen Zellen häufig nur von einer papierdünnen Knochenplatte bedeckt, durch welche der Eiteraustritt stattfinden kann. Tritt der Durchbruch nach der Innenfläche des Warzenfortsatzes ein, so verbreitet sich der Eiter unter den Muskeln, welche sich auf der äusseren Fläche inseriren. Nach Bezold macht es zuerst den Eindruck, als handelte es sich um entzündliche Infiltration der Muskelansätze, die emporgehoben erscheinen. Es entwickelt sich eine bretthharte Schwellung zu beiden Seiten des Kopfnickers. Die in beträchtlicher Tiefe stattfindende Eiteransammlung kann entweder nach der äusseren Fläche des Halses, oder nach oben in den Gehörgang durchbrechen. Bei Ausbreitung der Eiterung nach innen kann der Process durch Glottisödem, durch Eitersenkung in den Thoraxraum, durch Erschöpfung zum Tode führen.

Wiederholt wurden von mir Fälle von Durchbruch des Eiters auf die Oberfläche der Schuppe beobachtet.[3])

Im kindlichen Lebensalter kommt es häufig zu nekrotischen Abstossungen, welche den Warzenteil betreffen. In der Regel wird der zwischen Antrum und äusserem Gehörgange befindliche Teil von der Nekrose betroffen.

Im Schläfenbein des Kindes besteht als Antrum petrosum ein grosser Hohlraum (vgl. A, A der beiden sagittalen Durchschnitte durch Schläfenbeine dreijähriger Kinder), dessen Wandungen durch die hintere Gehörgangswand (der Pars squamosa des Schläfenbeins angehörend), die äussere Fläche des Warzenteils, die Wand des Sinus transversus und den das Labyrinth einschliessenden Teil des Felsenbeines gebildet werden. Dieser Hohlraum verkleinert sich durch das von den Wandungen, insbesondere von der Pars squamosa vorwachsende

[1]) Abscesse auf der äusseren Oberfläche des Warzenfortsatzes, ohne Erkrankung des Mittelohres, sind mehrfach beschrieben als akute Periostitis der Warzenfortsatzoberfläche. Dieselben können, wenn die Incision nicht gemacht wird, nach dem äusseren Gehörgange durchbrechen.

[2]) Ein neuer Weg für Ausbreitung eiteriger Entzündung etc. Deutsche med. Wochenschr. No. 28, 1881.

[3]) Ueber den Eiterdurchbruch bei Erkrankungen des Warzenfortsatzes an aussergewöhnlichen Stellen. Von Dr. R. Cholewa. Deutsche med. Wochenschr. No. 49, 1888.

Balkenwerk, so dass schliesslich nur ein relativ kleiner Hohlraum des Antrum mastoideum übrig bleibt. Die Zellenräume (Z, Z) verfallen am häufigsten der nekrotischen Ausstossung.

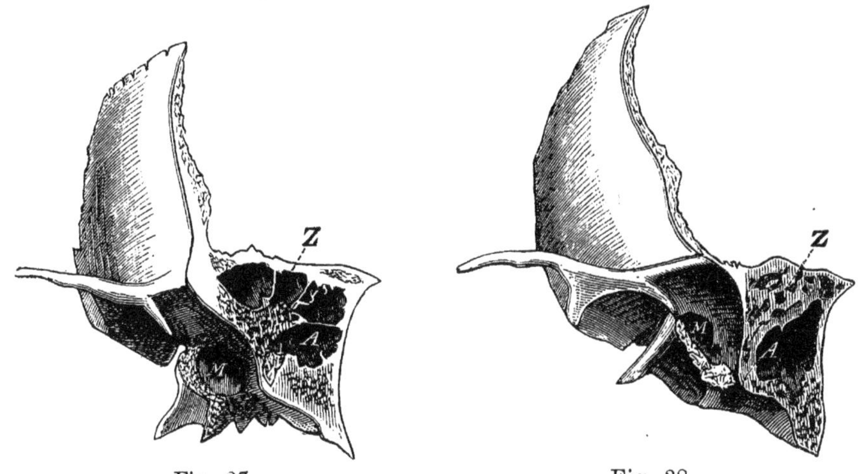

Fig. 37. Fig. 38.

M Meatus auditorius externus, *A* Antrum petrosum, *Z* Zellenräume.

Die entfernten Sequester haben häufig einen Durchmesser von 1—1½ cm. Es findet sich in der Literatur eine grosse Zahl von sehr beträchtlichen Abstossungen mitgeteilt. In einem der von mir beschriebenen Fälle[1]) waren während des Lebens auf beiden Seiten grosse Sequester entfernt worden, welche das Dach der Trommelhöhle und der Warzenhöhle repräsentirten, an beiden ist auf der oberen Fläche die Sutura petro-squamosa zu erkennen.

Was die Diagnose des Vorhandenseins von Sequestern betrifft, so ist die absolut sichere Diagnose nur in dem Falle zu stellen, wenn wir mit der Sonde die Beweglichkeit eines von Periost entblössten Knochenstückes fühlen, aber es giebt eine Reihe anderer Erscheinungen, welche uns ebenfalls, wenn auch mit etwas geringerer Sicherheit, die Diagnose stellen lassen:

1. Das lange Bestehen einer eiterigen, übelriechenden Otorrhoe, die sich durch die gewöhnliche Behandlung nicht beseitigen lässt.

2. Aus der Trommelhöhle vorwuchernde Granulationen, die nicht zu beseitigen sind, indem sie nach der Entfernung rasch wieder nachwachsen.

3. Verengerung der inneren Hälfte des knöchernen Gehörganges durch Vorwölbung der hinteren Wand.

---

[1]) Ueber Sequesterbildung im Warzenteil des Kindes. Arch. f. Augen- u. Ohrenheilk. Bd. VII.

4. Wenn bereits kleine Sequester durch den äusseren Gehörgang ausgestossen wurden, ohne dass die Sekretion sich mindert.

5. Wenn Fistelöffnungen hinter dem äusseren Ohre vorhanden sind oder vorhanden waren, bei bestehender starker Sekretion von üblem Geruche.

6. Wenn unter diesen Verhältnissen Schwellungen in der Umgebung des äusseren Ohres vorhanden sind, diffuse Infiltration, Abscessbildung oder Schwellung der Lymphdrüsen.

Beim Bestehen dieser verschiedenen Erscheinungen können wir die Diagnose auf das Vorhandensein eines Sequesters mit grösster Wahrscheinlichkeit stellen, auch ohne dass wir im Stande sind, mit der Sonde den sichern Nachweis dafür zu liefern. In manchen Fällen genügen die ad 1—4 genannten Erscheinungen schon, um die Diagnose stellen zu lassen.

Die Prognose bei den destruirenden Knochenprocessen muss immer zweifelhaft gestellt werden, da ein Uebergreifen auf die Nachbarorgane stets zu befürchten ist. Hat der Durchbruch nach aussen stattgefunden, so ist die Prognose eine günstigere, da nunmehr der Sekretabfluss durch die entstandene Oeffnung stattfinden kann. Nekrotische Abstossungen werden, wenn dieselben geringeren Umfang haben, nicht selten spontan durch den äusseren Gehörgang nach aussen entleert, was besonders bei den nekrotischen Processen der Kinder der Fall ist. Doch kann auch Monate oder Jahre lang der Sequester an seinem ursprünglichen Orte verbleiben. Die Sekretion ist unter diesen Verhältnissen sehr beträchtlich, stark übelriechend; es entwickeln sich Lymphdrüsenschwellungen und Abscesse in der Umgegend des äusseren Ohres und es kann durch die andauernde Eiterung allgemeines Siechtum veranlasst werden.

Ist der Knochen bis zur Schädelhöhle kariös oder nekrotisch zerstört, so sammelt sich Eiter zwischen Knochen und Dura mater an, auf der Dura bildet sich Granulationsgewebe, wodurch ein Schutz gebildet wird gegen das Uebergreifen des Processes auf das Innere der Schädelhöhle. Nach der Abstossung und Entfernung des Sequesters kann es zur Freilegung der Dura mater kommen oder, wenn die Zerstörung die Fossa sigmoidea betrifft, zur Freilegung des Sinus transversus. Erst wenn auch die Dura mater und die Sinuswand zerstört werden, treten die tödlichen Komplikationen hinzu. Bisweilen pflanzt sich eine solche Eiteransammlung unter der Dura mater fort, besonders nach den Hirnnerven, deren

Stränge in solchen Fällen häufig noch bei gut erhaltener Funktion während des Lebens von Eiter umspült gefunden werden.

4. Hirnabscess.

Nachdem in den letzten Jahren eine grössere Anzahl von Hirnabscessen, welche durch Ohraffektionen bedingt waren, durch die Eröffnung der Abscesse zur Heilung gebracht wurden, wurden auch die diagnostischen Merkmale genauer festgestellt.

Nach verschiedenen statistischen Zusammenstellungen ist anzunehmen, dass von sämmtlichen Hirnabscessen etwa die Hälfte in Folge von chronischer eiteriger Mittelohrentzündung entstanden sind. Nach Barr hatten von 76 Fällen von otitischem Hirnabscess 55 ihren Sitz im Schläfenlappen des Gehirns, 13 im Kleinhirn, 4 sowohl im grossen als im Kleinhirn, zwei in der Brücke und ein Fall im Hirnschenkel, stets auf der Seite des erkrankten Ohres. In 69 Fällen hatte der Eiter eine fötide Beschaffenheit.

Die weitaus grösste Zahl findet sich somit im Schläfenlappen, eine kleinere im Kleinhirn.

Die otitischen Hirnabscesse entwickeln sich nicht nur durch direktes Uebergreifen der Eiterung auf das Gehirn, sondern es wird nicht selten der Eiterungsprocess auf metastatischem Wege auf das Innere des Gehirns übertragen, so dass sich zwischen dem ursprünglichen Eiterherd und dem sekundären Abscess gesundes Gewebe befindet. In der Mehrzahl der Fälle sind kariöse Processe vorhanden. Durch Substanzverluste im Knochen erstreckt sich die Eiterung auf die Hirnhäute und es kommt zu eiteriger Meningitis oder zu oberflächlicher Hirnabscedirung oder es tritt auf metastatischem Wege durch Verschleppung von Infektionsstoff durch gesundes Gewebe ein von normaler Hirnsubstanz umschlossener Hirnabscess auf. Von Gull wurde zuerst gezeigt, dass solche Hirnabscesse entstehen können ohne irgend welche kariöse Veränderungen am Knochen. Nach Binswanger[1]) hat man sich die Entstehung dieser Abscesse in der Weise zu denken, dass die als Träger der Infektion dienenden Mikroorganismen in die Spalträume des Bindegewebes aufgenommen werden und in denselben weiter wandern. Von hier aus gelangen die Infektionsträger in die Blut- oder Lymphgefässe und werden in denselben nach entfernteren Körperstellen gebracht. „Es sind dann die Wege der Weiterverbreitung durch den Verlauf derselben vorgezeichnet, nur

[1]) Zur Pathognese der Hirnabscesse. Bresl. ärztl. Zeitschrift No. 9 u. 10. 1879.

sind wir bei dem springenden Charakter der Eiterung zu der Annahme gezwungen, dass die verschleppten Mikroorganismen erst in grösserer Entfernung von dem ursprünglichen Infektionsherde in das Innere der Lymph- oder Blutbahn eindringen, wahrscheinlich erst dann, wenn die direkt ins Gehirn einführenden Gefässe erreicht sind."

Bei längerem Bestehen bildet sich um den Abscess ein Balg, eine „sklerotische Verdichtung" seiner Umgebung. Trotz dieser Abkapselung findet eine stetige Vergrösserung statt und es kommt zum lethalen Ausgange durch Durchbruch nach den Ventrikeln oder durch eiterige Meningitis.

Die Diagnose des Hirnabscesses wird dadurch erschwert, dass wir auch bei nicht komplicirten Ohraffektionen bisweilen schweren Hirnsymptomen begegnen, hohem Fieber, Schwindel, benommenem Sensorium, Convulsionen, Pupillenerweiterung, Erscheinungen, die als Hirnreizungserscheinungen bezeichnet werden und durch Herstellung eines freien Eiterabflusses beseitigt werden können.

Die beim Hirnabscess beobachteten Erscheinungen lassen sich nach v. Bergmann in folgende Gruppen teilen:

1. Solche, die abhängig sind von der Eiterung an sich. Abendliches meist niedriges Fieber, das nach tage- oder wochenlangem Anhalten verschwinden kann, um später wieder aufzutreten. In Verbindung damit Mattigkeit und Teilnahmlosigkeit, gastrische Störungen. Wohlbefinden am Morgen. Da diese Erscheinungen auch bei Eiterungsprocessen in der Paukenhöhle oder im Warzenfortsatze auftreten können, so kann denselben keine allzugrosse diagnostische Bedeutung beigemessen werden.

2. Erscheinungen, die einen gesteigerten intrakraniellen Druck und störende intrakranielle Verschiebungen anzeigen. In erster Linie steht der Kopfschmerz, der am intensivsten zur Zeit der Fieberexacerbationen auftritt. Bei allen Kongestionen am Kopfe durch Alkoholika, durch Niederbücken, durch tiefe Lage wird der Schmerz hervorgerufen oder vermehrt. Vielfach entspricht der Kopfschmerz dem Sitz des Abscesses. In manchen Fällen wird derselbe gesteigert durch Klopfen auf die betreffende Schädelstelle. Verdächtig ist es, „wenn während des abendlichen Fiebers und der Kopfschmerzen der Puls statt schneller zu schlagen, sich verlangsamt und die Somnolenz des Kranken auffällig wird". Die Stauungspapille kann fehlen.

3. Die dem Sitz des Abscesses entsprechenden Herdsymptome.

Die Herdsymptome können fehlen, so lange die Eiterung nur das Marklager betrifft, selbst wenn eine ganze Grosshirnhemisphäre ergriffen ist. Dieselben fehlen bei Abscessen im Occipital- und Temporallappen. „Je mehr sich der Abscess dem hinteren Abschnitt der Frontalwindung nähert, desto eher werden wir Schielen, Sprachstörung oder Facialisreizungen und Lähmungen hier und da einmal antreffen.“

Der Anfang der Hirnabscesse ist unmerklich. Auch bei sehr ausgedehnten Abscessen kann das Allgemeinbefinden nicht gestört sein. So konnte z. B. ein Arbeiter, bei dem ich bei der Sektion einen sehr grossen Abscess im Schläfelappen vorfand, wochenlang seiner Arbeit nachgehen. Die Erscheinungen, die auf das Bestehen eines Hirnabscesses hinwiesen, bestanden nur darin, dass Patient, nachdem er sich Sonnabends intensivem Alkoholgenuss hingegeben hatte, die beiden nächsten Tage an heftigsten Kopfschmerzen erkrankte.

Bei einem Patienten, bei dem ich die Diagnose eines Hirnabscesses stellte und der von v. Bergmann mit günstigem Ausgange operirt wurde, bestanden unregelmässige Fiebererscheinungen, auffallende Mattigkeit und Schwäche, äusserst heftige Kopfschmerzen, Erscheinungen, die mit relativem Wohlbefinden wechselten. Als die Erscheinungen andauernd wurden und Delirien hinzutraten, hielt ich den Zeitpunkt zur Operation für gekommen.

Während beim Hirntumor die Erscheinungen stetig und gleichmässig zunehmen, sind dieselben beim Hirnabscess grossen Schwankungen unterworfen.

Eine besondere Gattung von intrakraniellen Abscessen bilden die Eiteransammlungen zwischen Dura mater und innerer Oberfläche der Schädelkapsel. Mit Recht weist Hoffmann[1]), dem wir eine eingehende Schilderung dieser Processe verdanken, darauf hin, dass denselben bisher zu wenig Beachtung geschenkt wurde. Die Pachymeningitis externa purulenta tritt auf, wenn durch Zerstörung des Knochens die Mittelohreiterung sich bis unter die Dura mater fortpflanzt. Die Pachymeningitis purulenta kann die Vermittlung bilden zur Meningitis, Sinusphlebitis und zum Hirn-

---

[1]) Zur Pathologie u. Therapie der Pachymeningitis externa purulenta nach Entzündungen des Mittelohres. Von Dr. E. Hoffmann. Deutsche Zeitschrift für Chirurgie, Bd. XXVIII.

abscess. Hoffmann unterscheidet zwei Formen der Erkrankung, erstens, wenn es nur zu einem eiterigen Belag auf die Aussenseite der Dura kommt, zweitens, wenn sich ein richtiger extraduraler Abscess bildet. Die erstere Form verläuft symptomlos, die letztere giebt zu bedrohlichen Erscheinungen Veranlassung.

Es besteht ein fixer Kopfschmerz am Schädel, der sich durch Druck auf die Oberfläche steigert, über der Krista temporalis. Nach der Aufmeisselung des Antrums des Warzenfortsatzes erleiden Kopfschmerz, Fieber, Druckschmerz, Benommensein, die zuvor bestanden, keine Aenderung. Hirndruckerscheinungen werden selten beobachtet. Meist wurden die Abscessbildungen zwischen Knochen und Dura bei der Aufmeisselung des Warzenfortsatzes gefunden, oder entleerte sich nach einer solchen beim Sondiren oder beim Verbandwechsel plötzlich eine grössere Menge Eiters.

Die Erkrankungen des Mittelohres, welche zu den gefährlichen Komplikationen Veranlassung geben, sind vorwiegend solche, bei welchen der Sekretabfluss gehemmt oder erschwert ist, entweder dadurch, dass nur kleine Perforationen des Trommelfells vorhanden sind, oder dass sich Polypen, käsige eingedickte oder cholesteatomatöse Massen in den Weg legen. In meiner Sammlung befinden sich mehrere Präparate mit Perforationen der Shrapnell'schen Membran, deren Inhaber an Hirnabscess zu Grunde gegangen waren.

5. Meningitis purulenta.

Die eiterige Meningitis, welche sich der Mittelohreiterung zugesellt, betrifft meist die Basalmeningen, seltener die der Konvexität. Entweder tritt die Meningitis selbständig auf oder es bestehen gleichzeitig Abscessbildung im Gehirn oder Affektionen der Hirnleiter. Die Ueberleitung des Entzündungsprocesses nach den Meningen findet statt auf den durch die kariösen Processe gebahnten Wegen, wie wir sie bei der Erörterung dieser Processe besprochen haben. In den meisten Fällen ist die Dura durchlöchert, doch kommen auch ebenso wie bei den Hirnabscessen Fälle zur Beobachtung, in welchen Meningitiden ohne Karies oder direkte Kommunikation mit der Schädelhöhle durch eiterige Mittelohrentzündung hervorgerufen werden.

Bei den Obduktionen finden sich mehr oder weniger ausgedehnte Eiterinfiltrate in der Pia, besonders entlang der Gefässe. Dieselben erstrecken sich häufig bis weit hinab in den Wirbelkanal. In geringerem Grade wird auch die unterliegende Hirnrindensubstanz von der Eiterinfiltration betroffen.

Gewöhnlich kommt die Meningitis zum Ausbruch durch besondere Veranlassungen, durch traumatische Einwirkungen, durch Erkältungen, durch alle Verhältnisse, wolche Kongestion nach dem Kopfe herbeiführen, Uebermass des Alkoholgenusses, schwere körperliche Anstrengungen. Besonders begünstigt wird das Auftreten der Meningitis, wenn der freie Sekretabfluss aus der Trommelhöhle gehemmt ist. Ich sah eine zum Tode führende Meningitis bei einem Patienten sich entwickeln, der sich einen ihm lästigen, eiterigen Ausfluss aus dem Ohre dadurch beseitigen wollte, dass er den Gehörgang mit einem tief eingeführten Papierpfropf verstopfte.

Das die eiterige Meningitis begleitende Fieber zeigt grosse Verschiedenheiten. In den langsam verlaufenden Fällen ist es gering, mit unregelmässigen Remissionen. Die schneller verlaufende Form beginnt mit Schüttelfrösten. Die Fieberkurve ist unregelmässig. Es bestehen die heftigsten diffusen Kopfschmerzen, ausserdem Schwindel, Erbrechen, Stuhlverstopfung, psychische Erregung, Delirien, bisweilen Nackenstarre und Lähmungserscheinungen, Druckerscheinungen, Verlangsamung des Pulses, Veränderungen der Pupillenreaktion. Frühzeitig tritt Somnolenz ein, die bald in Sopor übergeht. Nur auf stärkere Reize erfolgen Reaktionen und vorübergehende Rückkehr des Bewusstseins.

Der Verlauf der Meningitis ist entweder ein sehr rascher, in wenigen Tagen zum Tode führend, indem sich schnell schwere Hirnsymptome entwickeln und die Betroffenen in komatösem Zustande bisweilen unter Konvulsionen zu Grunde gehen. In andern Fällen dauert die Erkrankung 8 Tage bis 3 Wochen bei mässigen cerebralen Erscheinungen und auffallend lange intakt bleibendem Sensorium.

6. Phlebitis, Thrombose, Pyämie.

Wenn auch die Wandungen der Blutleiter des Gehirnes sich gegen eine sie umgebende Eiterung sehr widerstandsfähig erweisen, so dass zwischen ihnen und kariösem oder nekrotischem Knochen lange Zeit Eiteransammlung bestehen kann, ohne dass die Wandungen selbst afficirt werden, tritt doch bisweilen Entzündung oder partielle Zerstörung derselben ein. Ist diese ausgedehnt, so kommt es zu starken Blutungen, welche den Tod veranlassen können. Bei kleineren Zerstörungen, die bei der Sektion oft kaum zu entdecken sind, kommt es zu Phlebitis und Thrombose und zum Eintritt von Eiterungsprodukten in die Blutmasse. Eine wichtige Rolle scheinen hierbei die im Felsenbein befindlichen diploischen Venen zu spielen. Durch die Thrombose tritt Blutstauung ein in den peripher gelegenen Venen und es pflanzt sich die Thrombose selbst nach beiden Richtungen fort unter gleichzeitiger Entzündung der Venenwandungen. Durch Aufnahme von Eitermasse oder frischem oder zerfallenem thrombotischem Material in das Blut werden pyämische Erscheinungen und embolische Ernährungsstörungen und Entzündungen in den verschiedensten Körperorganen veranlasst. Bei Fortschreiten des Processes nach der Peripherie können die vereiternden Thromben zu eiteriger Meningitis Veranlassung geben.

Am häufigsten wird primär der Sinus transversus betroffen oder es pflanzt sich die entzündliche Thrombose von dem entlang der oberen Felsenbeinkante verlaufenden Sinus petrosus superior auf den Sinus transversus fort.

Die wichtigste und erste Erscheinung sind heftige Schüttelfröste im Gegensatz zur Abscessbildung. Die Schmerzen sind sehr hochgradig, werden in die Gegend der entzündeten Sinuswand lokalisirt, vermehren sich auf Druck. Zuerst tritt grosse Unruhe auf, Delirien, Krämpfe, hochgradige Schwäche, zeitweilige Remission der Erscheinungen, später Depressionserscheinungen, Koma, Tod. In seltenen Fällen kommt es mit Rückgang der Erscheinungen zur Genesung.

Je nachdem einzelne Venen von der Thrombose ergriffen werden, treten verschiedene Erscheinungen auf, aus denen die Diagnose auf den Sitz der Thrombosirung gestellt werden kann. Die Fortpflanzung der entzündlichen Thrombose vom Sinus transversus auf die Vena jugularis interna giebt sich zu erkennen durch eine ödematöse Anschwellung entlang ihres Verlaufes am Halse, oder es erscheint die Vene bei der Digitaluntersuchung als harter Strang, die Schmerzhaftigkeit auf Druck ist gewöhnlich sehr bedeutend. Durch das entzündliche Oedem der Umgebung der Vene, insbesondere des Bulbus Venae jugularis, können die benachbarten Nervenstämme, Vagus, Glossopharyngeus, Accessorius Willisii, afficirt und dementsprechende Reizungs- oder Lähmungserscheinungen hervorgerufen werden. Besteht Verstopfung der in den Sinus transversus einmündenden Vena mastoidea, so kommt es zu einem auf die Gegend des Warzenfortsatzes beschränkten Oedem, auf welches Griesinger zuerst die Aufmerksamkeit lenkte und das von Moos zuerst an der Leiche nachgewiesen wurde. Werden die Facialvenen ergriffen, so entwickelt sich erysipelatöse Schwellung der Wangen und Augenlider, welche mit Blasenbildung verknüpft sein kann. Pflanzt sich die Thrombose auf den Sinus cavernosus fort, so führt sie entweder nur auf einer oder auf beiden Seiten zu Oedem der Orbita mit Exophthalmus und Erblindung, wobei auch Schwellung der Umgebung bestehen kann. Ausserdem können die hier verlaufenden Nervenstränge afficirt werden ausser dem Opticus noch der N. abducens, oculomotorius, trigeminus.

Bei Fortpflanzung der Thrombose auf den Sinus longitudinalis werden in Folge der Blutstauung in der Rindensubstanz des Grosshirnes Bewusstlosigkeit und Konvulsionen, epileptiforme Anfälle verursacht. Bisweilen gesellt sich Nasenbluten hinzu durch Stauung in den durch das Foramen coecum mit den Siebbeinzellen und mit der Rachenschleimhaut in Verbindung stehenden Venen. Von der Verbindungsstelle der beiden Sinus transversus an der Protuberantia occipitalis interna kann die Thrombose von dem einen Sinus auf den anderen übergreifen und nun auf der entgegengesetzten Seite dieselben Erscheinungen verursachen, welche auf der ursprünglichen bestanden.

Wird thrombotisches Material durch den Blutkreislauf im übrigen Körper verbreitet, so entwickeln sich embolische Processe an den verschiedensten Körperstellen. Durch Aufnahme von Mikroorganismen der septischen Eiterung kommt es zu Pyämie mit den ihr zukommenden Erscheinungen.

7. Tuberkulose.

Durch Tröltsch wurde zuerst darauf aufmerksam gemacht, dass im Verlaufe der chronischen Otorrhoe häufig Tuberkulose eintritt, welche Erfahrung von den verschiedensten Seiten bestätigt wurde. Während jedoch Tröltsch annimmt, dass nach der Buhlschen Anschauung die Tuberkulose durch die Resorption aus alten eiterigen und verkästen Herden im Ohre hervorgerufen werde, müssen wir, nachdem Koch die Tuberkelbacillen entdeckt hat, uns die vom Ohre ausgehende allgemeine Tuberkulose dadurch erklären, dass von aussen Tuberkelbacillen in die Eiterherde des Ohres gelangten, daselbst einen günstigen Nährboden fanden und sich von da im Körper weiter verbreiteten, zur Allgemeininfektion führten. In anderen Fällen, wenn die Lungenaffektion schon länger als die

Ohraffektion bestand, ist die eiterige Otitis als Lokalisation der von der Lungentuberkulose ausgehenden Allgemeininfektion zu betrachten. In manchen Fällen dürfte auch eine durch die Sputa vermittelte direkte Uebertragung der Tuberkulose auf die Trommelhöhlenschleimhaut durch die Eustachi'sche Röhre stattfinden.

Tuberkelbacillen im Ohrsekret wurden zuerst von Eschle[1]) nachgewiesen, Nathan[2]) fand unter 40 ihm von Bezold zur Untersuchung übergebenen Fällen von chronischer Otorrhoe 12 Mal Bacillen. Bei 8 dieser Fälle konnte eine gleichzeitig bestehende Lungentuberkulose diagnosticirt werden. Von Schwartze und Anderen wurden miliare Tuberkel in der Schleimhaut der Trommelhöhle und im Trommelfell beobachtet. Habermann hat das Vorhandensein von Tuberkelbacillen in solchen Herden nachgewiesen.

Für die mit Tuberkelinfektion verbundenen Ohraffektionen ist charakteristisch das symptomlose Auftreten der Erkrankung. Meist ohne entzündliche Erscheinungen kommt es zu Schwerhörigkeit und Otorrhoe mit bald kleineren, bald grösseren Zerstörungen des Trommelfells, der Mittelohrschleimhaut sowie der knöchernen Wandungen.

Behandlung der eiterigen Mittelohrentzündung.

Da, wie wir gesehen haben, jede eiterige Mittelohrentzündung durch die Komplikationen, welche sich ihr anschliessen können, zum Tode führen kann, wird es unsere Pflicht sein, den Otorrhoiker auf die Gefahren aufmerksam zu machen, welche eine Vernachlässigung seines Leidens in sich schliesst. Durch die möglichst frühzeitige Behandlung muss die Beseitigung der Ohreneiterung angestrebt werden.

Als erstes Erforderniss für die rationelle Behandlung der chronischen eiterigen Mittelohrentzündung ist die sorgfältige Entfernung der Sekretionsprodukte zu betrachten, da nur, wenn dieselben gründlich entfernt sind, unsere medikamentösen Stoffe mit der Schleimhaut in Berührung kommen. Die Entfernung der Sekrete wird durch Ausspritzen mit einprocentigem Kochsalz- oder Glaubersalzwasser oder mit antiseptischen Lösungen (Karbolsäure $^1/_2$—1%, Salicylsäure $^1/_2$—1%, Borsäure 2—4%) bewerkstelligt in der S. 19 angegebenen Weise. Da diejenigen Sekrete in der Trommelhöhle,

[1]) Deutsche med. Wochenschr. 1883, Nr. 30.

[2]) Inaug.-Dissert. München 1884.

welche nicht im Bereiche der Perforationsöffnung des Trommelfells liegen, von dem Flüssigkeitsstrom nicht erreicht werden, was besonders bei kleinen Perforationen der Fall ist, und durch Ausspritzen nicht entfernt werden können, so werden dieselben durch das Politzer'sche Verfahren zuerst in den Gehörgang getrieben und dann erst entfernt, oder es kann, nachdem der Gehörgang gereinigt ist, durch die Lucae'sche Gehörgangsluftdusche das Sekret durch die Tuben in den Nasenrachenraum getrieben werden. Es wird der mit olivenförmigem Ansatz versehene Gummiballon auf die Gehörgangsmündung aufgesetzt und mässig komprimirt. Besonders bei Kindern erweist sich diese Art und Weise der Entfernung des Sekretes als sehr zweckmässig. Bisweilen wird durch dieselbe Schwindel verursacht.

Ausser der Anwendung der Spritze kann auch die trockene Reinigung mit Vorteil angewendet werden, indem durch Wattetampons das Sekret entfernt wird. Dieselben werden entweder mit einer Pincette eingeführt, oder mit einem sonstigen Watteträger. Die Einführung der Tampons muss so oft vorgenommen werden, bis sich an denselben kein Sekret mehr zeigt. Diese trockene Reinigung wurde schon von Yearsley, neuerdings von Becker, als besondere Behandlungsmethode empfohlen. Doch muss bemerkt werden, dass etwas eingedickte Sekrete sich besonders aus den tieferen Teilen der Trommelhöhle keineswegs auf diese Weise vollständig entfernen lassen, diese Reinigungsmethode somit nur einen sehr beschränkten Wert besitzt.

Da bisweilen das Fortbestehen einer Otorrhoe durch die Ansammlung und Stagnation von Sekretionsprodukten in der Trommelhöhle bedingt ist, so genügt in manchen Fällen schon die regelmässig vorgenommene Reinigung mit der Spritze oder mit Tampons mit gleichzeitiger Anwendung der Luftdusche, um Heilung zu erzielen.

Nachdem die antiseptische Behandlung in der Hand der Chirurgen ihre Triumphe feierte, konnte es nicht ausbleiben, dass dieselbe auch auf die Behandlung der Ohreiterung übertragen wurde, muss doch angenommen werden, dass auch hier die Entwicklung niedriger Organismen eine wichtige Rolle spielt für die Anregung der Sekretion und für das Fortbestehen des Entzündungsprocesses. Es wurden deshalb neben dem schon früher gebräuchlichen hypermangansauren Kali die verschiedenen Antiseptica empfohlen, Karbolsäure, Salicylsäure, Thymol, Jodoform. Am vorteilhaftesten erweist sich die Borsäure, um deren Einführung in die otiatrische Therapie sich Bezold[1]) ein besonderes Verdienst erworben hat: ihre Vorzüge bestehen in der einfachen, schmerzlosen Anwendung einerseits, in der sicheren Wirkung andererseits.

Bevor die Borsäure in das Ohr gebracht wird, wird mit gesättigter Borsäurelösung gereinigt — doch genügen auch sonstige Flüssigkeiten — nach sorgfältiger Austrocknung und Anwendung der Luftdusche wird nun die gepulverte Borsäure eingeblasen, am besten mit dem Pulverbläser. Es wird so viel eingeblasen, dass etwa das innere Drittel des Gehörganges mit Borsäure ausgefüllt ist. Die Mündung des Gehörganges wird mit antiseptischer Watte verschlossen. Die Anwendung der Borsäure muss so oft wiederholt werden, als sich die Watte mit Sekret befeuchtet zeigt. Die durchschnittliche Heilungsdauer bis zum Stillstand der Eiterung dauerte bei Bezold 19 Tage. Bei kleinen Trommelfellöffnungen kommt die Borsäure bisweilen nur ungenügend zur Einwirkung, so dass die künstliche Erweiterung derselben mit dem Trommelfellmesser oder auf galvanokaustischem Wege vorgenommen werden muss.

Bei fötider Sekretion schwindet der fötide Charakter des Sekretes schon nach der ersten Borsäureeinblasung. Bisweilen wird auch das sofortige Aufhören der Sekretion beobachtet.

Keinen Erfolg erzielte Bezold bei Patienten mit vorgeschrittener Lungenphthise, wo wir eine tuberkulöse Erkrankung annehmen können. Doch gelang es mir auch bei Phthisikern wiederholt, die Eiterung zum Stillstand zu bringen. Sodann misslingt die Heilung bei Perforationen der Membrana Shrapnelli mit Polypenbildung hinter derselben. Ist granulöse Schwellung der Schleimhaut vorhanden, so muss dieselbe zuerst durch Kauterisation zum Rückgang gebracht werden, ebenso müssen die übrigen Komplikationen, Sekretansammlungen, Polypen, destruirende Knochenprocesse, beseitigt werden, bevor Heilung erzielt werden kann.

Nur in seltenen Fällen wird die Borsäure nicht ertragen, indem seröser Ausfluss und Schmerzhaftigkeit nach der Einblasung eintritt. Ausserdem kann es nach der Einblasung zu einer Dermatitis des äusseren Gehörganges kommen, so dass eine andere Behandlung eingeleitet werden muss.

---

[1]) Archiv f. Ohrenheilk. Bd. XV, S. 1.

Nachdem die Bezold'sche Borsäurebehandlung allgemein eingeführt und allgemein die besten Erfolge mit derselben erzielt wurden, kam Schwartze mit der Warnung vor Anwendung der Borsäure in Fällen mit enger und hochgelegener Perforation des Trommelfells, sodann bei den akuten Mittelohreiterungen, da in Folge derselben Entzündungen des Warzenfortsatzes eintreten sollen. Bezold wies dagegen auf Grund seiner mit bekannter Sorgfalt gemachten statistischen Aufnahmen darauf hin, dass er gerade bei den hochgelegenen Perforationen, denen der Shrapnell'schen Membran, die besten Erfolge erzielte, ebenso bei der akuten Mittelohreiterung, so dass eine Schlussfolgerung nach dem post hoc ergo propter hoc nicht gerechtfertigt erscheint. Gewarnt muss allerdings vor Anwendung der Borsäure werden, wenn dieselbe angewandt wird, ohne dass zuvor eine gründliche Entfernung der Sekrete stattgefunden hat. Wird die Borsäure auf alte abgelagerte Sekrete aufgeblasen, so können ungünstige Folgen eintreten.

Ich kann nicht umhin, ein ausgezeichnetes Beispiel der raschen Wirkung der Borsäure anzuführen: Der Knabe F. W. aus Forst, 15 Jahre alt, leidet seit 9 Jahren an linksseitiger Otorrhoe, nach Scharlach aufgetreten. Am 15. Juni 1887 in die Ohrenklinik zu X. aufgenommen, wurde er 3 Monate hindurch mit Ausspritzungen, Einträufelungen, Aetzungen, Galvanokaustik behandelt. Während dieser Behandlung soll die Sekretion immer mehr zugenommen haben. Es wird ihm nun mitgeteilt, dass Knochenfrass vorhanden sei, es müsse etwas herausgestemmt werden, er solle dann einen Nagel in die Wunde bekommen. Patient wird aus der Anstalt weggenommen. 3 Wochen darauf kommt derselbe in meine Behandlung. Ausfluss bestand in derselben Intensität wie früher. Das Trommelfell fehlte vollständig. Durch zweimaliges Einblasen von Borsäure wurde das vollständige Aufhören der Sekretion erzielt. 6 Monate danach hatte ich Gelegenheit, mich davon zu überzeugen, dass weder feuchtes noch eingetrocknetes Sekret im Ohre vorhanden war.

Bei Perforation der Shrapnell'schen Membran gelingt die Heilung in vielen Fällen rasch, wenn vorhandene Polypen und die in den Hohlräumen am Hammerhalse abgelagerten Sekretionsprodukte in der unten angegebenen Weise beseitigt werden. Sind kariöse Processe vorhanden, so gelingt es nicht, die Heilung zu erzielen, es muss nach dem Vorschlage von Kessel und Schwartze der Hammer entfernt werden. Nach Durchschneidung des Trommelfells zu beiden Seiten des Hammergriffs und der Axenbänder wird mit dem Schlingenschnürer der Hammer möglichst hoch gefasst und extrahirt. In einem von mir auf diese Weise operirten Falle wurde nach der Heilung die Taschenuhr 75 cm, die Flüstersprache 5 Meter weit vernommen.

Führt die Behandlung mit der Borsäure nicht zum Ziele, so wird mit gutem Erfolge nach Schwartze koncentrirte Höllensteinlösung, 0,5—1,0 Argent. nitr.: 10,0 Aq. destill. oder Spiritus, nach Weber-Liel und Löwenberg angewendet. Die Höllensteinlösung wird täglich oder mit einem Tag Zwischenpause (10—20 Tropfen) ins Ohr geträufelt in der S. 68 angegebenen Weise. Die Flüssigkeit wird 1—2 Minuten im Ohre gelassen, dann kann sie durch Ausspritzen wieder entfernt werden. Schwartze empfiehlt die Neutralisirung mit Kochsalzlösung. Die Anwendung des Spiritus (Spiritus vini rectificatus) kann häufiger erfolgen (zwei bis drei Mal täglich). Wird durch die Einträufelung heftiger Schmerz verursacht, so kann der Spiritus mit einer gleichen Menge Wassers verdünnt werden. Schon nach wiederholter Anwendung des einen oder des andern der beiden Mittel kann Heilung erzielt werden, während in anderen Fällen eine mehrwöchentliche Behandlung erforderlich ist. Beide Mittel haben den Nachteil gegenüber der Borsäure, dass ihre Anwendung bald mehr bald weniger heftigen Schmerz verursacht und bisweilen reaktive Entzündung der Trommelhöhle oder eine Otitis externa hervorruft.

Die Anwendung der Karbolsäure in Glycerin gelöst wurde besonders von Hagen[1]), neuerdings wieder von Menière[2]) empfohlen. Der letztere verwendet Lösungen von 1,0—10,0 Karbols. auf 10,0 Glycerin. Das Jodoform, das als Pulver eingeblasen wurde, hat sich schlecht bewährt. Neuerdings empfiehlt Wagenhäuser Sublimat 1 : 10,000, Gottstein Calomel in Pulverform.

Ist die Schleimhautschwellung sehr beträchtlich, insbesondere bei granulöser Beschaffendeit derselben, so muss Argent. nitr. in Substanz (auf die Sonde aufgeschmolzen) angewandt werden oder Liq. ferri sesquichlor., von dem ebenfalls mit der Sonde kleine Tröpfchen auf die Schleimhaut gebracht werden. Kommt man mit diesen Mitteln nicht zum Ziele, so kann Chromsäure auf die Schwellungen gebracht werden. Auch die galvanokaustische Behandlung wurde empfohlen, doch kann auch bei vorsichtiger Anwendung derselben leicht Unheil angestiftet werden, indem dabei der unterliegende Knochen und das Labyrinth verletzt werden können.

Bei nicht zu alten Otorrhoen ohne bedeutende Schwellung der

---

1) Die Karbolsäure und ihre Anwendung. Leipzig 1868.

2) Du traitement de l'otorrhée purulent. Congrès internat. d'otologie, 1880.

Schleimhaut gelingt es bisweilen, die Sekretion durch Adstringentien zum Stillstand zu bringen. Am häufigsten wird verwendet die Zinklösung, 0,1—0,4 Zinc. sulf., 20,0 Aq. destill., ausserdem Cupr. sulf., Plumb. acetic., Alumin. acetic., Acid. tannic., die jedoch keinen Vorzug vor dem Zink besitzen.

Ein Mittel ist noch zu erwähnen, das besonders bei ausgedehnter Zerstörung des Trommelfells mit Vorteil benutzt werden kann, Einblasungen von Alaun in Pulverform, welches zuerst von Erhard, später von Politzer allein und in Verbindung mit der Behandlung mit Höllensteinlösung empfohlen wurde. Leider ist die Anwendung des Alauns mit dem Uebelstande verbunden, dass sich derselbe häufig mit dem Sekrete zu einem festen Coagulum verbindet, das schwer zu entfernen ist, so dass häufig die Klumpen, die sich gebildet haben, mit der Sonde erst gelockert und durch wiederholtes Ausspritzen entfernt werden müssen. Die Wirkung des Alauns ist ebenso sicher wie die der Borsäure und führt in manchen Fällen zum Ziele, wo die Borsäure im Stiche lässt.

Ist der Entzündungsprocess zur Heilung gebracht, so haben wir bereits früher gesehen, dass bei Substanzverlusten des Trommelfells in manchen Fällen die Schwerhörigkeit durch die Anwendung des künstlichen Trommelfells gebessert werden kann.

Behandlung der der eiterigen Mittelohrentzündung sich anschliessenden Komplikationen.

1. Der Ablagerung von Sekretionsprodukten und der Cholesteatombildung.

In erster Linie muss daran gedacht werden, die dem Sekretabflusse im Wege stehenden Hindernisse aus dem Wege zu räumen, Polypen werden entfernt, zu kleine Trommelfellperforationen erweitert, Verengerungen des Gehörganges je nach ihrer Beschaffenheit beseitigt. Sodann muss das angesammelte Sekret entfernt werden.

Da wir durch die gewöhnliche Art des Ausspritzens vom Gehörgange aus oder auch, wenn vermittelst des Katheters durch die Tuben ein Flüssigkeitsstrom durch die Trommelhöhle geleitet wird, den im hinteren oberen Teil der Trommelhöhle, sowie den im Warzenfortsatze befindlichen Sekretmassen nicht beikommen können. muss ein Flüssigkeitsstrom direkt gegen diese Massen geleitet werden, wozu am zweckmässigsten eine entsprechend gekrümmte Röhre benutzt wird.

Das von mir benutzte Instrument (vgl. Fig. 39), das ich als Paukenröhre bezeichnet habe, besteht aus einer ca. 2—2 $^1/_2$ mm dicken, 7 cm langen Röhre aus Neusilber oder Hartkautschuck; dieselbe ist in ihrem mittleren Teile vollständig gerade, an dem für die Paukenhöhle bestimmten Ende nahezu rechtwinklig abgebogen, jedoch nur so, dass der abgebogene Schenkel die Länge von 1 mm kaum übersteigt. Am anderen äusseren Ende ist die Röhre nach der entgegengesetzten Richtung stumpfwinklig abgebogen und besitzt am Ende eine Anschwellung, um an derselben einen Gummischlauch befestigen zu können, durch welchen die Röhre mit der Spritze, am besten einer sog. englischen Spritze aus Gummi, in Verbindung steht. Ich lege Wert darauf, dass dieser Gummischlauch so dünn und leicht als möglich genommen wird, um die Kanüle unbehindert durch die Schwere desselben bewegen zu können.

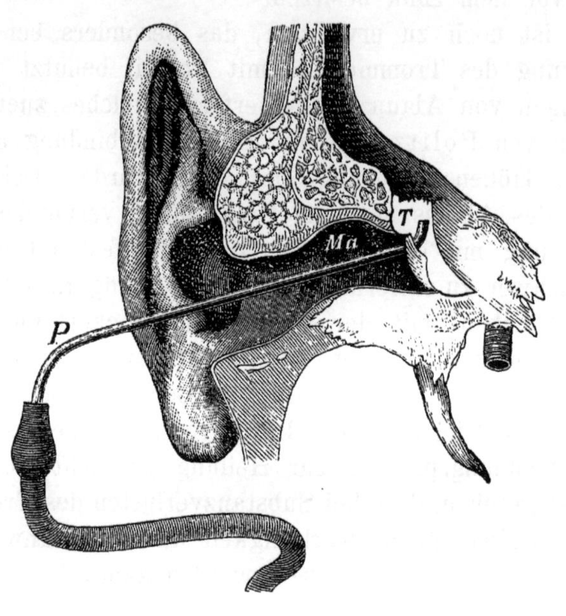

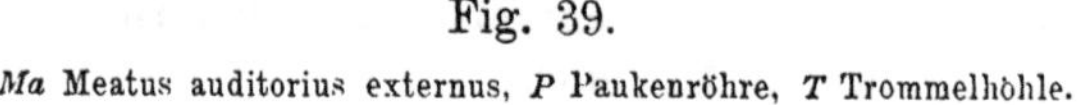
Fig. 39.
Ma Meatus auditorius externus, *P* Paukenröhre, *T* Trommelhöhle.

Fig. 40.

Bald nachdem ich auf die vorteilhafte Anwendung der Paukenröhre aufmerksam gemacht hatte (Zeitschr. f. Ohrenheilk. Bd. VIH, S. 28), wurden auch von Schwartze Instrumente zu demselben Zwecke empfohlen. Das kleinere derselben ist beistehend abgebildet. Die Grössen- und Formverhältnisse dieses Instrumentes lassen es kaum möglich erscheinen, dasselbe ohne Anwendung von Gewalt und ohne Schmerzen zu verursachen unter Beleuchtung mit dem Reflexspiegel einzuführen.

Die Einführung der festen Paukenröhre geschieht gewöhnlich durch einen Ohrtrichter unter Beleuchtung mit dem Stirnbindenspiegel. Mit der linken Hand wird die Ohrmuschel und der Trichter fixirt, mit der rechten Hand wird die Kanüle eingeführt. Die Hand, welche die Kanüle hält, liegt dem Kopf des Patienten an, um bei etwaigen Bewegungen desselben dem Kopf folgen zu können, ohne dass die Kanüle aus ihrer Lage kommt. Mit der zweiten Hand oder von einer dritten Person wird nun die Spritze entleert. Je nachdem die Kanüle gedreht wird, kann der Flüssigkeitsstrom nach allen Richtungen der Trommelhöhle gelenkt werden. Die abströmende Flüssigkeit wird in einem vom Patienten unter das Ohr gehaltenen Napfe aufgefangen. Die Ausspülung wird so lange fortgesetzt, bis die abströmende Flüssigkeit keine Sekretmassen mehr enthält.

Die Empfindlichkeit des Trommelfells resp. der vorhandenen Reste desselben und der Wandungen der Trommelhöhle ist sehr verschieden; während es Fälle giebt, in welchen vollständige Anästhesie vorhanden ist, wird in anderen Fällen schon leichte Berührung unangenehm oder schmerzhaft empfunden. Auch in diesen Fällen, oder wenn bei erhaltenem Schallleitungsapparat durch eine kleine Perforationsöffnung die Ausspülung vorgenommen werden muss, können Zerreissungen, Zerrungen und Schmerz vollständig vermieden werden, wenn die Paukenröhre sorgfältig eingeführt und während der Ausspülung sicher in ihrer Lage erhalten wird. Nach Vollendung der Ausspülung muss die Röhre in derselben Richtung, in welcher sie eingeführt wurde, wieder zurückgezogen werden.

Bei sehr ängstlichen Patienten scheitert bisweilen die Vornahme der Ausspülung an dem Widerstande derselben, indem dieselben nicht dazu gebracht werden, während der Ausspülung ruhig zu halten. In solchen Fällen müssen Einträufelungen von Cocaïnlösung vorausgeschickt werden oder kann die Anwendung der Chloroformnarkose erforderlich werden.

Jedenfalls muss bei der Ausführung des Verfahrens mit aller Sorgfalt und mit sicherer Hand zu Werke gegangen werden und es wird nur der ohne Schaden für den Patienten die Paukenröhre anwenden dürfen, der die zu allen Eingriffen bei der Behandlung des Ohres erforderliche manuelle Fertigkeit und Uebung besitzt. Es empfiehlt sich vor der Anwendung des Verfahrens, sich zuerst mit der Sonde über die Beschaffenheit und Empfindlichkeit der in Angriff zu nehmenden Teile genau aufzuklären.

Der bei der Ausspülung anzuwendende Druck muss genau regulirt werden. Es ist stets nur mit geringem Druck zu beginnen, um nur einen schwachen Flüssigkeitsstrom in die Trommelhöhle gelangen zu lassen. Wird dieser gut ertragen, treten keine Schwindelerscheinungen, keine Benommenheit, kein Kopfschmerz auf, so kann allmälig mit Vorsicht gesteigert werden. Fast ausnahmslos haben meine Patienten einen kräftigen Flüssigkeitsstrom ohne Nachteil ertragen und es gelang die in der Trommelhöhle und in ihren Ausbuchtungen angesammelten Sekretionsprodukte leicht und sicher zu entfernen.

In den zahlreichen Fällen, wo ich bei Patienten die besprochenen Ausspülungen vorgenommen habe, war ich häufig erstaunt über die grossen Mengen von Sekretionsprodukten, welche bei der Ausspülung entfernt wurden. In den meisten Fällen konnte dauernde Beseitigung der Otorrhoe erzielt werden, während in anderen Fällen in kürzeren oder längeren Zwischenräumen die Ausspülung wiederholt werden muss, um die sich immer wieder von Neuem bildenden Massen zu entfernen. Bei einem Patienten fand sich vorn oben im Trommelfell nur eine kleine, kaum für die Paukenröhre passirbare Oeffnung, die Reste des Trommelfells mit den Gehörknöchelchen waren mit der inneren Trommelhöhlenwand verwachsen. Mit der hakenförmig gekrümmten Sonde gelangte man ungehindert in den hinteren Teil der Trommelhöhle. Durch die von der vorderen kleinen Oeffnung aus vorgenommene Ausspülung gelang es mir nicht nur, käsige Massen aus der Trommelhöhle zu entfernen, sondern es fand sich in der abströmenden Flüssigkeit auch ein kleiner Polyp, der vermutlich im oberen Teil der Trommelhöhle seinen Sitz hatte und durch den Flüssigkeitsstrom losgerissen wurde. Damit schwanden die zuvor dauernd vorhanden gewesenen Erscheinungen von Schwindel, Benommenheit und Kopfschmerz.

Zu demselben Zwecke, zu welchem ich die feste Paukenröhre empfehle, wurde von Politzer das Paukenröhrchen (von Weber-Liel als Paukenkatheter benutzt) empfohlen, ein nach Art der elastischen englischen Harnröhrenkatheter gearbeitetes, etwa 1 mm dickes, 7 cm langes Röhrchen. Dasselbe ist mit Vorteil anzuwenden bei Verengerungen im äusseren Gehörgange, um einen Flüssigkeitsstrom hinter dieselben gelangen zu lassen, wozu das weiche Instrument sich besser eignet, als die feste Paukenröhre. Um festsitzende eingedickte Massen aus der Trommelhöhle und ihren Ausbuchtungen zu entfernen, genügt jedoch in der Regel das Paukenröhrchen nicht, da ein kräftigerer Flüssigkeitsstrom erforderlich ist, um die Entfernung gelingen zu lassen, wenigstens hatte ich in einem Falle, wo ich die Ausspülung der Trommelhöhle mit diesem Röhrchen vorgenommen hatte, Gelegenheit, mich an der Leiche zu überzeugen, dass nur ein kleiner Teil der vorhanden gewesenen Massen entfernt worden war.

Gelingt es nicht, mit der festen Paukenröhre die abgelagerten Massen zu entfernen, oder tritt nach der Entfernung immer wieder von Neuem Ansammlung ein, so muss die künstliche Eröffnung des Warzenfortsatzes vorgenommen werden[1]). Dieselbe ist besonders dann erforderlich, wenn den Ansammlungen im Warzenteile mit der Paukenröhre nicht beizukommen ist, bei Schwellungen im äusseren Gehörgange und in der Trommelhöhle.

Besonders bei Cholesteatombildung sind die fest zusammenhängenden Massen häufig durch den Flüssigkeitsstrom nicht zu entfernen, dieselben müssen vielmehr zuvor erst aufgeweicht und gelockert werden, wobei es nicht selten zu reaktiver Entzündung kommt, welche entweder die Ausstossung beschleunigt, oder auch gefährlichere Erscheinungen mit sich bringt, an welche sich der tödliche Ausgang anschliessen kann. Ist die Anwesenheit solcher Massen, welche sich durch die Paukenröhre nicht entfernen lassen, im Warzenfortsatz zu diagnosticiren, so muss derselbe von der Aussenfläche her eröffnet werden. Tritt Vorwölbung der hinteren Gehörgangswand ein, indem sich die Ansammlung vom Antrum mast. durch die hintere Gehörgangswand Durchbruch verschafft, so wird die vorgewölbte Stelle incidirt und es kann nun von hier aus mit der gewöhnlichen Spritze, mit der Sonde oder mit der Paukenröhre die Entfernung der Massen herbeigeführt werden.

Sind wir bei der mit akuten Erscheinungen verbundenen Eiterretention nicht im Stande die Beseitigung des Eiters herbeizuführen, so muss bei andauerndem Schmerz, Fieber, mit oder ohne ödematöser Anschwellung der den Warzenfortsatz bedeckenden Kutis

---

[1]) Schon Beck spricht sich in seinem Handbuche (Heidelberg u. Leipzig 1827) dahin aus: „Die Anbohrung des Zitzenfortsatzes wird geboten durch Eiterung oder Karies in den Zellen des Proc. mastoideus, um den angehäuften Säften eine Stelle des Ausflusses zu verschaffen, die Ulceration zu beschränken und die Abstossung der kariösen oder nekrotischen Knochenstückchen zu befördern.“

ebenfalls die künstliche Eröffnung desselben vorgenommen werden, auch bei äusserlich gesundem Warzenfortsatze. Einen besonderen Wert legt Schwartze bei seinen Indikationen zur Operation auf eine gleichzeitig bestehende Vorbauchung der Kutis der hinteren oberen Gehörgangswand.

Was die Ausführung der künstlichen Eröffnung des Warzenfortsatzes betrifft, so ist hierzu bei der Nachbarschaft der Schädelhöhle und der grossen Blutgefässe die genaueste Kenntniss der anatomischen Verhältnisse erforderlich. Um mich über dieselben in's Klare zu setzen, führte ich die Operation an der Leiche hundert Mal aus und überzeugte mich durch Sägeschnitte, die ich durch die herausgenommenen Schläfebeine senkrecht zur Gehörgangsachse legte, vom Erfolge der Operation[1]). Zwei der auf Seite 130 abgebildeten Durchschnitte zeigen die grosse Verschiedenheit der Ausdehnung der Zellenräume; während bei Fig. 29, zwischen äusserem Gehörgange einerseits und mittlerer Schädelgrube und Fossa sigmoidea andererseits eine breite Knochenmasse sich befindet, ist dieser Raum bedeutend eingeengt bei Fig. 30, wo ausserdem noch Tiefstand der mittleren Schädelgrube besteht. Aus den Fig. 31 u. 32 S. 131, welche Horizontaldurchschnitte durch die Mitte des äusseren Gehörganges darstellen, ist ebenfalls die verschieden grosse Ausdehnung des Operationsgebietes ersichtlich. Die Gefahren der Operation werden dadurch bedeutend geringer, dass bei den Schläfebeinen mit starker Vorwölbung des Sinus der Knochen meist diploetisch oder sklerotisch ist, dadurch wenig geeignet zur Erkrankung. Es erklärt sich daraus, dass Schwartze nach seinen Beobachtungen am Lebenden glaubte annehmen zu dürfen, dass die Vorwölbung des Sinus nicht so häufig sei als die anatomischen Forschungen ergaben. Trotzdem werden wir an dem früher von mir aufgestellten Grundsatze festhalten müssen, dass der Operationskanal nicht weiter nach aufwärts gelegt wird als in die Höhe der oberen Gehörgangswand und dass man sich in der Richtung nach hinten so wenig als möglich von der hinteren Gehörgangswand entfernt. Stets hat man sich darauf gefasst zu machen, dass man beim Eindringen in die Tiefe auf die Sinuswandung oder auf die Dura mater stösst. Deshalb ist es erstes Erforderniss, dass man stets das Operationsfeld gut überblickt. Da die Entzündungsprocesse vom Antrum mastoideum aus sich auf die peripheren Zellen ausbreiten und die

[1]) v. Langenbeck's Arch. f. Chirurgie. Bd. XXI.

Eiteransammlung im Warzenfortsatz in vielen Fällen dadurch entsteht, dass der Eiterabfluss nach der Trommelhöhle und dem äusseren Gehörgange gehemmt ist, so werden wir stets daran festhalten müssen, das Antrum mastoideum und die in seiner unmittelbaren Nähe befindlichen Zellenräume frei zu legen. Das Antrum liegt nun, wie bekannt, nach hinten und etwas nach oben von der inneren Hälfte des knöchernen Gehörganges und ist von dem letzteren durch eine 2—5 mm dicke Knochenschicht getrennt. Diese Lage des Antrums auf die Aussenfläche des Warzenfortsatzes projicirt in paralleler Richtung zur Gehörgangsachse fällt in die Anheftungslinie der Ohrmuschel, wir werden also, wenn wir in dieser vordringen, am sichersten das Antrum und die benachbarten Zellenräume öffnen. Die Methode von Schwartze, einen Centimeter hinter der Anheftungslinie der Ohrmuschel einzudringen, entspricht nicht den anatomischen Verhältnissen, weder bezüglich der Lage des Antrums, noch bezüglich der Gefahr einer Sinusverletzung. Bei der Operation wird der Hautschnitt in der Anheftungslinie der Ohrmuschel oder dicht hinter derselben gemacht in einer Länge von 3—4 cm, so dass die Mitte des Schnittes in die Höhe des äusseren Gehörganges zu liegen kommt. Die Blutung wird sorgfältig gestillt und die Knochenoberfläche in der Richtung nach hinten und vorn vom Periost entblösst, die Wundränder werden durch scharfe Haken auseinander gehalten.

Der Kanal nimmt die Richtung etwas nach vorn, parallel zur Gehörgangsachse. Die Operation wird ausgeführt durch schichtenweises Abtragen des Knochens mit dem Hohlmeissel. Der Kanal erhält die Trichterform. Es darf nicht tiefer als etwa 16 mm eingedrungen werden, da man sonst Gefahr läuft, den Facialkanal oder die Halbzirkelkanäle zu eröffnen. Es empfiehlt sich die Oeffnung möglichst breit anzulegen, um einen guten Einblick zu gewinnen. Granulationen und kariöse Stellen werden mit dem scharfen Löffel, Sequester mit der Kornzange entfernt. Wird in die hergestellte Oeffnung eingespritzt, so fliesst eingespritzte Flüssigkeit durch den äusseren Gehörgang ab. Häufig tritt dieses Abfliessen erst einige Tage nach der Operation ein. Zum Verbande erweist sich am zweckmässigsten die Ausfüllung der ganzen Höhle mit Jodoformgaze. In der ersten Zeit wird der Wundkanal möglichst weit offen erhalten. Weiche Granulationen in der Tiefe werden geätzt. In den späteren Stadien werden Drainageröhren insbesondere, Zinnröhren eingelegt.

Ist man bei der Operation im Zweifel über die richtige Lage des Kanales, so orientirt man sich am besten durch Einführung eines stumpfen Stäbchens oder einer dicken Sonde in den Gehörgang und durch Andrücken derselben gegen die obere Gehörgangswand. Es lässt sich daraus die obere Grenze des Operationskanals abmessen und kann auch die grössere oder geringere Entfernung des Kanals vom Gehörgange nach hinten beurteilt werden. Die Crista temporalis, die früher als dem Stande der mittleren Schädelgrube entsprechend bezeichnet wurde, zeigt solche Verschiedenheiten in ihrem Verlaufe, dass sie für die Beurteilung der Lage des Operationskanales nur einen sehr beschränkten Wert hat.

Seit dem Jahre 1883 wurden 84 Warzenfortsatzaufmeisselungen von mir gemacht. 30 Mal bei Warzenfortsatzerkrankung im Anschluss an akute Mittelohrentzündung, darunter vier Fälle bei Durchbruch der Eiterung durch die innere Oberfläche des Warzenfortsatzes, 17 Mal bei Sequesterbildung, 18 Mal bei kariösen Fisteln, 19 Mal bei Ansammlung käsiger oder cholesteatomatöser Massen im Warzenfortsatz. Ein Teil der früher von mir operirten Fälle wurde zum Gegenstande einer besonderen Mitteilung gemacht (Ueber Sequesterbildung im Warzenteil des Kindes. Archiv f. Augen- u. Ohrenheilk. Bd. VII).

2. Behandlung der Polypenbildung.

Bevor zur Operation der Polypen geschritten wird, sucht man sich Aufklärung zu verschaffen über die Ursprungsstelle des Polypen, sowie ob derselbe gestielt ist, oder mit breiter Basis entspringt. Dies geschieht am zweckmässigsten mit der Sonde durch Umkreisen des Polypen, bis die mehr und mehr in die Tiefe dringende Sonde auf Widerstand stösst (Politzer). Wir sind jedoch keineswegs immer im Stande uns ein sicheres Urteil zu verschaffen.

Die Entfernung des Polypen wird mit dem Schlingenschnürer vorgenommen. Früher wurde zu diesem Zwecke ein von Wilde konstruirtes Instrument angewandt, während jetzt ein von Blake empfohlenes einfacheres Instrument benutzt wird. Der Draht wird bei demselben anstatt zu beiden Seiten eines massiven Stabes, durch eine Röhre geführt, an deren Ende die Schlinge gebildet wird. Die Röhre ist unter einem stumpfen Winkel an einen viereckigen Stab angeschraubt. An dem letzteren befinden sich ein oder besser, wie an dem abgebildeten Instrumente Fig. 41, zwei verschiebbare Ringe, an welchen die Drahtenden befestigt werden. Ausserdem hat der Stab an seinem Ende einen Ring zum bequemeren Festhalten des Instrumentes. Durch Verschieben der beiden seitlichen Ringe, gegen den am Ende befindlichen, wird die Schlinge, welche mit dem Drahte am Ende der Röhre gebildet wurde, in dieselbe zurückgezogen und damit der in der Schlinge befindliche Polyp durchschnitten.

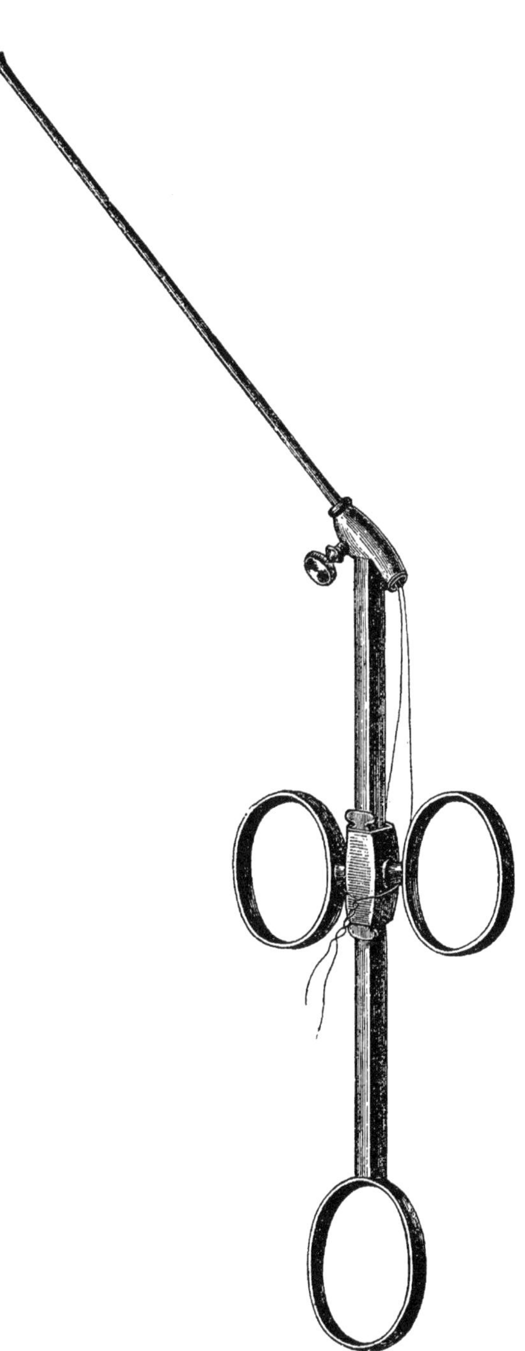

Fig. 41.

Bei dem Blake'schen Schlingenschnürer ist die Röhre an ihrem Ende geschlossen, mit zwei Oeffnungen versehen für die beiden Drähte. Bei dem abgebildeten Instrumente ist die Röhre offen, an ihrem Ende breit gedrückt, so dass in die beiden Ecken die beiden Branchen der Schlinge zu liegen kommen.[1]) Bei der offenen Röhre kann die Schlinge in dieselbe vollständig zurückgezogen werden, so dass auch bei konsistenteren Polypen dieselben vollständig durchschnitten werden, während bei dem Blake'schen Schlingenschnürer die Durchschneidung häufig nicht vollständig gelingt, so dass der noch übrige Teil des Polypen vollends ausgerissen oder abgedreht werden muss.

[1]) Dasselbe Instrument, mit anderen Ansatzstücken versehen, kann zur Operation von Nasenpolypen und von adenoiden Wucherungen im Nasenrachenraume verwendet werden.

Als Draht wird dünnster weicher Eisendraht benutzt, wie er von Gärtnern zum Blumenbinden verwendet wird, oder dünner Silberdraht. Die Schlinge wird entsprechend der Grösse des Polypen geformt, am besten über einem Ohrtrichter abgerundet und etwas auf die Fläche gebogen. Ist die Anheftungsstelle bekannt, so legen wir die Röhre des Schlingenschnürers nach der Seite des Gehörganges, wo sich dieselbe befindet. Die Schlinge wird nun über den Polypen soweit als möglich in die Tiefe geschoben und zugezogen. In der Regel gelingt es nicht mit einem Male, die ganze Polypenmasse zu beseitigen, es muss vielmehr, wenn die geringe Blutung mit Wattetampons beseitigt ist, von Neuem oder mehrmals die Schlinge eingeführt werden, um die noch vorhandenen Reste zu entfernen. So leicht diese Operation bei im äusseren Teile des Gehörganges befindlichen Polypen und bei sehr weitem Gehörgange ist, um so schwieriger ist dieselbe bei engem Gehörgange und bei Polypen, die sehr tief im Gehörgange und der Trommelhöhle sitzen, doch gelingt es auch hier, mit den aus dünner Röhre bestehenden Instrumenten und bei guter Beleuchtung den Neubildungen noch beizukommen. Ist dies nicht der Fall, so muss zu den Aetzmitteln übergegangen werden. Die Blutung nach der Abschnürung ist fast ausnahmslos sehr gering, nur in äusserst seltenen Fällen muss zur Tamponade geschritten werden.

Die galvanokaustische Schlinge ist nur bei sehr konsistenten Polypen erforderlich, da sich mit der kalten Schlinge auf einfachere und leichtere Weise die Entfernung erzielen lässt, ohne dass man zu befürchten braucht, den äusseren Gehörgang durch glühenden Draht zu verletzen und dabei heftigen Schmerz zu verursachen. Dagegen wird die Galvanokaustik neuerdings von Moos und Steinbrügge sehr warm empfohlen zur Beseitigung von Polypenresteu.

Um kleine Polypen oder bei der Operation mit dem Schlingenschnürer zurückgebliebene Reste zu entfernen, erweist sich am zweckmässigsten die S. 144 abgebildete Kurette.

Von den Aetzmitteln kommen in Betracht der Liquor ferri sesquichlorati, der Höllenstein und die Chromsäure. Am schwächsten wirken die beiden ersteren, sie können bei sehr weichen Polypen und Granulationen zur Anwendung kommen. Am sichersten werden auch feste Polypen und die Polypenreste durch Chromsäure, die auf die Sonde aufgeschmolzen wird, zerstört. Bei Anwendung der

Chromsäure ist darauf zu achten, dass die benachbarten gesunden Teile nicht mit derselben in Berührung kommen, da sonst leicht Entzündung verursacht werden kann. Die Anwendung derselben ist deshalb nur bei sicherer Handhabung der Sonde gestattet.

Von Politzer wurde ein sehr bequemes Mittel zur Beseitigung von Polypen empfohlen, der Spiritus rectificatissimus. Durch längere Zeit hindurch fortgesetzte Anwendung desselben gelang es ihm sogar, derbe, fibröse Polypen zu beseitigen. Nach Politzer soll drei Mal täglich der Alkohol mit einem Theelöffel eingegossen werden und das Eingegossene 10—15 Minuten im Ohre bleiben. Das Verfahren empfiehlt sich in allen Fällen, in welchen wir den Ursprungsstellen der Polypen nicht beikommen können, ausserdem bei operationsscheuen Patienten und bei Kindern.

Ich habe in etwa 40 Fällen die Alkoholbehandlung wochenlang durchgeführt. Es gelang mir, die mit der Polypenbildung verbundene Eiterung rasch bedeutend zu verringern und in den meisten Fällen eine Verkleinerung herbeizuführen, nur in zwei Fällen eine vollständige Schrumpfung. In manchen Fällen ist die Alkoholbehandlung ohne jede Wirkung.

3. Behandlung der den Knochen betreffenden Krankheitsprocesse.

a. Sklerose.

Wir haben gesehen, dass die in Begleitung der chronisch-eiterigen Mittelohrentzündung auftretende Sklerosirung des Warzenfortsatzes bisweilen mit hochgradiger Schmerzhaftigkeit verbunden ist. In allen den Fällen, bei welchen unter solchen Umständen die Aufmeisselung des Warzenfortsatzes vorgenommen wurde, konnten die Schmerzen dauernd beseitigt werden, auch wenn das Antrum mastoideum nicht freigelegt wurde. Es muss deshalb die Ausführung der Operation unter diesen Verhältnissen als gerechtfertigt erscheinen.

Von Einpinselungen mit Jodtinktur, von der Anwendung der verschiedensten Salben habe ich keinen Erfolg gesehen, nur durch Narkotica, insbesondere Chloralhydrat, konnten die Schmerzen vorübergehend gelindert werden.

b. Karies und Nekrose.

Lässt sich ein kariöser Process diagnosticiren, so sind wir in erster Linie darauf angewiesen, für regelmässige Reinigung der erkrankten Teile und Desinfektion der vorhandenen Sekrete durch

Ausspülungen mit 1—2%igem Karbolwasser zu sorgen und zu suchen, dadurch die Heilung herbeizuführen. Von wesentlicher Bedeutung ist es ausserdem, die meist mit der Erkrankung verbundenen Konstitutionsanomalien zu beseitigen, was durch Leberthran, Eisen, Soolbäder etc. geschehen kann. Zu vermeiden sind reizende Mittel, Kauterisationen etc., da dadurch akute Entzündungen hervorgerufen werden können, deren Ausdehnung zu beherrschen wir nicht im Stande sind. Erstreckt sich der kariöse Process nach der äusseren Oberfläche des Warzenfortsatzes, was daran zu erkennen ist, dass entweder sich bereits eine Fistelöffnung in der Haut gebildet hat, oder dass sich Anschwellung unter Eiteransammlung über dem Warzenfortsatze bildet, so muss in letzterem Falle, nachdem der erkrankte Knochen durch Incision der Haut freigelegt ist, von hier aus die regelmässige Ausspülung vorgenommen werden. Ist Kommunikation mit dem Antrum mastoideum und der Trommelhöhle vorhanden, so strömt die Flüssigkeit von der Fistelöffnung aus durch die Trommelhöhle und tritt durch den äusseren Gehörgang wieder nach aussen. Wird die Ausspülung regelmässig vorgenommen und gleichzeitig auf das Allgemeinbefinden in günstiger Weise eingewirkt, so kann der Process besonders bei Kindern zur Heilung gelangen. Bleibt beträchtliche übelriechende Sekretion bestehen, so weist dies darauf hin, dass im Innern des Warzenfortsatzes noch Eitermassen abgelagert sind, oder sich Granulationen oder Sequester gebildet haben. Es muss die Fistel wieder freigelegt und mit dem scharfen Löffel oder dem Meissel erweitert werden. Mit dem scharfen Löffel können dann die im Innern befindlichen Granulationen oder die kariösen oder sequestrirten Knochenpartieen entfernt werden. Man hat sich bei der Operation die S. 130 besprochenen anatomischen Verhältnisse vor Augen zu halten, und es muss ebenso, wie bei der Eröffnung des an seiner Oberfläche gesunden Warzenfortsatzes das Operationsfeld gut freigelegt sein durch ausgiebigen Hautschnitt und Auseinanderhalten der Wundränder mit scharfen Haken.

Bei der von Bezold beschriebenen Ausbreitung der Eiterung nach der inneren Fläche des Warzenfortsatzes soll die künstliche Eröffnung desselben nicht in der Höhe des äusseren Gehörganges vorgenommen werden, sondern im unteren Teil des Fortsatzes, der in seiner ganzen Dicke durchbohrt werden soll, um zu der an seiner Rückseite gelegenen Eiterquelle zu gelangen. Bei den von mir operirten Fällen war nur die ausgedehnte Freilegung des Fistelkanals im Knochen erforderlich, um die Heilung zu erzielen. Nur in einem Falle war eine ausgedehnte Incision hinter dem Warzenfortsatze erforderlich und mussten kariöse Stellen am hinteren Teil des Schläfenbeins mit dem scharfen Löffel entfernt werden.

Wir haben bereits oben gesehen, dass kleine Sequester bisweilen von selbst durch den äusseren Gehörgang ausgestossen werden, in anderen Fällen lassen sich dieselben mit der Spritze, mit der Hakensonde oder mit dem scharfen Häkchen in der bei der Entfernung von Fremdkörpern geschilderten Weise vom Gehörgange aus entfernen. Es braucht kaum hervorgehoben zu werden, dass hier alle Manipulationen nur mit grösster Vorsicht ausgeführt werden dürfen. Um ruhig und sicher vorgehen zu können, ist es erforderlich, die Extraktionen in Chloroformnarkose vorzunehmen. Bisweilen ist es erforderlich, bei grossen Sequestern die hintere Gehörgangswand abzutragen, um genügenden Raum für die Herausbeförderung zu gewinnen. Befindet sich der Sequester in der Warzenfortsatzgegend, so gelingt es bisweilen schon, nach vorgenommenem Hautschnitt einen oberflächlich liegenden Sequester zu entfernen, in anderen Fällen muss die Rindenschichte des Warzenfortsatzes mit dem Meissel oder mit dem scharfen Löffel entfernt werden, um Zutritt zu dem tiefer liegenden Sequester zu gewinnen. Es empfiehlt sich, die äussere Oeffnung möglichst gross zu machen, um den Sequester vollständig freizulegen. Ist der Sequester entfernt, so muss auch in der nächsten Zeit nach der Operation die Wundhöhle durch dicke Drainageröhren noch weit offen erhalten werden, um einen Einblick in die Höhle zu behalten und eventuell später sich lösende Sequester noch entfernen zu können.

Bei der Stillung der bisweilen mit den kariösen Processen verbundenen Blutungen aus den grossen Gefässen kommt in erster Linie in Betracht die Tamponade des äusseren Gehörganges mit oder ohne Eisenchloridlösung. Bei starker Karotisblutung wird der Tampon weggeschwemmt, so dass derselbe fest in den Gehörgang eingedrückt werden muss. In solchen Fällen nimmt dann die Blutung ihren Weg durch die Eustachi'sche Röhre nach Mund und Nase. Kompression der Karotis am Halse stillt die Blutung nur so lange, als dieselbe komprimirt wird. Gelingt die Blutstillung nicht, so muss trotz der ungünstigen Prognose die Carotis communis unterbunden werden.

4. Behandlung der übrigen Komplikationen.

Bei den Komplikationen, welche das Innere der Schädelhöhle betreffen, müssen, wenn der Verdacht auf das Vorhandensein eines Hirnabscesses besteht. alle Anstrengungen, alle Kongestionen zum Kopfe auf's ängstlichste vermieden werden. Treten zu dem Abscess entzündliche Reizungserscheinungen, so müssen dieselben durch Auflegen von Eisbeuteln. durch Blutentziehung in der Schläfen- oder in der Warzenfortsatzgegend gemildert werden, durch Abführmittel muss für regelmässigen Stuhlgang gesorgt werden. Dieselbe Behandlung hat bei der Meningitis und Sinusphlebitis oder Thrombose einzutreten. Kann die Diagnose auf Hirnabscess gestellt werden, so muss die Eröffnung desselben vorgenommen werden. Nach v. Bergmann wird die Oeffnung der Schädelkapsel am besten mit dem Meissel gemacht. Die Stelle, an welcher eröffnet wird, findet man, wenn man die Linie unterer Orbitalrand, Gehörgang nach hinten verlängert und von dieser etwa 4 cm hinter dem Gehörgang 4—5 cm senkrecht nach aufwärts geht. Den Abscess selbst sucht v. Bergmann nicht mit dem Troikar, sondern mit dem Messer zu erreichen. Ausspritzen des Abscesses ist nicht erforderlich. Der Eiterabfluss findet durch dicke Drainageröhren statt. Ist Kommunikation des Abscesses mit dem Mittelohre vorhanden, so ist durch Entfernung der hinteren Gehörgangswand die Kommunikationsöffnung frei zu legen. Von Schede wurde zuerst ein Abscess im Schläfelappen durch Eröffnung desselben zur Heilung gebracht. Mackewen operirte 7 Fälle und erzielte in 5 Fällen Heilung. Bei der extraduralen Abscessbildung muss eine ausgiebige Eröffnung der Abscesshöhle stattfinden. Zaufal traf bei einer Aufmeisselung des Warzenfortsatzes in der Tiefe des Proc. mastoideus auf einen Jaucheherd mit partieller Zerstörung des Grundes des Sulc. sigmoideus und der Wand des Sinus sigmoideus. Durch die Lücke wurde der Sinus mit 2 procentiger Karbolsäurelösung ausgespritzt. 14 Tage darauf trat der Tod ein durch eine Lungenaffektion. Neben der Behandlung der komplicirenden Erkrankungen darf das Grundleiden nicht vernachlässigt werden, die Trommelhöhle und ihre Ausbuchtungen müssen regelmässig gereinigt und desinficirt werden. Zur Bekämpfung der heftigen Schmerzen sind Chloralhydrat oder Morphium meist nicht zu entbehren.

Chronische Mittelohrentzündung ohne Sekretion, Sklerose der Trommelhöhle.

Dieser Form der chronischen Mittelohrerkrankung liegen Krankheitsprocesse zu Grunde, welche zu Verdichtung und Rigidität der die schwingungsfähigen Teile des Hörapparates überkleidenden Schleimhaut und zur Entwicklung von membranösen Strängen und Verwachsungen zwischen den Gehörknöchelchen und den Trommelhöhlenwandungen führen.

Es lassen sich zwei Formen der chronischen Mittelohrentzündung ohne Sekretion, des trockenen Mittelohrkatarrhes, wie sie v. Tröltsch bezeichnet, unterscheiden, doch finden sich häufig Mittelformen, die weder der einen, noch der anderen Form zuzurechnen sind.

Die eine Form ist die hyperplastische, durch hyperämische Schwellung bedingt. Meist lässt sich ermitteln, dass vor oder bei Beginn der Erkrankung Nasenrachenkatarrh vorhanden war. Bestand gleichzeitig Tubenschwellung, so kann dieselbe mit Rückgang des Nasenrachenkatarrhes ebenfalls wieder verschwunden sein, oder sie besteht fort. Es kann die entzündliche Schwellung, die früher sich auf Nasenrachen-, Tuben- und Trommelhöhlenschleimhaut gemeinschaftlich erstreckte, schliesslich nur auf die Trommelhöhlenschleimhaut beschränkt bleiben. Im Anfang des Leidens kann Exsudation in die Trommelhöhle stattgefunden haben, das Exsudat wurde resorbirt, dagegen blieben Veränderungen der Schleimhaut zurück. Wie bei der chronischen Entzündung überhaupt, so entsteht auch hier Neubildung von Bindegewebe und Gefässen. Es entwickeln sich membranöse Bindegewebsstränge, welche die Gehörknöchelchen mit den Trommelhöhlenwandungen verbinden. So findet man häufig an der Leiche Hammer und Ambos im oberen Teile der Trommelhöhle nach beiden Seiten durch Bindegewebsstränge fixirt. In anderen Fällen gehen diese Stränge nur nach der einen Seite, und sie befinden sich entweder nur am Hammer oder nur am Ambos. Häufig entwickeln sich Verdickungen der Schleimhaut des ovalen Fensters, ausserdem des Schleimhautüberzugs der Gehörknöchelchen und des Trommelfells. Durch alle diese Veränderungen wird die Schwingungsfähigkeit der schallleitenden Teile in stärkerem oder geringerem Grade beeinträchtigt.

Die Erkrankung kommt vor bei Personen, die überhaupt zu chronischen Katarrhen geneigt sind, bei Leuten mit skrophulöser Anlage. Ausserdem ist das Fortbestehen des chronischen Entzündungsprocesses nicht selten bedingt durch die plethorische Konstitution der Patienten. Sodann betrifft die Erkrankung Personen, die durch ihren Beruf häufigem Temperatur- und Witterungswechsel ausgesetzt sind.

Die zweite Form der chronischen trockenen Mittelohrentzündung, die eigentliche Sklerose der Trommelhöhlenschleimhaut, entsteht entweder aus der hyperämischen Schwellung durch regressive Metamorphose der entzündlichen Neubildung oder häufiger ohne eine solche von Anfang an als interstitielle Verdichtung. Die Schleimhaut wird äusserst rigide, kann Kalkeinlagerungen enthalten; es entstehen Verknöcherungen, durch welche die einzelnen Teile des Schallleitungsapparates in feste Verbindung mit der Nachbarschaft treten. Besonders am ovalen Fenster kommt es häufig zu Neubildung von Knochengewebe, so dass die Ringmembran der Steigbügelplatte verknöchert und Synostose des Steigbügels eintritt mit vollständiger Unbeweglichkeit desselben im ovalen Fenster. Ausserdem kann es zu Verknöcherung des runden Fensters kommen oder zu Ankylose der Verbindung der Gehörknöchelchen. In allen diesen Fällen findet sich die Trommelhöhlenschleimhaut abgeblasst, nicht geschwollen, vollständig trocken.

Diese Form der Erkrankung betrifft vorwiegend Leute mit zarter Konstitution, nervösem Temperamente, rheumatischer oder gichtischer Anlage, sowie besonders solche mit ererbter Prädisposition.

Fast bei einem Drittel der Fälle von Sklerose lassen entsprechende Erkrankungen bei andern Familienmitgliedern sich nachweisen.

Fast ausnahmslos findet sich die Affektion beiderseitig, bald sind beide Seiten in gleicher Weise ergriffen, bald bestehen mehr oder weniger beträchtliche Unterschiede.

Der Verlauf des Leidens ist sehr verschieden, entweder entwickelt sich dasselbe sehr langsam, schleichend, der Patient bemerkt zufällig, dass er schwerhörig ist, es kann Jahre lang anstehen, bis die Schwerhörigkeit einen hohen Grad erreicht, oder das Leiden macht in kurzer Zeit beträchtliche Fortschritte. In anderen Fällen bleiben die Erscheinungen stationär, nachdem sich das Leiden bis zu einem bestimmten Grade entwickelt hat. Auch unter diesen Umständen tritt nicht selten durch akute Exacerbationen Verschlimmerung ein.

Die beiden hauptsächlichsten Erscheinungen der beiden Formen der trockenen Mittelohrentzündung sind die Schwerhörigkeit und die subjektiven Geräusche. Bald gehen die letzteren der Schwerhörigkeit voran, bald tritt diese zuerst in die Erscheinung, doch kommen auch Fälle vor, bei welchen subjektive Geräusche gar nicht vorhanden sind. Die Schwerhörigkeit und die subjektiven Geräusche stehen meistens in keinem Verhältnisse zu einander, da beide in sehr verschiedenem Grade vorkommen können. Je nachdem akustisch wichtige Teile des Schallleitungsapparates von dem Krankheitsprocesse betroffen sind, ist die Schwerhörigkeit stärker oder geringer. Findet die Zunahme der Schwerhörigkeit sehr schnell statt, so ist die Prognose auch für den weiteren Verlauf eine ungünstige, während bei langsamer Entwicklung der Schwerhörigkeit auch ein langsameres Fortschreiten des Krankheitsprocesses oder eine Sistirung desselben erwartet werden darf. Eine nicht seltene Erscheinung ist es, dass Patienten mit Sklerose der Trommelhöhlenschleimhaut besser hören bei starken Geräuschen in ihrer Umgebung (Paracusis Willisiana).

Bei längerem Bestehen der sklerosirenden Entzündung kommt es häufig zu Erscheinungen, welche auf eine Mitbeteiligung des Labyrinthes am Krankheitsprocesse schliessen lassen. Insbesondere ist dies der Fall bei der eigentlichen Sklerose, wenn die Vorhofsfenster mitergriffen sind. Da die Erscheinungen sowohl von Seite des Mittelohres, als auch von Seite des Labyrinthes bisweilen schon von Anfang des Leidens an bestehen, so ist, wie besonders Politzer hervorhebt, anzunehmen, dass es sich um trophische Störungen handelt, welche beide Teile betreffen. Aufschluss über den Grad der Mitbeteiligung des Labyrinthes erhalten wir durch die Stimmgabelprüfung.

Der Typus der Schwerhörigkeit bei sklerotischen Processen ist stärkere Schwerhörigkeit für tiefe Töne, besseres Hören der hohen Töne. Die Form dieser Art von Schwerhörigkeit zeigt die beistehende graphische Darstellung.[1]) Das verhältnissmässig gute

[1]) Nachdem im Archiv für Ohrenheilkunde eine sehr heftige Polemik gegen meine Methode der graphischen Darstellung veröffentlicht wurde, kommt diese Methode im letzten Hefte desselben Archives selbst zur Anwendung.

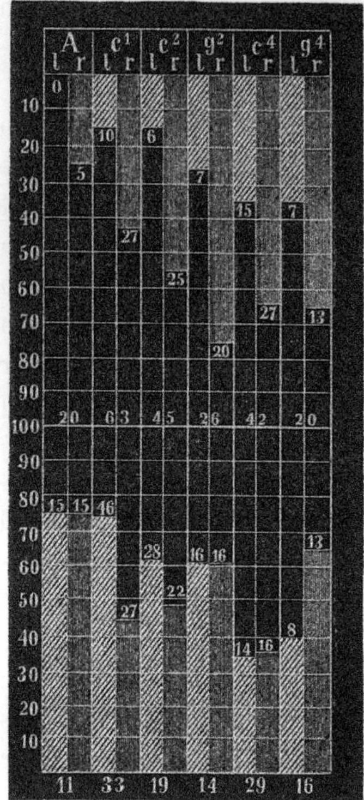

Fig. 42.

Hören durch den Knochen (untere Hälfte der Figur) weist darauf hin, dass der nervöse Apparat am Krankheitsprocesse nur wenig oder gar nicht beteiligt ist.

Der Charakter der subjekttiven Geräusche wird sehr verschieden bezeichnet, es findet sich Summen, Singen, Pfeifen, Glockengeläute, Klopfen etc. Die Geräusche werden bald ins Innere des Kopfes, bald in's Ohr, bald nach aussen verlegt, ohne dass wir aus den verschiedenen Arten der Geräusche einen Schluss auf die Erkrankung selbst zu ziehen berechtigt wären. Bisweilen sind verschiedene Geräusche gleichzeitig vorhanden, und es werden dieselben von den Patienten scharf getrennt; in manchen Fällen gelingt es, das eine der beiden Geräusche durch die Behandlung zu beseitigen, das andere nicht. Bald sind die Geräusche kontinuirlich sich gleichbleibend, bald ändern sie sich vorübergehend, bald sind vollkommen freie Intervalle vorhanden. Von ungünstiger Prognose sind die kontinuirlichen, von günstiger die wechselnden Geräusche.

Von besonderer Wichtigkeit für die Diagnose und Prognose ist es zu bestimmen, ob sich die Schwerhörigkeit und die subjektiven Geräusche durch unsere Untersuchungsmethoden beeinflussen lassen. Wir haben zu konstatiren, ob durch positiven oder negativen Luftdruck im äusseren Gehörgang oder durch die Luftdusche eine Besserung der Schwerhörigkeit oder der Geräusche erzielt werden kann. Ist das letztere der Fall, so dürfen wir den Schluss ziehen, dass die Entzündungsprodukte noch von nachgiebiger Beschaffenheit sind, und können wir dadurch auf Erfolg der Behandlung rechnen.

Häufig klagen die Patienten über Eingenommenheit des Kopfes, das Gefühl von Schwere und Völle in demselben und im Ohre, wozu sich Schwindelerscheinungen gesellen können. Bisweilen ist ein stechender, dumpfer Schmerz vorhanden, der in manchen Fällen stets nach den leichtesten Erkältungen sich einstellt. Nicht selten finden sich unangenehme Sensationen im äusseren Gehörgange, die Empfindung von Trockenheit, Spannen, Jucken in demselben, das die Patienten zum Kratzen veranlasst.

Der lokale Befund giebt uns nur bei der zuerst besprochenen Form der Erkrankung einigermassen Aufschluss über den vorliegenden Krankheitsprocess. Ist das Trommelfell stärker injicirt, wobei die radiäre Anordnung der Gefässe zum Vorschein kommt, und besonders am kurzen Fortsatz und am Hammergriff hyperämische Gefässe hervortreten, so kann auf eine ausgedehnte Hyperämie der Trommelhöhlenschleimhaut geschlossen werden, wenn eine idiopathische Erkrankung des Trommelfells ausgeschlossen werden kann. Ebenso kann bei Trübung des Trommelfells, wenn dasselbe weisslich gefärbt, wie verdickt erscheint, auf denselben Process der chronischen Entzündung mit Infiltration auch in der übrigen Trommelhöhlenschleimhaut geschlossen werden. Ist das Trommelfell eingezogen, wie bei Tubenschwellung, so kann eine solche früher vorhanden gewesen sein oder noch bestehen. Bleibt das Trommelfell mit dem Hammer nach der Luftdusche oder unter Einwirkung negativen Druckes vom Gehörgange aus vermittelst des Siegle'schen Trichters in seiner anomalen Stellung, so kann auf das Vorhandensein von Adhäsionen und Verwachsungen geschlossen werden, durch welche das Trommelfell und die Gehörknöchelchen in ihrer Lage fixirt sind.

Bei der zweiten Form der Entzündung ist das Trommelfell in der Regel normal, in manchen Fällen besonders blass, die Umrisse des Hammers treten sehr deutlich hervor, die Stellung der Membran zeigt keine Abweichung vom normalen Verhalten.

Durch die Luftdusche erhalten wir Aufklärung über die Beschaffenheit der Tuben. Während bei der hyperplastischen Form, bei gleichzeitig bestehender Tubenschwellung, das Auskultationsgeräusch meist sehr fein und schwach ist, bisweilen unterbrochen, hören wir bei der sklerotischen Form einen breiten, vollen Luftstrom scharf gegen das Trommelfell anprallen.

Die Prognose ist bei beiderlei Formen des Leidens im Allgemeinen eine ungünstige. In manchen Fällen gelingt es nicht, auch bei frühzeitigem Eingreifen, dem Weiterschreiten der Schwerhörigkeit Einhalt zu thun, während in anderen Fällen durch die Behandlung ein längerer oder kürzerer Stillstand herbeigeführt werden kann. Eine verhältnissmässig günstige Prognose kann gestellt werden, wenn sich die Erscheinungen durch die Luftdusche beeinflussen lassen, oder wenn Nasen- und Rachenaffektion bestehen, welche auf den Process von Einfluss waren und die beseitigt werden können.

Behandlung.

Für beide Formen der chronischen Mittelohrentzündung besitzen wir in der Luftdusche das wichtigste Heilmittel, indem durch dieselbe bei vorhandenen Schwellungen und Hyperämieen rückbildend eingewirkt wird, abnorme Lagerungen der schallleitenden Teile beseitigt, neugebildete Verwachsungen gedehnt, eventuell gesprengt werden. Unterstützt wird diese mechanische Behandlung durch Einspritzungen in's Mittelohr. Von der grossen Anzahl der in Verwendung gezogenen Mittel empfehlen sich am meisten bei der als erste Form geschilderten Entzündung adstringirende Lösungen, Zincum sulfuricum 0,5—1,0 %, um den noch vorhandenen Entzündungszustand zu beseitigen, sodann kann bei beiden Formen Jodkalium in wässeriger Lösung (2,0—5,0 %) in Anwendung gezogen werden, um die Rückbildung der vorhandenen Entzündungsprodukte zu begünstigen. Bei der rein trockenen Form der Entzündung, der sog. Sklerose der Trommelhöhlenschleimhaut, wird nach Politzer am besten Natrium bicarbonicum 1,0—2,0 % angewandt[1]); man glaubt dabei durch eine Durchfeuchtung der rigiden Teile eine Lockerung derselben und eine bessere Schwingungsfähigkeit herbeiführen zu können, doch dürfte die Hauptrolle bei diesen Einspritzungen der gleichfalls vorgenommenen Luftdusche zufallen. Von Wreden wurden Einspritzungen von 1—2 procentigen Chloralhydratlösungen empfohlen. — Die früher vielfach angewandten Einspritzungen mit Essigsäure oder Kali caust. und anderen reizenden Stoffen können zwar vorübergehende Besserung bewirken, doch tritt in späterer Zeit um so rascher eine Verschlimmerung der Schwerhörigkeit auf.

Sind Katarrhe des Nasenrachenraumes oder der Tubenschleimhaut vorhanden, so muss gegen diese eine entsprechende Behandlung eingeleitet werden. Es gelingt in manchen Fällen durch die

---

[1]) Da in solchen Lösungen leicht Schimmelbildung eintritt, verwende ich statt des Natr. bicarb. eine Boraxlösung: Rp. Natr. bihor. 0,3, Glycerin 5,0, Aq. destill. 15,0.

Behandlung dieser Katarrhe Besserung zu erzielen, nachdem sich die lokale Behandlung des Ohres unwirksam erwies.

Bisweilen sind in's Mittelohr eingeleitete Wasserdämpfe von günstigem Erfolge begleitet. Wenn auch sofort nach Anwendung derselben die Erscheinungen sich gesteigert zeigen, macht dieser Zustand doch bald dem Besserbefinden wieder Platz. — Die lange Zeit übliche Anwendung von Salmiakdämpfen findet jetzt nur noch selten statt, dagegen können bei Ohrgeräuschen Chloroform-, Menthol- oder nach Burckhardt-Merian Jodäthyldämpfe mit Vorteil benutzt werden, wozu die früher beschriebene Insufflationskapsel benutzt werden kann.

Was die Häufigkeit der Anwendung dieser Mittel anbetrifft, so kann der Katheterismus täglich angewandt werden, bei Verbindung des letzteren mit Einspritzungen werden dieselben zweckmässig abwechselungsweise mit der trockenen Luftdusche vorgenommen, so dass an einem Tage nur katheterisirt wird, am zweiten ausserdem die Einspritzung gemacht wird (Politzer). Die Behandlung wird nicht länger als 3—4 Wochen fortgesetzt und erst nach längerer Unterbrechung wieder aufgenommen. Insbesondere darf die Behandlung nicht länger fortgesetzt werden, wenn während derselben eine zunehmende Besserung des Hörvermögens oder der Geräusche nicht erreicht wird. Durch zu lange fortgesetzte Behandlung wird nicht selten eine Verschlechterung des Leidens verursacht, auch wenn ursprünglich eine Besserung vorhanden war. Unzulässig ist die Behandlung mit der Luftdusche, wenn nach derselben Verschlechterung des Gehörs eintritt.

Bei vorhandener Plethora abdominalis sind Trinkkuren in Karlsbad oder Marienbad in Verbindung mit entsprechender Diät oft von günstigem Einflusse, bei Herzfehlern die Oertel'sche Behandlungsmethode. Bei skrophulöser Anlage sind Soolbäder anzuwenden. Bei der eigentlichen Sklerose, besonders wenn dieselbe mit quälenden Geräuschen verbunden ist, befinden sich die Patienten am besten an hochgelegenen Orten.

Wenn auch in vielen Fällen die Aussicht, die Schwerhörigkeit des Patienten zu bessern, keine grosse ist, so dürfen wir doch, ebenso wie wir dem Phthisiker unsere Hülfe auch ohne grosse Aussicht auf Erfolg nicht versagen dürfen, auch einen durch sein Ohrenleiden geängstigten Patienten nicht im Stiche lassen und müssen ihm wenigstens seinen Zustand so viel als möglich zu erleichtern suchen. Wenn wir in vielen Fällen auch die Schwerhörigkeit nicht bessern, so befinden sich die Patienten doch nach einer Behandlung bezüglich der subjektiven Geräusche und der sonstigen Beschwerden in besserem Zustande.

Das schon von den alten Ohrenärzten vielfach angewandte Mittel der Luftverdünnung im äusseren Gehörgange ist bisweilen im Stande, einen günstigen Einfluss auf die Geräusche, seltener auf die Schwerhörigkeit auszuüben. Die Luftverdünnung kann entweder nur mit einem kräftigen Gummiballon oder vermittelst besonderer Apparate gemacht werden. Neuerdings empfahl Delstanche ein Instrument, mit welchem sehr starke Luftverdünnung sich erzeugen lässt. Meist ist jedoch die Wirkung der Luftverdünnung nur eine vorübergehende, selten eine dauernde. Von inneren Mitteln üben bisweilen Bromkalium 2—4 Gramm pro die, Atropin 0,002—0,003, Tinct. arsenicalis Fowleri 2—10 gtt., sodann Chinin 0,1—1,0, oder Salicylsäure 1—2 Gramm pro die einen günstigen Einfluss auf die Ohrgeräusche aus. Nicht unversucht soll der konstante Strom bleiben (vgl. S. 73).

Lassen sich durch die beschriebenen Mittel keine Erfolge erzielen, so müssen operative Eingriffe in Betracht gezogen werden. Bei hochgradiger Spannung oder Verdickung des Trommelfells können Incisionen vorgenommen, oder galvanokaustisch eine Oeffnung angelegt werden. Sind die vom kurzen Fortsatz des Hammers ausgehenden Trommelfellfalten stark gespannt, so werden sie durchschnitten. Bei Retraktion des Trommelfells mit Verkürzung der Sehne des Tensor tympani kann die von Weber-Liel zuerst am Lebenden ausgeführte Tenotomie des Tensor tympani zur Anwendung kommen. Nachdem diese Operation geraume Zeit hindurch in Misskredit gestanden hatte, wurde dieselbe neuerdings von Kessel und an meiner Poliklinik von Cholewa wieder häufiger mit gutem Erfolge ausgeführt.[1]) Mit Hilfe der Stimmgabeluntersuchung sind wir in den Stand gesetzt, die Indikationen zur Operation schärfer zu stellen und die Fälle, die Erfolg versprechen, mit grösserer Sicherheit als es früher möglich war auszuwählen. Von Cholewa wurden für die Ausführung der Operation folgende Indikationen aufgestellt. 1) Die Knochen- und Luftleitung darf nicht zu weit gesunken sein. Die tiefen Gabeln müssen noch mehrere Sekunden lang durch den Knochen und etwa ein Drittel

[1]) Ueber progressive Schwerhörigkeit (Sklerose) und ihre Behandlung durch die Tenotomie des Tensor tympani. Zeitschr. f. Ohrenheilk. Bd. XIX.

der normalen Hörzeit durch die Luft gehört werden. Die auf den Scheitel aufgesetzte Stimmgabel soll auf dem besser hörenden Ohre vernommen werden. Die Operation kann auf beiden Ohren vorgenommen werden. Die Erfahrung zeigt, dass, wenn nur das schwerer hörende Ohr operirt wird, sich die Schwerhörigkeit nicht nur auf dem operirten, sondern auch auf dem nicht operirten Ohre bessert. 2) Bei Sklerosen, bei welchen die Stimmgabel vom Scheitel aus auf dem schlechter hörenden Ohre vernommen wird und der Rinne'sche Versuch ein Ueberwiegen der Knochenleitung ergiebt, wird das schlechter hörende Ohr operirt. 3) Bei Taubheit des einen Ohres und zunehmender Schwerhörigkeit des andern kann das erstere operirt und dadurch ein günstiger Einfluss auf das zweite ausgeübt werden. Wie wir gesehen haben, lokalisiren die Veränderungen bei der chronischen Mittelohrentzündung nicht in den mehr äusseren Teilen des Mittelohres, sondern es bestehen Ankylosen und Verwachsungen der ganzen Kette des Schallleitungsapparates. Es ist selbstverständlich, dass solche Processe durch die Operation nicht beeinflusst werden, die günstige Wirkung der Operation muss somit auf der Beeinflussung anderer Verhältnisse beruhen. Von Kessel wurde der Vorschlag gemacht, die Gehörknöchelchen eventuell mit künstlicher Mobilisirung der Steigbügelplatte zu entfernen. Die Indikation für die Ausführung der Operation ist nach Kessel gegeben, sobald der Mittelohrapparat ausser Funktion ist, bei erhaltener Perceptionsfähigkeit durch den Knochen für Töne von 8 Octaven, ausserdem bei heftigen subjektiven Geräuschen, welche die Existenz des Patienten gefährden.

Ich selbst habe die Exartikulation des Hammers mehrfach ausgeführt, und bestätigte sich wenigstens die Erfahrung Kessel's, dass durch die Operation nichts geschadet wird. Bei einem meiner Fälle wurden äusserst heftige Geräusche, gegen welche alle früheren Behandlungen fruchtlos gewesen waren, bedeutend gemindert und die hochgradige Schwerhörigkeit über ein Jahr lang gebessert. Dauernder Erfolg von der Operation ist nur bezüglich der Geräusche zu erwarten. Die künstliche Mobilisirung der Steigbügelplatte verbietet sich durch die für eine solche Operation ungünstigen anatomischen Verhältnisse.

Lucae suchte die bei Sklerose bestehende Beweglichkeitsstörung im schallleitenden Apparate durch mechanische Behandlung der Gehörknöchelchenkette selbst zu bessern. Das zu diesem Zwecke benutzte Instrument besteht aus einem mit kleiner Pelotte versehenen Stahlstift, der auf einer im Handgriffe befindlichen Spiralfeder ruht. Diese „federnde Drucksonde“ wird auf den kurzen Fortsatz des Hammers aufgesetzt und werden mit derselben stempelartige Bewegungen ausgeführt.

Zur Verbesserung des Gehörs bei Schallleitungshindernissen empfahl Politzer ein Instrumentchen anzuwenden, bei welchem die Schwingungen der Knorpelplatte der Ohrmuschel vermittelst eines elastischen Schallleiters auf das Ohr übertragen werden. Es erwies sich am zweckmässigsten ein Drainröhrchen dünnster Sorte, dessen eines Ende durch Aufschlitzen an einer Seite eine schmale Platte bildet, die auf's Trommelfell zu liegen kommt. Das äussere Ende des Röhrchens steht in Verbindung mit einer Kautschuckmembran von 1—1½ cm Durchmesser, welche in die Konkavität der Concha zu liegen kommt.

Otalgia nervosa. Nervöser Ohrschmerz.

Unter nervösem Ohrschmerz verstehen wir diejenigen Schmerzen, welche ohne nachweisbare Entzündung auftreten. Ob dieselben von den Aesten des Trigeminus oder des Glossopharyngeus ausgehen, ist nicht festzustellen. Die Schmerzen sind entweder kontinuirlich, oder häufiger intermittirend, im letzteren Falle bestehen sie meistens Abends oder in der Nacht. Am häufigsten tritt die nervöse Otalgie auf reflektorischem Wege auf, bei kariöser Erkrankung der Backzähne[1]), in der Regel der unteren, sodann bei ulcerösen Processen im Pharynx oder Larynx und bei operativen Eingriffen in diesen beiden Organen. Besonders häufig ist Ohrschmerz bei ulceröser Zerstörung der Epiglottis. Vidal beobachtete bei einer Dame mehrere Stunden lang anhaltenden Schmerz in den Ohren nach Abtragung der Tonsillen. Bisweilen beruht die Erkrankung auf Malariainfektion, in manchen Fällen lassen sich ätiologische Momente nicht nachweisen.

Durch Extraktion der kariösen Zähne werden die durch dieselben bedingten Otalgien geheilt. In den sonstigen Fällen erweist sich das Antipyrin 1,0 pro dosi von guter Wirkung, ausserdem Chinin, auch wenn Malariainfektion nicht nachzuweisen ist. Auch von Salicylsäure habe ich in einzelnen Fällen Erfolg gesehen. Thorner sah die Neuralgie verschwinden nach dreistündlich wiederholten Gaben von Salol. Ausserdem wurden angewandt Jodkalium, Chloroformdämpfe, Olium Terebinthinae, Amylnitrit.

Hämorrhagien in die Trommelhöhle.

Ausser den Blutungen aus der Trommelhöhle bei Vorhandensein von Polypen oder nach traumatischen Einwirkungen kommt

---

[1]) Umgekehrt beobachtete Moos eine Supradentalneuralgie, einer eiterigen Mittelohrentzündung vorausgehend. Ein gesunder Zahn war ohne Erfolg extrahirt worden. Der Zahnschmerz verschwand nach Incision einer Vorbauchung im hinteren oberen Quadranten des Trommelfells und nach reichlichem Eiterabfluss durch die hergestellte Oeffnung.

es zu Blutergüssen bei starken venösen Stauungen, bei heftigem Erbrechen, beim Keuchhusten. Die Blutung giebt, wenn sie nicht mit Perforation des Trommelfells verbunden ist, zu plötzlicher hochgradiger Schwerhörigkeit mit Schmerz, Druckgefühl und Sausen im Ohre Veranlassung. Ist gleichzeitig das Trommelfell perforirt, so ist die nach aussen sich entleerende Blutmenge meist eine geringe.

Bei einer Patientin, welche wegen eiteriger Mittelohrentzündung mit Perforation der Shrapnell'schen Membran von mir behandelt wurde, fand jedesmal während der Seekrankheit Blutaustritt aus dem Ohre statt. Das koagulirte Blut musste mit der Paukenröhre entfernt werden. Benni[1]) beobachtete beiderseitige Hämorrhagien aus gesunden Ohren während der Menstruation. Nach plötzlich auftretendem heftigem Schmerz fand reichliche Blutung aus beiden Gehörgängen statt. Bei der Untersuchung fanden sich Durchlöcherungen der Trommelfelle.

Die Behandlung besteht in Entfernung des ausgeschiedenen Blutes vermittelst des Politzer'schen Verfahrens bei nicht erfolgter Trommelfellperforation nach gemachter Paracentese. Schliessen sich dem Bluterguss entzündliche Erscheinungen an, so kommt Kälte zur Anwendung in Form von kalten Umschlägen.

Kapitel IX.

Erkrankungen des nervösen Apparates.

Anatomisches.

Das knöcherne Labyrinth wird durch eine äusserst feste, elfenbeinharte Knochenmasse gebildet und ist von der poröseren Masse des übrigen Felsenbeines eingeschlossen. Es enthält die als Vorhof, Schnecke und Halbzirkelkanäle bezeichneten Hohlräume, in welchen sich das häutige Labyrinth befindet, das sowohl innen als aussen vom Labyrinthwasser, der Endolymphe und der Perilymphe, umspült ist.

---

[1]) Bericht über den 2. internationalen otolog. Congress in Mailand. Zeitschr. f Ohrenheilk. Bd. IX, S. 407.

Der Vorhof besteht aus einer ovalen Höhle, die durch eine an der inneren Wand verlaufende senkrechte Leiste, Crista vestibuli, in zwei Teile geteilt ist, den Recessus sphäricus (Saculi) vorn und den Recessus ellipticus (Utriculi) hinten. Die äussere Wand des Vorhofes trennt denselben von der Trommelhöhle, und es findet sich auf ihr die Fenestra ovalis (F.o. der schematischen Abbildung, Fig. 43), in welcher vermittelst einer Ringmembran die Steigbügelplatte

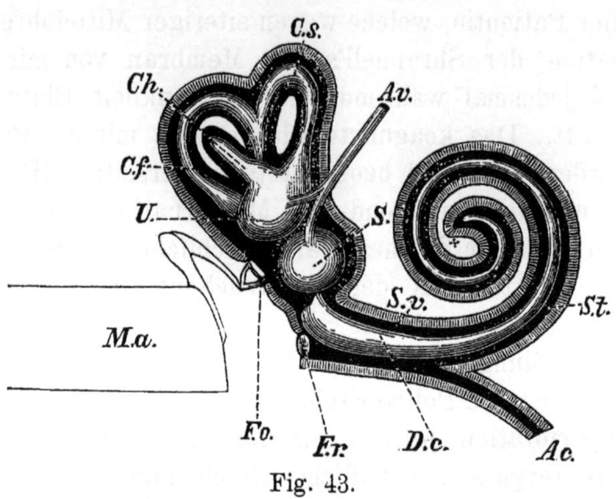

Fig. 43.

befestigt ist. Auf der inneren Vorhofswand finden sich kleine Oeffnungen (Maculae), durch welche die Zweige des Nervus vestibularis eintreten. Mit dem hinteren Teile des Vorhofs stehen durch 5 Mündungen die 3 Halbzirkelkanäle in Verbindung, die alle rechtwinklig zu einander gestellt sind. Wir unterscheiden einen horizontalen (C.h.) und zwei vertikale, den frontalen (C.f.) und den sagittalen (C.s.) Bogengang. Die einzelnen Halbzirkelkanäle beginnen mit erweitertem Lumen, den Ampullen, während die Endigungen die Weite des Kanales haben. Die beiden vertikalen Kanäle haben eine gemeinschaftliche Endigung. Nach vorn geht der Vorhof in die mit der Spitze nach aussen gerichtete Schnecke über. Die Schnecke hat 2½ Windungen, die um die horizontal gestellte Spindel (Modiolus) aufgerollt erscheinen. Von der Spindel ragt eine ebenfalls knöcherne sog. Spiralplatte (L. s. o. des schematischen vertikalen Durchschnittes durch eine Schneckenwindung, Fig. 44) in das Lumen der Schnecke herein, die sich durch die Lamina spiralis membranacea, welche auch als Membrana basilaris (M.b.) bezeichnet wird, bis zur gegenüberliegenden Wand fortsetzt. Dadurch werden die Schneckenwindungen in zwei parallel verlaufende Kanäle getrennt. Der obere derselben, vom Vestibulum ausgehend, wird als Scala vestibuli (S.v.), der untere, der am runden Fenster der Trommelhöhle endigt, als Scala tympani (S.t.) bezeichnet. Beide Kanäle stehen mit einander an der Spitze der Schnecke durch eine kleine Oeffnung, das Helikotrema, in Verbindung.

Entsprechend der Teilung des knöchernen Vorhofes wird der häutige Teil in zwei Säckchen geschieden, vorn den Saculus (s. Fig. 43), hinten den Utriculus (U). Auf den dünnen Wänden dieser Säckchen, die durch einen kleinen, sich in den Aquaeductus vestibuli (A. v.) fortsetzenden Kanal mit einander in Verbindung stehen, findet die Nervenausbreitung statt. Der Innenseite der Membranen haften die als Otolithen bezeichneten Krystalle an. Nach hinten gehen die für die Halbzirkelkanäle bestimmten häutigen Kanäle ab, welche, von der Perilymphe umspült, eine ihrer knöchernen Umhüllung entsprechende Form besitzen. In der Schnecke geht von der knöchernen Spiralplatte ausser der bereits erwähnten Membrana basilaris noch eine zweite, die Reissner'sche Membran (M. R.), zur peripheren Wand der Schnecke. Es wird dadurch ein dritter Kanal zwischen diesen beiden Membranen gebildet, der Ductus cochlearis (D. c.), der die zur Schallperception dienenden Organe enthält. Dieser Kanal steht mit dem Vorhofssäckchen durch den Canalis reuniens in offener Verbindung und ist von Endolymphe ausgefüllt. Von der Scala tympani, dicht vor dem runden Fenster, geht der Aquaeductus cochleae (A. c.) zur Fossa jugularis. Durch denselben findet eine Verbindung zwischen der Perilymphe des Labyrinthes und dem peripheren Lymphsystem statt. Die Endolymphe findet ihren Abflussweg durch die Arachnoidealscheide des Acusticus in den Subarachnoidealraum, ausserdem durch den

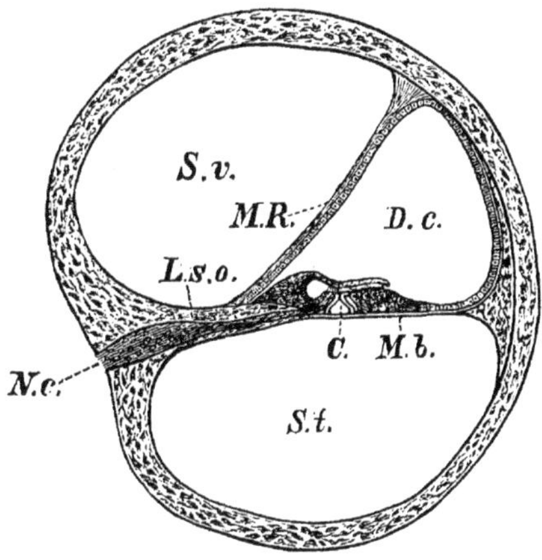

Fig. 44.

Aquaeductus vestibuli nach der hinteren Oberfläche der Pyramide. Der Aquaeductus vestibuli endigt blind in einen zwischen den Blättern der Dura gelegenen Sack.

In dem Ductus cochlearis liegen der Membrana basilaris die Corti'schen Bogen (C.) auf, die in paralleler Lagerung je aus zwei Stäbchen oder Fasern, einer inneren und einer äusseren bestehen. An diese schliessen sich innen und aussen die Haarzellen an. Die Zahl der Corti'schen Bogen beträgt viele Tausend. Die Membrana basilaris, welcher das Corti'sche Organ aufliegt, nimmt von der Wurzel bis zur Kuppel an Breite zu. Auf ihr findet zwischen den Stäbchen und Zellen die Endausbreitung der Nervenfasern statt.

Der Nervus acusticus teilt sich am Ende des inneren Gehörganges in den Nervus vestibuli und den Nervus cochleae. Der erstere versorgt Vorhof und Halbzirkelkanäle, während der letztere durch die Spindel der Schnecke sich in der Lamina spiralis ossea ausbreitet und hier ein Gangliengeflecht bildet, von dem aus die Endausbreitung auf der Membrana basilaris stattfindet.

Physiologisches.

Die Schallschwingungen werden durch den Schallleitungsapparat im Mittelohre unter Vermittlung des durch eine Ringmembran in's ovale Fenster beweglich eingefügten Steigbügels auf die Labyrinthflüssigkeit fortgepflanzt. Die von festen Knochenwänden eingeschlossene Labyrinthflüssigkeit kann den durch Bewegungen der Steigbügelplatte hervorgerufenen Druckschwankungen nur durch die nachgiebige Membran des runden Fensters ausweichen. Dies kann bei der Kleinheit des Helikotremas nicht durch dieses geschehen, sondern es muss dadurch herbeigeführt werden, dass die Membran basilaris mit den auf ihr ausgebreiteten Organen in Bewegung gerät.

Die funktionelle Bedeutung der einzelnen Teile des Labyrinthes ist noch nicht genügend festgestellt. Nach Helmholtz scheint es wahrscheinlich, dass Vorhof und Ampullen zur Perception von nicht periodischen Schwingungen (Geräuschen), die Schnecke zur Perception von periodischen Schwingungen (Tönen) dient. Sodann wies Helmholtz darauf hin, dass in der Schnecke die Stellen in der Nähe der fenestra rotunda wahrscheinlich bei hohen, die in der Nähe der Kuppel bei tiefen Tönen schwingen. Die Ansicht von Helmholtz, dass die Corti'schen Bogen als Perceptionsapparate für die einzelnen Töne zu betrachten seien, musste durch die Beobachtung von Hasse, welcher fand, dass die Vögel das Corti'sche Organ nicht besitzen, dahin modificirt werden, dass die verschiedene Länge und Spannung der Membrana basilaris in Verbindung mit den Haarzellen als die wesentlichen Momente für die Perception verschiedener Töne zu betrachten sind und dass vermittelst dieser die Schallwellen analysirt und in Nervenerregungen umgesetzt werden.

Die Helmholtz'sche Theorie der Tonempfindung in der Schnecke wurde von Moos und Steinbrügge durch die pathologisch-histologische Untersuchung bestätigt, indem dieselben in einem Falle von mangelhafter Perception der hohen Töne Atrophie der nervösen Elemente der unteren Schneckenwindung fanden. Baginsky suchte durch Tierexperimente die Richtigkeit der Helmholtz'schen Theorie nachzuweisen.

Die Bogengänge scheinen mit dem Hören nichts zu thun zu haben, stehen nach den bisherigen Versuchen vielmehr in Beziehung zum Körpergleichgewicht.

Die Uebertragung von Luftdruckschwankungen vom äusseren Gehörgang und von der Trommelhöhle auf das Labyrinth wurde durch die interessanten Arbeiten Politzer's genauer festgestellt. Derselbe befestigte in den oberen Halbzirkelkanal luftdicht ein mit Karminlösung gefülltes Manometerröhrchen, es ergab sich bei den auf diese Weise angestellten Versuchen, dass bei Luftverdichtung, sowohl im äusseren Gehörgang, als in der Trommelhöhle (von der Tuba aus) ein Steigen der Flüssigkeit des Röhrchens eintritt, bei Luftverdünnung in beiden Teilen ein Sinken. Diese Versuche wurden später von Helmholtz, Lucae und Bezold bestätigt und weiter ausgeführt. Nach Bezold hat die Membran des runden Fensters eine fünf Mal so grosse Exkursionsfähigkeit als das Ligamentum annulare.

Während früher angenommen wurde, dass bei Einwärtsziehung des Trommelfells und der Steigbügelplatte eine Erhöhung des Labyrinthdruckes stattfinde, würde sich nach den physiologischen Versuchen ergeben, dass bei Luftverdünnung im Mittelohre, welche wir bei Undurchgängigkeit der Eustachi'schen Röhre eintreten sehen, eine Verringerung des intralabyrinthären Druckes stattfindet. Da die Labyrinthflüssigkeit durch die Aquädukte und durch die Arachnoidealscheide des Acusticus mit der Schädelhöhle in Verbindung steht, muss angenommen werden, dass Druckveränderungen im Labyrinthe nur vorübergehend bestehen können. Nur für den Fall, dass die Abflusswege der Labyrinthflüssigkeit durch pathologische Verhältnisse beeinträchtigt sind, dürfte eine dauernde Druckveränderung im Labyrinthe eintreten können.

Nach Bezold (Zeitschr. f. Ohrenheilk. Bd. XVIII, S. 202) kann man sich am normalen frischen Schläfenbeinpräparate von der Durchgängigkeit der beiden Aquädukte auf folgende Weise überzeugen: „Wenn wir ein mit gefärbter Flüssigkeit zur Hälfte gefülltes Kapillarröhrchen wasserdicht mittelst Lack in den geöffneten oberen halbcirkelförmigen Kanal einkitten, so sehen wir die Flüssigkeit in demselben sofort und oft beträchtlich, um mehrere Centimeter, steigen, wenn wir einen Fingerdruck auf den endolymphatischen Sack ausüben, in welchen der Aquaeductus vestibuli einmündet. In der gleichen Weise steigt die Flüssigkeit des Glasröhrchens, wenn wir den Finger auf die trichterförmige Mündung des Aquaeductus cochleae an der unteren Wand des Felsenbeins luftdicht aufsetzen und dann einen Druck ausüben, vorausgesetzt, dass der Aquaeductus bis zu seiner Mündung mit Flüssigkeit gefüllt ist; ja dasselbe lässt sich drittens auch durch die Lymphwege des Porus acusticus internus erreichen, wenn wir denselben mit Wasser füllen und ebenfalls auf seine Mündung einen Druck einwirken lassen."

Allgemeines.

Während wir in den vorigen Abschnitten die Erkrankungen des Schallleitungsapparates kennen gelernt haben, wenden wir uns zu den Affektionen des Perceptionsapparates, des Labyrinthes, des Hörnerven und der akustischen Bahnen und Centren im Gehirne.

Das Labyrinth nimmt nicht nur durch seine von der des Mittelohres vollständig unabhängige Entwicklung, sondern auch durch die anatomischen Verhältnisse dem Mittelohr gegenüber eine gesonderte Stellung ein. Von einer äusserst festen Knochenkapsel umschlossen erhält es seine Ernährung fast ausschliesslich durch die Art. auditiva interna von der Arteria basilaris, somit aus ganz anderen Gefässgebieten als das Mittelohr. Es steht deshalb das Labyrinth auch mit seinen Erkrankungen denen des übrigen Hörorganes ziemlich selbständig gegenüber. Die bei hochgradigen akuten Entzündungen und bei chronischen Entzündungen des Mittelohres bisweilen eintretende Mitbeteiligung des Labyrinthes dürfte teils durch die von Politzer nachgewiesenen kapillaren Gefässkommunikationen zwischen Mittelohr und Labyrinth, teils aber auch durch beide Organe gemeinschaftlich betreffende trophische Störungen zu erklären sein. Bei der versteckten Lage der verschiedenen Teile des nervösen Apparates des Hörorganes, insbesondere des Labyrinthes, durch welche dieselben einer direkten Untersuchung unzugänglich gemacht sind, kann es nicht auffallen, wenn die Diagnose der nervösen Schwerhörigkeit in früherer Zeit keine exakte war und dass dieselbe auch bei Benutzung unserer heutigen Untersuchungsmittel noch Manches zu wünschen übrig lässt. Ist der Perceptionsapparat allein ergriffen, so ist die Diagnose leichter, indem wir bei vollständig normalem Verhalten aller unserer Untersuchung zugänglichen Teile und ausgesprochener Differenz zwischen Knochen- und Luftleitung den Sitz der Erkrankung nach dem schallpercipirenden

Teil des Hörorganes verlegen können. Sind gleichzeitig andere cerebrale Erscheinungen vorhanden, so muss an eine Erkrankung des cerebralen Teils des Hörapparates gedacht werden. Andere Anhaltspunkte für die Differentialdiagnose zwischen Erkrankungen des Labyrinthes, des Hörnerven oder des Gehirns besitzen wir nicht, so dass wir in vielen Fällen darauf angewiesen sind, die Diagnose auf nervöse Schwerhörigkeit zu stellen. Bei gleichzeitiger Erkrankung des schallleitenden und percipirenden Apparates sind wir nicht im Stande zu beurteilen, in welchem Grade der eine oder der andere Teil an der vorliegenden Erkrankung beteiligt ist.

Hyperämie des Labyrinthes.

Hyperämien des Labyrinthes treten bei allen denjenigen Erkrankungen auf, welche zu Hyperämie des Kopfes überhaupt und besonders auch des Gehirnes führen, bei heftigen exanthematischen Erkrankungen, Typhus, Scharlach, bei den durch die verschiedensten Ursachen bedingten Blutstauungen im Kopfe, bei aktiven Kongestionen zum Kopfe. Die wesentlichen Erscheinungen der Labyrinthyperämie sind Ohrensausen, Schwindel, Eingenommenheit des Kopfes und Schwerhörigkeit. Während der Dauer der Hyperämie ist nicht selten stärkere Injektion am Hammergriff zu beobachten, die mit dem Aufhören der Erscheinungen sich wieder verliert. In manchen Fällen, insbesondere bei hysterischen, müssen wir annehmen, dass es sich um vasomotorische Vorgänge handelt, verminderte tonische Innervation der Gefässe durch Beschränkung des gefässverengenden Einflusses des Sympathicus. Sekundäre Hyperämieen treten auf im Verlaufe von akuten oder chronischen Mittelohrerkrankungen.

Auf Hyperämie des Labyrinthes beruhen die Hörstörungen, welche wir bei Anwendung verschiedener Medikamente, insbesondere des Chinins und der Salicylsäure, beobachten, heftiges Ohrenklingen mit mehr oder weniger hochgradiger Schwerhörigkeit. Diese Erscheinungen dauern entweder nur wenige Stunden oder einige Tage und gehen fast ausnahmslos von selbst wieder zurück. Dass dieselben durch Labyrinthhyperämie bedingt sind, geht aus den Versuchen von Roosa und Kirchner[1]) hervor, welche nach grossen Chinin- und Salicylsäuregaben Hyperämieen und Ekchymosen im Trommelfelle, in der Trommelhöhle und im Labyrinthe fanden. In den seltenen Fällen, in welchen Hörstörungen dauernd bestehen bleiben, sind dieselben durch Blutextravasation in's Labyrinth verursacht zu betrachten.

---

[1]) Sitzungsberichte der Würzburger physik.-med. Gesellschaft 1881.

Was die Behandlung betrifft, so müssen die durch allgemeine Cirkulationsstörungen bedingten Hyperämieen durch eine diesen entsprechende Behandlung bekämpft werden, die je nach den Verhältnissen und der Konstitution der betreffenden Patienten nach den dafür geltenden Grundsätzen verschieden ausfallen muss. Woakes hebt z. B. hervor, dass Fälle von Ohrensausen, die er auf Hyperämie des Labyrinthes zurückführt, bisweilen durch Karlsbader Salz geheilt werden können. Bisweilen erweisen sich Blutentziehungen auf dem Warzenfortsatz von Vorteil. Nicht selten lassen sich durch elektrische Behandlung des Halssympathicus mit dem konstanten oder inducirten Strom Erfolge erzielen.

Anämie des Labyrinthes.

Bei anämischen Personen und bei solchen, deren Kräftezustand durch schwere Krankheiten bedeutend geschwächt ist, tritt nicht selten Ohrensausen und Schwerhörigkeit auf. Beide Erscheinungen kommen zum Schwinden, wenn die Anämie beseitigt und der Kräftezustand gebessert wird. Neben der Darreichung von Eisenpräparaten erweist sich der Aufenthalt an hochgelegenen Orten von günstigem Einflusse. Bekannt ist, dass Ohnmachten bisweilen mit Ohrensausen und Schwerhörigkeit verbunden sind.

Während beim Auge Erblindungen durch akute Anämie nicht selten zur Beobachtung kommen, ist bezüglich des Ohres nur ein Fall mitgeteilt von Urbantschitsch[1]), in welchem nach einer profusen Nasenblutung plötzlich vollständige Taubheit auf beiden Seiten eintrat, die nicht wieder zur Rückbildung kam. Bei der Sektion fanden sich weder im Labyrinth, noch im Gehirn irgend welche Abweichungen von der Norm. — Aberkrombie erzählt von einem sehr geschwächten Patienten, der in aufrechter Stellung taub war, dagegen gut hörte, wenn er lag oder sich vornüber neigte, dass sein Gesicht sich rötete.

Hämorrhagien in's Labyrinth.

Bei Sektionen wurden sowohl im Gefolge von akuten, als auch von chronischen Entzündungen Blutergüsse resp. Residuen derselben im Labyrinthe angetroffen in grösserer oder geringerer Ausdehnung. Auch die Beobachtungen am Lebenden lassen darauf schliessen, dass solche Blutergüsse in's Labyrinth bisweilen stattfinden. Sind

---

[1]) Arch. für Ohrenheilk. Bd. XVI, S. 185.

dieselben klein, so sind die verursachten Erscheinungen sehr unbedeutend, während grössere Blutaustritte durch plötzlich eintretende hochgradige Schwerhörigkeit oder vollständige Taubheit sich charakterisiren. Am häufigsten finden stärkere Blutaustritte in's Labyrinth statt durch traumatische Einwirkungen, insbesondere bei Felsenbeinfrakturen. Meist ist die Taubheit eine vollständige, das Ohrensausen ist sehr beträchtlich, ebenso die Schwindelerscheinungen. Mit der Resorption können die Erscheinungen grösstentheils zurückgehen, doch bleibt Schwerhörigkeit in der Regel bestehen. Dass auch durch starke Erschütterung, kräftige Schalleinwirkung Bluterguss in's Labyrinth stattfinden kann, wurde von Moos nachgewiesen. Ohne Zweifel sind die bisweilen zur Beobachtung kommenden Fälle von plötzlich auftretender totaler Taubheit, die sich nicht wieder zurückbildet, durch Blutungen in's Labyrinth bedingt. Eine solche totale Taubheit, die während des Keuchhustens plötzlich aufgetreten war, hatte ich Gelegenheit, bei einem taubstummen Knaben zu beobachten. Die Blutextravasation, welche der Menière'schen Krankheit zu Grunde liegen soll, wird später noch erörtert werden. Wir wollen hier nur hervorheben, dass wiederholt Fälle zur Sektion kamen (Moos, Politzer, Lucae), in welchen das Labyrinth inkl. die Halbzirkelkanäle mit Blut ausgefüllt waren, ohne dass Gleichgewichtsstörungen während des Lebens bestanden.

Bei chronischen Processen fand besonders Moos wiederholt als sekundären Folgezustand bei Mittelohrentzündungen Pigmentablagerung in den verschiedensten Teilen des Labyrinthes. Ferner wurde von Moos durch die sorgfältigsten mikroskopischen Untersnchungen der Nachweis gcliefert, dass die bei der hämorrhagischen Pachymeningitis auftretenden Hörstörungen ebenfalls durch Hämorrhagien im Labyrinthe bedingt sind.

Das Resultat seiner Untersuchungen fasst Moos[1]) dahin zusammen: „Die Gehörstörungen bei der hämorrhagischen Pachymeningitis basiren auf Blutungen per diapedesin in's Labyrinth, welche die meningealen Blutungen begleiten und welche bei wiederholten Anfällen zur völligen Vernichtung der Funktion führen können. Die letztere ist bedingt durch atrophische und degenerative Vorgänge im Labyrinth, an welchen sowohl der Stamm des Gehörnerven, wie seine Endausbreitungen in hervorragender Weise beteiligt sind und bei deren Zustandekommen die Störungen in der Cirkulation des Blutes und in der Ernährung der Gewebe einen wichtigen vermittelnden Faktor bilden."

---

[1]) Zeitschr. f. Ohrenheilk. Band IX, S. 97.

Akute Entzündung des Labyrinthes.

Von idiopathischen, akuten Entzündungen des Labyrinthes sind bis jetzt nur wenige Fälle durch die Sektion bestätigt, während solche traumatischen Ursprunges oder als Teilerscheinung anderer Erkrankungen, insbesondere der Meningitis, sowohl der sporadischen als der epidemischen, nicht selten zur Beobachtung gelangen.

Bei einem Falle konnte Politzer[1]) die genaue Untersuchung nach dem Tode vornehmen. Es handelte sich um einen 13jährigen taubstummen Knaben, der im Alter von $2\frac{1}{2}$ Jahren unter Fieber mit eklamptischen Anfällen erkrankte, denen sich kurz dauernde beiderseitige Otorrhoe anschloss. Die Sektion ergab beiderseits Trommelfell und Trommelhöhlenschleimhaut normal, Steigbügel unbeweglich, die Nische des runden Fensters durch Knochenmasse ausgefüllt, der Schneckenraum und die Halbzirkelkanäle vollständig von neugebildeter Knochenmasse eingenommen, der Vorhof stark verengt. Sowohl Ramus vestibularis als R. cochlearis des Acusticus fanden sich intakt. Nach Politzer handelte es sich somit um eine akute eiterige Entzündung des Labyrinthes, höchst wahrscheinlich mit Durchbruch des Eiters durch das runde Fenster in die Trommelhöhle und nach aussen, mit nachfolgender Knochenbildung im Labyrinthe.

Moos und Steinbrügge[2]) fanden in einem ähnlichen Falle neben mancherlei anderen Veränderungen vom Periost ausgehende Bindegewebswucherungen und Knochenneubildungen, in Folge deren es zu einer teilweisen Obliteration der Schneckenbinnenräume in der ersten Windung, sowie zu einer Fixation der Lamina spiralis membranacea kam. — Schwartze teilte einen einen Erwachsenen betreffenden Fall mit. Die Erkrankung trat auf mit Kopfschmerz, Ohrenschmerz, Schwindel, schwankendem Gang, heftigen Geräuschen, Schwerhörigkeit, häufigem Erbrechen. Diesen Erscheinungen schlossen sich bald die der purulenten Meningitis an. Die Sektion ergab eiterige Labyrinthentzündung und eiterige Meningitis, ohne dass ein Zusammenhang zwischen beiden nachweisbar war. Ob die primäre Erkrankung die Labyrinthentzündung war, wie Schwartze annimmt, muss allerdings dahingestellt bleiben.

Voltolini glaubt, dass die bei Kindern unter den Erscheinungen einer Meningitis sehr rasch auftretende Taubheit durch eine akute Entzündung des häutigen Labyrinthes bedingt sei. Die Otitis labyrinthica Voltolini's ist in wenigen Tagen abgelaufen, und nach Schwinden der meningitischen Erscheinungen bleibt vollständige unheilbare Taubheit stets auf beiden Seiten zurück, ausserdem Schwindel und Taumel, die erst im Verlaufe von Wochen oder Monaten verschwinden. Wenn auch der oben besprochene Fall Politzer's für das Vorkommen einer derartigen akuten Labyrinthentzündung spricht, so erscheint es doch wahrscheinlicher, dass

---

[1]) Zeitschr. für Ohrenheilk. Bd. IX, S. 389.

[2]) Ibid. Bd. XII, S. 96.

es sich in den meisten dieser Fälle um Meningitis simplex der Basis handelt. Der Verlauf der Meningitis ist nicht selten ein sehr rascher. Ein bis dahin gesundes, gut entwickeltes Kind erkrankt um die Zeit des Zahnens bis zum 3. Lebensjahre auf einmal schnell fieberhaft, wird von Konvulsionen, Delirien, Sopor befallen. Ebenso rasch als die Erscheinungen sich einfanden, bilden sich dieselben zurück, und es bleibt Idiotismus, Aphasie oder Taubheit bestehen. In anderen Fällen handelt es sich um abortive Formen der epidemischen Cerebrospinalmeningitis[1]) oder einfacher sporadischer Meningitis.

Dass bei eiterigen Hirnhautentzündungen die Taubheit seltener durch Affektion des Hörnervenstammes oder der centralen Bahnen, sondern in der Regel durch Uebergreifen der Entzündung auf das Labyrinth bedingt ist, geht schon daraus hervor, dass einerseits der Acusticus nicht selten post mortem in Eiter eingebettet gefunden wird, ohne dass sich im Krankheitsverlauf eine Spur von Taubheit gezeigt hätte, andererseits neben Taubheit äusserst selten Facialislähmung beobachtet wird. Es muss noch die Erkrankung des Labyrinthes hinzukommen, um die Taubheit herbeizuführen. Dieselbe konnte bei der epidemischen Cerebrospinalmeningitis mehrfach durch die Sektion nachgewiesen werden.

Von 43 von Moos[2]) beobachteten Fällen von Meningitis cerebrospinalis hatte sich bei 11 die Taubheit in den ersten drei Tagen eingestellt, bei 17 vom 3. bis 10. Tag, bei 15 von 14 Tagen bis 4 Monate. Bei frühzeitigem Auftreten der Hörstörung beruht dieselbe nach Moos höchst wahrscheinlich auf einer gleichzeitig mit der meningealen Erkrankung sich entwickelnden eiterigen oder hämorrhagischen Entzündung im Labyrinthe.

Tritt die Hörstörung erst später auf, so ist anzunehmen, dass es sich um ein Fortkriechen der Entzündung längs des Perineuriums vom Acusticus in das Labyrinth hinein, um eine Neuritis descendens mit ihren Ausgängen handelt.

Ausserdem kann die Entzündung auch durch die Aquädukte sich nach dem Labyrinthe fortpflanzen. Nach einem Sektions-

---

1) Nach meinen Untersuchungen in den hiesigen Taubstummenanstalten kommt eine so kurz dauernde Erkrankung, wie sie der Voltolini'schen Otitis labyrinthica entspricht, nur vereinzelt vor; in der Regel handelt es sich um länger dauernde Erkrankungen mit langsamer Rekonvalescenz nach Rückgang der meningitischen Erscheinungen.

2) Ueber Meningitis cerebrospinalis epidemica. Heidelberg 1881. S. 14.

befunde glaubt Lucae, dass dies auch geschehen könne durch Gefässstränge, welche sich von der Dura mater nach dem die Labyrinthkapsel umgebenden spongiösen Gewebe begeben. Durch eine grössere Anzahl von Sektionen (Merkel, Heller, Knapp) wurde der eiterige Charakter der Labyrinthentzündung festgestellt.

Ein sehr sorgfältig untersuchter Fall wurde neuerdings von Habermann mitgeteilt. Nach zweitägigen Erscheinungen schwerer Meningitis wurde vollständige Taubheit bemerkt und taumelnder Gang. Nach 6 Wochen trat von Neuem Meningitis auf, an welcher der Patient zu Grunde ging. An der Schädelbasis fand sich sehr reichlicher Eiter, in der Mündung des Aquaeductus cochleae ein dicker Eiterpfropf. Bei der mikroskopischen Untersuchung wurde Entzündung und Infiltration des Nervus acusticus und facialis, sowie der Duraauskleidung des Meatus audit. int. nachgewiesen. Der Knochen fand sich usurirt, Buchten mit Granulationsgewebe ausgefüllt. Der ganze Innenraum der Schnecke, des Vorhofs und der Bogengänge ebenfalls mit Granulationsgewebe erfüllt, das membranöse Labyrinth zerstört.

Die Prognose der Taubheit, die in fast allen Fällen eine absolute ist und beide Seiten betrifft, ist eine äusserst ungünstige. Moos teilt einen Fall mit, bei welchem es ihm gelang, durch den konstanten Strom beträchtliche Besserung zu erzielen.

Nach abgelaufener Meningitis bleiben Gleichgewichtsstörungen bestehen, welche sich in taumelndem Gange äussern, Störungen, die wahrscheinlich auf die Erkrankung der Halbzirkelkanäle zurückzuführen sind.

Die Cerebrospinalmeningitis, welche 1864—65 in verschiedenen Teilen Deutschlands herrschte, trat besonders in Westpreussen, Pommern und Posen sehr heftig auf und lieferte einen sehr beträchtlichen Zuwachs zu der Zahl der in diesen Provinzen vorhandenen Taubstummen. Nach der von Wilhelmi aufgestellten Taubstummenstatistik der Provinz Pommern befanden sich dort unter 1637 Taubstummen 278, welche durch Genickstarre das Gebrechen erworben hatten. Ausserdem bestanden grössere Epidemien von Cerebrospinalmeningitis in Deutschland in den Jahren 1870—71 und 1878.

Dass mit Mittelohrentzündungen häufig Entzündungen des Labyrinthes vergesellschaftet sind, ist durch Sektionen festgestellt; während schon bei leichteren Entzündungen kleinzellige Infiltration des häutigen Labyrinthes, besonders von Moos gefunden wurde, konnte von einer Reihe anderer Beobachter Eiteransammlung im Labyrinthe bei hochgradiger Mittelohrentzündung nachgewiesen werden. Eine direkte Fortpflanzung der eiterigen Entzündung vom Mittelohr auf das Labyrinth kann allerdings sehr selten bei

Zerstörung der Membranen des runden oder ovalen Fensters stattfinden, ausserdem durch kariöse Zerstörung der Labyrinthwand. Bezüglich der Sequesterbildung des knöchernen Labyrinthes vergl. Seite 178.

Was die Behandlung der entzündlichen Affektionen des Labyrinthes betrifft, so kommt bei den akuten Entzündungen der antiphlogistische Heilapparat zur Anwendung, Kälte, Blutentziehungen, Jod- und Quecksilberpräparate, Abführmittel. Wird mit diesen Mitteln kein Erfolg erzielt, so muss die Pilokarpinbehandlung eingeleitet werden. Dieselbe wurde von Politzer zuerst auf dem Mailänder otologischen Kongresse (1880) empfohlen. Es gelingt in manchen veralteten Fällen durch eine 2—3 Wochen durchgeführte Schwitzkur noch Besserung zu erzielen. Nach Politzer sollen täglich 2--8 Tropfen einer 2%igen Lösung von Pilocarpinum hydrochlor. subkutan injicirt werden. Viele Patienten reagiren schon kräftig auf kleine Dosen von 0,005—0,01 Gramm des Mittels, während bei anderen Dosen von 0,02 Gramm erforderlich sind. 5—45 Minuten nach der Einspritzung tritt starkes Schwitzen und Speichelfluss ein. Kontraindicirt ist die Pilokarpinbehandlung bei Schwächezuständen des Herzens.

Chronische Entzündung und Degenerationsprocesse im Labyrinthe.

Die chronischen Entzündungsprocesse des Labyrinthes treten entweder selbständig auf, oder in Verbindung mit Mittelohrerkrankungen.

Die Sektionen des Labyrinthes ergaben eine Reihe von Veränderungen, welche als Produkte von chronischen Entzündungsprocessen zu betrachten sind. Die gefundenen Veränderungen betreffen alle Teile des Labyrinthes und zeigen sich sowohl als hyperplastische, als auch als degenerative Processe: Verdickungen des häutigen Labyrinthes durch hyperämische Schwellung, Bindegewebsneubildung, zellige Infiltration, fettige, bindegewebige oder amyloide Entartung, Atrophie, vermehrte Vaskularisation, Ansammlung von Kalkkonkrementen oder von Pigment, Veränderungen des Labyrinthwassers.

Bei dem von Moos und Steinbrügge[1]) auf's sorgfältigste

---

[1]) Zeitschr. für Ohrenheilk. Bd. X, S. 1.

untersuchten Falle von Nervenatrophie der ersten Schneckenwindung bestand mangelhafte Beweglichkeit des Stapes im ovalen Fenster. M. u. S. lassen es dahingestellt, ob diese Atrophie als Inaktivitätsatrophie zu betrachten ist, oder ob dieselbe durch dauernde Erhöhung des intralabyrinthären Druckes herbeigeführt wurde.

Einen langsam sich entwickelnden Degenerationsprocess im Labyrinth müssen wir bei der in Verbindung mit Retinitis pigmentosa auftretenden Schwerhörigkeit und Taubheit annehmen. Zwischen den beiderlei Erkrankungen bestehen folgende Beziehungen[1]: 1) Sie werden häufig bei demselben Individuum beobachtet. 2) Bei einseitigem Auftreten der Retinitis wird die Taubheit auf dem entsprechenden Ohre beobachtet. 3) Kranke, die an Retinitis pigmentosa leiden, haben häufig taubstumme Geschwister und umgekehrt. 4) Beide Gebrechen sind nicht selten mit Geistesschwäche verbunden.

Gräfe[2]) berichtet über eine Familie, in welcher unter 5 Kindern 3 mit Taubstummheit und Retinitis pigmentosa behaftet, die übrigen vollsinnig waren.

In einem Falle von langsam zunehmender Schwerhörigkeit neben Retinitis pigmentosa fand ich bei der Stimmgabelprüfung gleichmässige Herabsetzung der Hörzeit sowohl durch Luft als durch Knochen. Lucae fand in einem Falle stärkere Herabsetzung der Perceptionsfähigkeit für hohe Töne.

Die für die Differentialdiagnose zwischen Labyrintherkrankung und solcher des Schallleitungsapparates wichtigen Punkte sind im Abschnitt über Hörprüfung besprochen.

Für die Behandlung ist das Labyrinth nur wenig zugänglich; wir haben uns in den meisten Fällen auf ableitende Mittel, Vesikatore, Bepinselungen mit Jodtinktur, Einreibungen mit Jod- oder Jodoformsalbe auf der Warzenfortsatzgegend und auf die Allgemeinbehandlung, Behandlung von Dyskrasieen zu beschränken. Ausserdem kann die Pilokarpinbehandlung eingeleitet werden.

Der Menière'sche Symptomenkomplex.

Auf Grund von mehreren von ihm beobachteten Fällen, von denen einer zur Sektion kam, stellte Menière eine Krankheitsform auf, die nach ihm benannt wird. Die mit der Menière'schen Krank-

---

[1]) Vgl. Beiträge zur Kenntniss der Retinitis pigmentosa. Von Dr. Max Siegheim. Breslau, Dissert. 1886.

[2]) Archiv für Ophthalmol. Bd. IV, S. 2.

heit verbundenen Erscheinungen sind unsicherer Gang, heftiger Schwindel, Drehbewegungen, Erbrechen, ohnmachtähnliche Zustände, Schwerhörigkeit, Ohrensausen. In dem Falle, welchen Menière secirte, fand sich hämorrhagisches Exsudat in den Halbzirkelkanälen. Bei der Uebereinstimmung der Symptome, bei welchen sich dieser Befund ergab, mit den von Flourens gemachten Durchschneidungen der Halbzirkelkanäle bei Tieren, welche ähnliche Erscheinungen veranlassten, verlegt Menière den geschilderten Symptomenkomplex in die halbzirkelförmigen Kanäle.

Wenn es nun auch nicht zu bezweifeln ist, dass bei Affektionen der Halbzirkelkanäle dieser Symptomenkomplex auftreten kann, so muss doch hervorgehoben werden, dass dieselben Erscheinungen durch Affektionen der Trommelhöhle einerseits, durch solche des Hörnerven und der centralen Bahnen andererseits hervorgerufen werden können. Die S. 60 mitgeteilten Beobachtungen führen uns zu der Annahme, dass es sich bei den Menière'schen Erscheinungen um einen vom Ohre aus auf cerebrale Centren einwirkenden Reiz handelt, durch welchen die Gleichgewichtsstörungen, die dyspeptischen und die übrigen nervösen Erscheinungen, ausgelöst werden. Hughlings Jackson glaubt, dass jede Schwächung der Gesundheit einen Faktor bildet für das Auftreten des Ohrschwindels und dass, je mehr die Widerstandsfähigkeit des Nervensystems herabgesetzt ist, dasselbe um so empfänglicher wird für vom Ohre aus einwirkende Reize.

Der Menière'sche Symptomenkomplex kann somit verursacht werden:

1. durch Einwirkungen vom Mittelohr aus;
2. durch Erkrankungen des Labyrinthes:
3. durch Krankheitsprocesse im Gehirne.

ad 1. Vom Trommelfelle her können die Schwindelerscheinungen veranlasst werden durch Ceruminalpfröpfe oder Fremdkörper, welche sich im äusseren Gehörgange befinden. Sodann können angesammelte Sekretmassen oder Polypen in der Trommelhöhle die Erscheinungen herbeiführen, bisweilen genügen die bei Erkrankung der Eustachi'schen Röhren durch die Ventilationsstörung bedingten Druckveränderungen in der Trommelhöhle, um die Schwindelerscheinungen hervorzurufen.

ad 2. Nicht selten treten die Menière'schen Erscheinungen ganz akut auf, weshalb von einer apoplektiformen Form der Erkrankung gesprochen wird. In den leichteren Fällen zeigt sich nur vorübergehendes Schwindelgefühl mit Uebelbefinden und Erbrechen. In hochgradigen Fällen stürzt der Kranke plötzlich zu Boden, mit oder ohne Verlust des Bewusstseins, kommt nach kurzer Zeit wieder zu sich mit beeinträchtigtem Hörvermögen, heftigem Sausen, Schwindel, taümelndem Gange, Uebelkeit und Erbrechen. Die Erkrankung betrifft meistens kräftige erwachsene Leute, in der Regel einseitig. Bisweilen war der Patient schon vor dem Auftreten des ersten Anfalles schwerhörig. Die Schwerhörigkeit verschlimmert sich dann nach dem Anfalle und kehrt später entweder wieder auf den früheren Stand zurück oder die Verschlimmerung bleibt bestehen. Betrifft der Anfall ein gesundes Ohr, so kann durch das erste Auftreten desselben das Gehör dauernd vernichtet werden, in anderen Fällen besteht mehr oder weniger hochgradige Schwerhörigkeit, die wieder rückgängig werden kann. Entweder kommt es nur zu einem Anfall, oder es wiederholen sich die Attaquen in längeren oder kürzeren Zwischenräumen, bis schliesslich, wenn nicht von Anfang an schon vorhanden, die Taubheit eine vollständige wird. In den meisten Fällen beginnt der Anfall mit heftigem Ohrensausen, oder es verstärken sich schon früher vorhanden gewesene subjektive Geräusche.

Ueber die Lokalisation der diesen Erscheinungen zu Grunde liegenden Krankheitsprocesse sind die Ansichten geteilt, indem bald eine cerebrale, bald eine labyrinthäre Erkrankung, bald nur eine Innervationsstörung angenommen wird.

In einem Falle, in welchem die Menière'schen Erscheinungen in apoplektiformer Weise auftraten, konnte ich bei einem Patienten die gleichzeitige Bildung einer Blutblase im äusseren Gehörgange konstatiren, bei normalem Verhalten der Trommelhöhle. Ich hielt es demnach für wahrscheinlich, dass ebenso wie im äusseren Gehörgange auch im Labyrinthe eine Gefässzerreissung stattgefunden hatte.[1])

Am häufigsten kommen die Menière'schen Erscheinungen zur Beobachtung bei Kindern, welche unter meningitischen Erscheinungen erkranken, und bei solchen, welche an ausgesprochener

---

[1]) Uebrigens muss hervoegehoben werden, dass Blutergüsse in's Labyrinth stattfinden, auch ohne dass Schwindelerscheinungen auftreten. Es scheint das Auftreten oder das Nichtauftreten der Erscheinungen davon abzuhängen, ob eine Reizung oder eine Lähmung der dieselben vermittelnden Nerven hervorgerufen wurde (Moos).

Meningitis gelitten haben. Nach längerer oder kürzerer Dauer der meningitischen Erscheinungen bleibt nach Rückgang derselben Taubheit und taumelnder Gang bestehen. Wir haben diese Erkrankung bereits bei den akuten Entzündungen des Labyrinthes besprochen (cf. S. 229). Ueber die Menière'schen Erscheinungen bei Syphilis und nach traumatischen Einwirkungen vgl. die nächsten Abschnitte.

ad 3. Ein interessanter Fall, in welchem die Menière'sche Symptomengruppe durch einen Hirntumor bedingt war, ist von Oskar Wolf mitgeteilt.[1]) Die Erkrankung begann mit Ohrensausen und Schwerhörigkeit, wozu sich bald Schwindelanfälle, Uebelkeit und Erbrechen gesellten. Im Verlauf von 2 Jahren nahmen die Erscheinungen allmählich an Intensität zu, und es traten Symptome von cerebraler Erkrankung auf: Pupillenerweiterung, heftige Kopfschmerzen, psychische Störungen, Facialisparalyse, Störungen im Gebiete des Hypoglossus, Tod nach Lähmung des Gaumensegels unter pneumonischen Erscheinungen. Bei der Sektion fand sich in der Tonsilla cerebelli ein kirschgrosser Tumor, welcher auf den Ursprung des N. acusticus gedrückt hatte, ein zweiter Tumor in der Grosshirnrinde, entzündliche Infiltration der Hirnhäute; mit grosser Wahrscheinlichkeit handelte es sich um Gummata.

Behandlung.

Liegt den Erkrankungen eine Trommelhöhlenerkrankung zu Grunde, so muss diese in entsprechender Weise in Behandlung gezogen werden.

Gegen die apoplektiformen Anfälle wurde von Charcot die Anwendung des Chin. sulf. empfohlen; es sollen 0,3—1,0 g pro die gegeben und diese Behandlung einen Monat lang fortgesetzt werden. Dann wird 14 Tage pausirt und darauf die Chininbehandlung von Neuem wieder eingeleitet. Ausserdem erweist sich Salol in Dosen von 1—2,0 von günstiger Wirksamkeit. Von besonderer Wichtigkeit ist es, dass die konstitutionellen Verhältnisse gebessert werden und dass durch vorsichtige Abhärtung, eventuell durch eine Kaltwasserkur das Nervensystem gekräftigt wird. Ist Syphilis vorhanden, so muss diese in Behandlung genommen werden. Gegen die nach den Anfällen zurückbleibenden Erscheinungen, Sausen, Schwindel, werden Bromkalium oder Jodkalium und der konstante

---

[1]) Zeitschrift für Ohrenheilk. Bd. VIII, S. 380.

Strom mit Vorteil in Anwendung gezogen. In Fällen, in welchen angenommen werden konnte, dass akute Exsudation in's Labyrinth stattgefunden hatte, erzielte Politzer gute Erfolge mit Pilokarpin.

Erschütterungen des Labyrinthes.

Die Erschütterungen des Labyrinthes werden hervorgerufen durch Gewalteinwirkungen auf die äussere Schädeloberfläche (Fall, Stoss, Hieb) oder auf die Mündung des äusseren Gehörganges, insbesondere aber durch starke Schalleinwirkungen. Die Einwirkung auf den Nervenendapparat findet statt durch die plötzlich eintretende Vermehrung des intralabyrinthären Druckes, welcher zu dauernder oder vorübergehender Aufhebung seiner Funktion Veranlassung geben kann. In den schwereren Fällen handelt es sich nicht um eine einfache Erschütterung, sondern es treten mehr oder weniger ausgedehnte Hämorrhagien ein.

Bei Artilleristen wurden Fälle beobachtet, dass nach der Schalleinwirkung sofort dauernde Taubheit eintrat. In einem von Brunner[1]) mitgeteilten interessanten Falle fehlte nach einem in unmittelbarer Nähe abgefeuerten Büchsenschuss jede Tonempfindung, die „Patientin hörte die Tasten eines Klavieres anschlagen, aber keine Spur von einem Tone"; erst später lernte dieselbe Töne wieder unterscheiden. In leichteren Fällen macht sich die Hörstörung dadurch geltend, dass alles Gehörte mit verändertem Klange wahrgenommen wird, insbesondere die eigene Stimme, bei hohen Tönen tritt bisweilen Mitklingen ein (Wolf), in anderen Fällen werden die Töne und Geräusche mit einem klirrenden oder schallenden Beiklang vernommen. Nicht selten besteht ausserdem grosse Empfindlichkeit gegen Schalleindrücke überhaupt.

Neben den Funktionsstörungen treten heftige subjektive Gehörsempfindungen auf, in der Regel ein Klingen oder Singen mit sehr hohem Toncharakter.

Zu den geschilderten Erscheinungen können hinzutreten Schwindel, Kopfschmerzen, nervöse Erregung, doch schliessen sich dieselben nicht sofort der Verletzung an, sondern erst in den nächsten Tagen, so dass dieselben auf die entzündliche Reaktion im Labyrinthe zu beziehen sind. Die Schwindelerscheinnngen haben oft einen bestimmten Charakter. Hughlings Jackson beschreibt z. B. einen Fall, in welchem nach einem Kanonenschuss

---

[1]) Zeitschr. für Ohrenheilk. Bd IX, S. 142.

Schwindel, Betäubung und schlechtes Gehen eintrat. Seitdem bestand Schwerhörigkeit im rechten Ohre, subjektive Geräusche und die Neigung nach links zu gehen. Arm in Arm mit einem Begleiter stösst der Patient denselben nach links. Seine Frau musste ihn oft darauf aufmerksum machen, dass er nach links gehe.

Die Kopfknochenleitung ist bei den Labyrintherschütterungen stark beeinträchtigt oder aufgehoben. Dies kann verwertet werden für die Diagnose, ob die Hörstörung durch die Labyrinthaffektion oder durch eine Verletzung im Mittelohre bedingt wurde. Besonders vou Politzer wurde darauf hingewiesen, bei traumatischen Trommelfellrupturen die Kopfknochenleitung zu untersuchen, da wir durch dieselbe uns über die Mitbeteiligung des Labyrinthes vergewissern können.

Bei Artilleristen, welche der Einwirkung starken Schalles sehr häufig ausgesetzt sind, findet sich nicht selten Schwerhörigkeit mit singenden subjektiven Gehörsempfindungen. Schon der Umstand, dass nach den Schiessübungen die Schwerhörigkeit in der Regel gesteigert ist, weist darauf hin, dass das Leiden durch die häufig wiederholten Labyrintherschütterungen bedingt ist.

Obwohl in den schweren Fällen meist Funktionsstörungen zurückbleiben, kann doch auch bei ursprünglich bestehender, vollständiger Taubheit noch Heilung eintreten, so dass die Prognose nicht immer ungünstig zu stellen ist.

Die Therapie hat sich hauptsächlich auf die Abhaltung aller Schädlichkeiten zu beschränken; alles, was zu Kongestion zum erkrankten Organe Veranlassung geben kann, ist zu vermeiden und deshalb den Patienten grösste Ruhe zu empfehlen. Alle stärkeren Schalleinwirkungen müssen so viel als möglich vermieden, die Gehörgänge gut verstopft gehalten werden. Um die entzündliche Reaktion zu verhindern, können Blutentziehungen, Kälte, Ableitungen angewandt werden. Alle reizenden Mittel sind auf's strengste zu vermeiden. In den späteren Stadien können resorptionsbefördernde Mittel, insbesondere Jodpräparate, zur Anwendung kommen.

Syphilis des Labyrinthes.

Abgesehen von den bei sekundärer Syphilis vorkommenden Erkrankungen des äusseren Gehörganges und der Trommelhöhle giebt Syphilis Veranlassung zu specifischer Erkrankung des Labyrinthes.

Hutchinson machte zuerst darauf aufmerksam, dass hereditäre Syphilis Taubheit verursachen könne. Er stellte die Ansicht auf, dass diese Taubheit auf Erkrankung des Nervenapparates beruhe, da sich in 21 von ihm untersuchten Fällen äusseres und mittleres Ohr normal erwiesen. Nach Hinton zeigt sich das Leiden in den Jahren der Pubertät, die Schwerhörigkeit wird rasch sehr bedeutend und hat ihren Sitz im Nervenapparat, die Stimmgabel wird nicht gehört, und ohne Zeichen einer irgendwie beträchtlicher Trommelhöhlenerkrankung ist die Schwerhörigkeit sehr hochgradig. Meist handelt es sich um schwächliche, schlecht genährte Individuen. Hinton glaubt, dass das Leiden bei der ärmeren Volksklasse ein schwereres und der Behandlung weniger zugänglich sei, während in der wohlhabenderen Klasse die Erscheinungen weniger heftig auftreten und sich durch die Behandlung Erfolge erzielen lassen. Auffallender Weise liegen von deutscher Seite nur wenige Berichte über die Erkrankung vor. Bei Tröltsch findet sich die Notiz, dass man besonders bei schwerhörigen Kindern syphilitischer Eltern auffallend häufig ein mit der Behinderung im Sprachverständniss nicht im Einklang stehendes Schlechthören vom Knochen aus finde. Ich selbst fand bei einem 6jährigen und bei einem 8jährigen Mädchen vollständige Taubheit, die im ersteren Falle akut aufgetreten war, im letzteren allmählich sich entwickelt hatte und sich in beiden Fällen auf hereditäre Syphilis zurückführen liess.

Häufig ist die hereditär syphilitische Erkrankung des Labyrinthes mit Mittelohrkatarrh verbunden. Ausserdem bildet die parenchymatäse Keratitis nicht selten eine Begleiterin der Labyrinthaffektion; bisweilen geht die letztere der Keratitis voran.[1]) Das rasche Auftreten der Labyrinthaffektion ist begleitet von den Menière'schen Erscheinungen, Uebelkeit, Schwindel, Erbrechen, taumelndem Gange, Kopfschmerz. Sausen kann nach Knapp fehlen.

Die Prognose der hereditär syphilitischen Labyrinthaffektionen ist eine ungünstige. In einzelnen Fällen wird bei frühzeitigem Eingreifen durch eine rationelle antisyphilitische Behandlung Heilung erzielt. Leider gelingt es häufig nicht, den Kräftezustand der meist schwächlichen Patienten zu heben. Hinton sah von Quecksilber- und Jodpräparaten keine Wirkung, nur warme Joddämpfe in die

---

[1]) Hutchinson fand bei 102 Fällen syphilitischer Keratitis 15 Mal Schwerhörigkeit.

Trommelhöhle eingetrieben, scheinen ihm gute Wirkung hervorgerufen zu haben. Knapp dagegen erzielte in einem Falle vollständige Heilung durch Kalomel und Jodkalium.[1])

Das Auftreten der Labyrintherkrankung bei erworbener Syphilis ist sehr verschieden, bald in den späteren Stadien der sekundären Syphilis, bald im tertiären Stadium. Entweder nimmt die Erkrankung einen schleichenden Verlauf, beginnt mit den Erscheinungen der nicht eiterigen chronischen Mittelohrentzündung mit oder ohne gleichzeitig bestehender Pharynxaffektion. Anfänglich vorhandenes Ohrensausen und leichte Schwerhörigkeit steigern sich bald rascher, bald langsamer. In anderen Fällen kommt es rasch, fast plötzlich zu hochgradiger Schwerhörigkeit oder Taubheit und es ist dieser plötzliche Krankheitsbeginn begleitet von den Menièreschen Erscheinungen.

Bei einem Patienten meiner Klientel ging der Labyrintherkrankung specifische Irido-chorioiditis voran; die Labyrinthaffektion begann mit so heftigen Erscheinungen, dass sich Patient im traurigsten Zustande befand. Plötzlich stellte sich das Gefühl von Betrunkenheit, Schwindel, Druck und Schwere im Kopfe ein. Hierzu gesellte sich Uebelkeit und häufiges Erbrechen, hochgradiges Ohrensausen, hochgradige Schwerhörigkeit. Der Gang war so taumelnd, dass Patient nicht im Stande war, allein zu gehen. Durch Jodkalium 2,0 pro die kamen sämmtliche Erscheinungen rasch zum Rückgang.

Von Wichtigkeit für die Diagnose der syphilitischen Labyrintherkrankung ist die Prüfung der Kopfknochenleitung. Politzer weist darauf hin, dass, wenn bei plötzlich auftretender Schwerhörigkeit neben einem negativen Befunde in der Trommelhöhle die Perception durch die Kopfknochen aufgehoben ist, mit Wahrscheinlichkeit eine auf syphilitischer Grundlage beruhende Schwerhörigkeit zu diagnosticiren sei. Bei jedem akut oder chronisch auftretenden Gehörleiden, bei dem wir, ohne dass wir eine wesentliche Trommelhöhlenerkrankung konstatiren können, die Kopfknochenleitung aufgehoben finden, muss der Verdacht in uns rege werden, dass dem Leiden eine specifische Ursache zu Grunde liege. Doch ist zu beachten, dass auch bei normalem Gehör im späteren

[1]) Zeissl („Ueber Lues hereditaria tarda". Wiener Klinik, VII. Heft, 1885) empfiehlt in frischen Fällen Einreibungskur mit gleichzeitigsr Verabreichung von Zittmann, bei nicht mehr progressiven Erscheinungen Jodpräparate, namentlich Jodeisen.

Lebensalter die Kopfknochenleitung bisweilen aufgehoben gefunden wird.

Moos untersuchte einen Fall von erworbener Syphilis, der zur Sektion kam, mikroskopisch. Die Infektion hatte 7 Jahre vor dem Tode stattgefunden. Das Gehörleiden äusserte sich in quälendem Ohrensausen, Schwindelanfällen und sehr hochgradiger Schwerhörigkeit. Bei normalem Befunde im äusseren Gehörgange und in der Trommelhöhle fand sich bei der Sektion Periostitis im Vorhofe, Unbeweglichkeit der Stapesplatte und kleinzellige Infiltration des Labyrinthes. In einem von Politzer genau untersuchten Falle fand sich dichte Infiltration der Schneckenspindel, teils mit zahlreichen Rundzellen, teils mit grösseren rundlichen oder ovalen eckigen Körpern.

Während die leichteren Formen der bei erworbener Syphilis auftretenden Labyrintherkrankungen, welche einen langsamen Verlauf nehmen mit allmählich zunehmender Schwerhörigkeit, wenn sie frühzeitig zur Behandlung kommen, noch der Besserung entgegengeführt oder zum Stillstand gebracht werden können, leisten die schwereren Formen, bei welchen rasch hochgradige Schwerhörigkeit eintritt, der Behandlung grösseren Widerstand, und es sind besonders die Fälle, bei welchen der Process schon seit längerer Zeit stationär geworden ist, für die Behandlung aussichtslos.

Bei erworbener Syphilis bedienen wir uns je nach dem Stadium der Syphilis, in welchem die Labyrintherkrankung auftritt, des Quecksilbers oder des Jodkaliums. Da die Affektion meistens erst in den späteren Stadien der Syphilis sich entwickelt, wird am häufigsten das letztere Mittel in Anwendung gezogen.

Gleichzeitig bestehende Trommelhöhlenaffektionen müssen hauptsächlich durch die Luftdusche bekämpft werden, ohne Anwendung von reizenden Eingriffen.[1])

Taubheit bei Leukämie.

Von Gottstein, Politzer und Blau sind Fälle mitgeteilt, in welchen bei Leukämischen nach bald mehr, bald weniger

[1]) Zwei von mir untersuchte Patienten, von denen der eine vollständig taub, der andere hochgradig schwerhörig war mit aufgehobener Kopfknochenleitung, schoben die Schuld an ihrer rasch eingetretenen Taubheit resp. hochgradigen Schwerhörigkeit auf die elektrische Behandlung, der sie unterzogen worden waren. Während zuvor nur geringe Schwerhörigkeit vorhanden gewesen war, soll sich dieselbe sofort nach der elektrischen Behandlung bedeutend gesteigert haben. — Eine dritte Patientin beschuldigte die bei ihr ausgeführten Operationen, Paracentese des Trommelfells und Durchschneidung der Sehne des Tensor tympani, als Ursache ihrer Taubheit.

heftigen Schwindelerscheinungen mit Uebelkeit und Erbrechen, verbunden mit heftigen subjektiven Geräuschen, plötzlich Taubheit auftrat.

In dem Politzer'schen Falle konnte nach dem Tode des Patienten die Untersuchung des Labyrinthes vorgenommen werden. Die Scala tympani der Schnecke fand sich ausgefüllt mit neugebildetem Bindegewebe, welches durch ein Balkenwerk von neugebildetem Knochen durchwuchert war. Die Lamina spiralis ossea und membranacea war an einzelnen Stellen durch diese Neubildungen verdrängt. Aehnliche Veränderungen fanden sich im Vorhofe und am stärksten in den Halbzirkelkanälen. Es handelte sich nach dem Sektionsbefunde um eine Exsudation leukämischer Natur, welche zu Entzündung mit Bindegewebswucherung und Knochenneubildung Veranlassung gab. An einer Stelle bestand frische Exsudation.

Taubheit bei Mumps.

Aehnlich wie bei Leukämie tritt auch bei Mumps Taubheit unter Menière'schen Erscheinungen sehr rasch auf, entweder einseitig oder beiderseitig. Cerebrale Erscheinungen sind nicht vorhanden, ebenso bestehen weder Fieber noch sonstige Entzündungserscheinungen. Die Taubheit ist eine vollständige.

Knapp glaubt, dass es sich ähnlich wie bei der bei Mumps bisweilen auftretenden Orchitis um einen metastatischen Process handle. Lemoine und Lannois dagegen, welche das gleichzeitige Auftreten der Parotitis und der Labyrinthaffektion beobachteten, sind der Ansicht, dass es sich um die Lokalisation einer allgemeinen Infektionskrankheit in verschiedenen Körperteilen handle.

Die Prognose ist äusserst ungünstig, da bis jetzt kein Fall mitgeteilt wurde, in welchem eine Besserung erzielt werden konnte.

Von Toynbee wurden bei der Sektion eines durch Mumps taub Gewordenen hochgradige Veränderungen im Labyrinth gefunden.

Erkrankungen des Hörnerven.

Die Entzündungen, welche den Nervus acusticus betreffen, sind entweder von den Meningen oder vom Labyrinth auf denselben fortgepflanzt. Blutungen in das Neurilem des Nerven finden sich bisweilen bei gleichzeitigcr Affektion der benachbarten Teile.

Am wichtigsten ist die Atrophie des Nerven, welche auf mechanischem Wege durch Druck von Geschwülsten oder Entzündungsprodukten auf den Stamm des Nerven zu Stande kommt. Ausserdem kann Atrophie herbeigeführt werden durch Erkrankung des centralen oder des peripheren Endes des Nerven, vielleicht auch durch selbständige Erkrankung desselben.

In Begleitung der Atrophie findet sich nicht selten Fettmetamorphose, ausserdem Einlagerung von Corpora amylacea.

Kalkablagerungen im Stamme des Hörnerven fanden Böttcher und Moos. Politzer fand amyloide Degeneration in der Schneckenspindel bei allgemeinem Marasmus, bei Steigbügelankylose, bei Carcinose.

Von Neubildungen, welche den Hörnerven betreffen, sind beschrieben mehrere Sarkome, Neurome, Fibrome, Gummata. Durch die Zerrung einer Geschwulst kann der Stamm des Nerven abgerissen worden. Durch ein von der Dura mater ausgehendes Psammom, welches sich in den inneren Gehörgang hinein erstreckte, wurde in einem von Virchow mitgeteilten Falle Facialis- und Acusticuslähmung hervorgerufen.

Sonstige den nervösen Apparat betreffende Erkrankungen.

Ausser den bereits geschilderten Erkrankungen des nervösen Apparates kommen noch eine Reihe von Erkrankungen zur Beobachtung, über deren Wesen wir noch weiterer Aufklärung bedürfen, die teils als Reflexneurosen, teils als vasomotorische Störungen zu betrachten sind.

So beobachtete Scanzoni[1]) vorübergehende Taubheit gemeinschaftlich mit allgemeiner Gefässerregung und Ausbruch von Urtikaria über den ganzen Körper nach Ansetzen von Blutegeln an die Vaginalportion.

Zur Zeit der Menstruation, bei Abortus oder bei Entbindungen kommt es nicht selten zu vorübergehender oder bleibender Schwerhörigkeit oder Taubheit.

Als angioneurotische Acusticuslähmung beschreibt Politzer[2]) eine seltene Form von Hörstörung, welche sich durch plötzliches Erblassen des Gesichtes mit unmittelbar darauf folgender Uebelkeit, Schwindel, Ohrensausen und Schwerhörigkeit charakterisirt. Bei einem von Politzer beobachteten Falle trat eine solche Störung

---

[1]) Gynäkologische Fragmente. Würzb. med. Zeitschr. Bd. I.

[2]) Lehrbuch der Ohrenheilk. S. 832.

täglich auf. Die Heilung wurde erzielt durch Galvanisation des Hals-Sympathicus.

Ein interessanter Fall von alternirender Schwerhörigkeit wurde von Urbantschitsch[1]) mitgeteilt. Die Schwankungen fanden in einem Turnus von 10 Tagen statt, indem innerhalb einer solchen Zeitperiode das Gehör auf der einen Seite von einem gewissen Maximum der Hörfähigkeit bis auf 0 sank, während gleichzeitig auf der anderen Seite die Perception sich von 0 zu einem bestimmten Maximum erhob. Wie weit die Erklärung von Urbantschitsch, der eine wechselnde Spannung des Tensor tympani als Ursache annimmt, richtig ist, muss dahingestellt bleiben.

Taubheit bei Hysterie.

Zu den selten beobachteten Erscheinungen der Hysterie gehört die teilweise oder gänzliche Aufhebung des Hörvermögens. Die hysterische Schwerhörigkeit tritt entweder allein oder in Begleitung von anderweitigen Lähmungen auf, insbesondere bildet sie eine Teilerscheinung der hysterischen Hemianästhesie. Mit der letzteren ist auch eine Anästhesie des Trommelfells und Mittelohres verbunden. Ist die Schwerhörigkeit keine vollkommene, so ist die Perception durch die Knochen stärker beeinträchtigt als durch die Luft.

Ebenso wie von Bourcq, Charcot u. A. durch Metalle eine Sensibilitätsübertragung (Transfert) von der einen Seite auf die andere bewirkt werden konnte, wurde auch für das Gehör eine Uebertragung festgestellt von Zaufal, Urbantschitsch. Walton. Die Hörfähigkeit nimmt auf der einen Seite in demselben Grade ab, in welchem sie auf der anderen Seite zunimmt. Die Uebertragung erfolgt zuerst für die höheren Töne, dann für die tieferen. Bei dem von Urbantschitsch[2]) mitgeteilten Falle ging die Taubheit durch einen dem Warzenfortsatz genäherten Hufeisenmagneten auf die andere zuvor hyperästhetische Seite über. Der Transfert erfolgte stets für die hohen Töne zuerst, später für die tiefen. In umgekehrter Reihenfolge trat die Rückkehr in circa 6 Minuten ein. Zaufal gelang es, durch wiederholte Anwendung von Goldstücken eine hysterische Taubheit zu beseitigen. Uspensky erzielte in zwei Fällen Heilung durch Galvanisation des Sympathicus.

Otitis intermittens.

Eine intermittirend auftretende, durch Malariainfektion hervorgerufene Erkrankung des Hörorganes wurde zuerst von Weber-

---

[1]) Wien. med. Presse.

[2]) Arch. f. Ohrenheilk. Bd. XVI, S. 171.

Liel[1]) beschrieben und seitdem mehrfach bestätigt. Die Affektion wird von Weber-Liel als vasomotorische Neurose betrachtet. Die Erscheinungen, welche fast stets gegen Abend oder in der Nacht sich einstellen, sind: neuralgische Beschwerden, Schwerhörigkeit und Ohrgeräusche. Das Trommelfell und die Trommelhöhle sind stark hyperämisch, es kommt zu schleimig-eiteriger Sekretion. Gewöhnlich treten die Anfälle nach dem Quotidiantypus auf. doch wurde auch der Tertiantypus beobachtet. Die Erkrankung kann Wochen und Monate lang dauern. Bisweilen sind die neuralgischen Erscheinungen die vorherrschenden. So berichtet Voltolini über einen Fall von Otalgia intermittens, bei welchem täglich Nachts heftigste Ohrschmerzen bestanden, welche schon am ersten Tage nach Chinindosen 0,05 stündlich verschwanden.

Die Behandlung der Otitis intermittens besteht in der Darreichung von Chinin. in der bei Malariainfektion üblichen Weise.

Erkrankung der cerebralen Bahnen des Nervus acusticus und des Centrums des Gehöres im Gehirne.

Verfolgen wir den Nervus acusticus von seinem Stamme in centripetaler Richtung nach seinem Ursprunge im Gehirne, so müssen wir vor Allem hervorheben, dass der Verlauf des Nerven im Gehirne selbst, sowie das centrale Ende noch nicht vollständig aufgeklärt ist.

Die Wurzelfasern verteilen sich im verlängerten Mark: 1) im vorderen Acusticuskern (Meynert), der in der Brücke liegt; 2) im innern und 3) im äussern Acusticuskern am Boden der Rautengrube.

Von diesen Acusticuskernen im verlängerten Mark gehen Fasern:

1) auf der Bahn des Pedunculus cerebelli nach dem Kleinhirn derselben und der entgegengesetzten Seite und verlieren sich im Dachkern des Kleinhirns;

2) auf der Bahn des Pedunculus cerebri durch die innere Kapsel nach dem Schläfelappen. Die letztere Bahn kreuzt die Mittellinie unter den Vierhügeln oberhalb der Brücke. Doch ist es nach Wernicke noch nicht bewiesen, dass der Zusammenhang des Acusticus mit den Schläfelappen ein ausschliesslich gekreuzter ist.

3) Ausserdem besteht im Gehirn eine gekreuzte Verbindung zwischen dem Schläfelappen der einen und dem Kleinhirn der andern Seite.

Nach den experimentellen Untersuchungen von Ferrier und Munk wäre der Sitz des centralen Hörens im Schläfelappen zu suchen. Munk unterscheidet Seelentaubheit und Rindentaubheit. Die erstere entsteht, wenn bei Versuchstieren ein oberflächlich gelegenes Stück der Hirnrinde des Schläfelappens entfernt wird. Der Hund versteht die gelernten Worte „pst, komm, Pfote“ etc. nicht mehr, hört jedoch; jedes Geräusch zieht ein Spitzen der Ohren nach sich. Wird ein grösserer Teil der Hirnoberfläche entfernt, die ganze Hörsphäre, wie sie

[1]) Monatsschr. f. Ohrenheilk. etc. 1871, Nr. 11. — Ibid. 1878, Nr. 5.

Munk bezeichnet, so entsteht Rindentaubheit, der Hund reagirt überhaupt nicht mehr auf irgend welche Geräusche.

Wernicke stellte zuerst auf Grund seiner nach den Beobachtungen am Lebenden gewonnenen Sektionsbefunde die Ansicht auf, dass das Centrum der Klangbilder seinen Sitz in der ersten Schläfenwindung habe. Die durch eine Verletzung der ersten Schläfenwindung verursachten Erscheinungen werden als sensorische Aphasie (Wernicke) oder Worttaubheit (Kussmaul) bezeichnet. Die betreffenden Patienten sind zwar im Stande, sich durch Rede und Schrift auszudrücken, haben aber kein Verständniss für gehörte Worte. Die Klänge und Geräusche werden vernommen, aber die Patienten sind nicht fähig, dieselben zum akustischen Wortbild zusammenzufassen. Die der Affektion zu Grunde iegenden Krankheitsprocesse sind Atrophien, Hämorrhagien und Erweichungsprocesse.

Leider wurde bis jetzt von Seite der Neuropathologen den Hörstörungen bei den cerebralen Erkrankungen noch wenig Beachtung geschenkt, so dass aus den vorliegenden sonst sorgfältig untersuchten Fällen nur wenig verwertbare Schlüsse gezogen werden können. Die bis jetzt in geringer Anzahl beobachteten Erkrankungen der Acusticuskerne liessen bis jetzt noch nicht mit Sicherheit das Bestehen von Taubheit nachweisen. Insbesondere ist es in hohem Grade auffallend, dass bei der Bulbärparalyse sehr selten Taubheit beobachtet wurde. Bei Verletzungen des Dachkerns des Kleinhirns soll das gleichseitige Ohr schwerhöriger sein als das der anderen Seite (für Tumoren im Kleinhirn sind charakteristisch: Occipitalneuralgien, Koordinationsstörungen, unsicherer Gang, Zwangsbewegungen). Vollständig gekreuzte Taubheit wurde von Hutin bei einem Tumor des Schläfelappens beobachtet, ebenso von Vetter bei einer Läsion der inneren Kapsel[1]). Doch fehlt in beiden Fällen die Untersuchung des Ohres.

In der Gegend der Kreuzungsstelle der Grosshirnschenkel, in der Gegend der Vierhügel liegen die Oculomotorius- und Trigeminuskerne, so dass bei Erkrankungen in dieser Gegend die Hörstörung in Verbindung steht mit Strabismus und Doppeltsehen, mit Xerosis der Hornhaut, mit Trigeminusneuralgien und Lähmung der Kaumuskeln.

Den vorderen Schläfenwindungen benachbart ist die dritte Stirnwindung, deren Erkrankung Aphasie verursacht. Es findet sich deshalb bei linksseitiger Herderkrankung in dieser Gegend bisweilen eine Verbindung der sensorischen Aphasie mit der eigentlichen Aphasie, dem Unvermögen, zu sprechen. Bei einem von

[1]) Vgl. Moos. Zur Genese der Gehörsstörungen bei Gehirntumoren. III. otol. Kongress. Basel 1884. Comptes rendus, S. 22.

Westphal (Berl. klin. W., No. 49, 1884) mitgeteilten Falle mit fast totaler Zerstörung des linken Schläfelappens bestand keine Aphasie und keine Schwerhörigkeit, so dass die Resultate der Tierexperimente sehr in Frage gestellt werden.

Bei sehr ausgedehnter Zerstörung der rechten Grosshirnhemisphäre fand dagegen Kussmaul Taubheit des linken Ohres, so dass für ihn sicher stand, dass es sich in dem Falle um gekreuzte, linksseitige totale Taubheit handelte (Berl. klin. W., No. 33, 1886).

Apoplexien sind selten von Hörstörungen begleitet, bisweilen bei einseitigen Blutergüssen im Pons. Aneurysmen der Arterien, insbesondere der Basilaris, führen in der Regel nicht zu Hörstörungen. Griesinger giebt an, dass mehrere Patienten, die an solchen litten, über „Klopfen im Hinterkopfe“ klagten.

Bei Hirntumoren treten viel häufiger Störungen des Sehvermögens als des Hörvermögens ein. Am häufigsten sind es Geschwülste an der Schädelbasis, welche durch Druck und Zerrung des Stammes des Acusticus Hörstörungen verursachen können. Da sich bei Hirntumoren während der Zeit ihres Bestehens nach Huguenin meist eine Entzündung der Meningen entwickelt und es dadurch zur Neuritis descendens olfactoria, optica, acustica kommt, so können die Störungen eines dieser Sinnesorgane für die Lokaldiagnose eines Hirntumor eine nur sehr beschränkte Verwendung finden.

Nach Gradenigo[1]) deutet das Vorhandensein eines beträchtlichen Grades von elektrischer Ueberreizbarkeit des Akustikus von persistirendem Charakter bei Integrität des Hörorganes eine endokranielle Erkrankung an.

Ladame fand Hörstörungen:

7 Mal unter 77 Kleinhirntumoren. 7 Mal unter 26 Tumoren des Pons. 5 Mal unter 13 Geschwülsten in der mittleren Schädelgrube. 2 Mal unter 14 Geschwülsten der Pituitargegend. 3 Mal unter 27 Tumoren des mittleren Lappens. 6 Mal unter 52 Fällen von vielfältigen Tumoren.

In 5 Fällen waren Hörstörungen ganz allein vorhanden, ohne Störung irgend eines anderen Sinnesorganes. Vollständige Taubheit in 17 Fällen (in einem derselben nur vorübergehend). Die übrigen Störungen des Gehörs bestanden 9 Mal in einfacher Gehörsschwäche, 6 Mal in Ohrensausen, 2 Mal sind Hallucinationen verzeichnet. Ein Mal dauerte das Sausen 7 Jahre und war lange Zeit das einzige Symptom, ein anderes Mal die einzige Sinnesstörung während der ganzen Krankheit (Moos).

---

[1]) Archiv f. Ohrenheilk. Bd. XXVII, S. 116.

Kapitel X.

Traumatische Verletzungen des Hörorganes.

Bei der geschützten Lage des äusseren Gehörganges sind Verletzungen desselben ziemlich selten, sie können veranlasst werden durch spitze oder stumpfe Körper, welche in denselben gelangen. Durch Gewalteinwirkungen auf den Unterkiefer, durch Fall oder Schlag auf's Kinn kann die vordere Gehörgangswand, welche an der Bildung der Gelenkgrube des Unterkiefers beteiligt ist, frakturirt werden, wobei Blutung aus dem Ohre stattfindet. In seltenen Fällen kommt es zur Einkeilung des Gelenkfortsatzes des Unterkiefers in den äusseren Gehörgang. Sodann wird der knöcherne Teil des äusseren Gehörganges meist bei den das ganze Schläfenbein betreffenden Frakturen mitbetroffen.

Die häufigsten Verletzungen, welche das Hörorgan betreffen, sind die Trommelfellrupturen, die wir bereits bei den Erkrankungen des Trommelfells besprochen haben.

Von Durchstossung des Trommelfells mit einer Stricknadel, wahrscheinlich mit Verletzung des Labyrinthes, habe ich zwei Fälle S. 121 beschrieben, in welchen die heftigsten Schwindelerscheinungen bestanden. Diesen schliesst sich ein von Schwartze mitgeteilter Fall an, in welchem nach der Stricknadelverletzung Ausfluss von Liquor cerebrospinalis stattfand, der 8 Tage dauerte und so stark war, dass ein andauerndes Abtröpfeln erfolgte. Daneben bestanden Hirnreizungserscheinungen von vierwöchentlicher Dauer. Es bleibt fraglich, ob es sich in diesem Falle um eine Verletzung der Labyrinthwand handelte oder vielleicht um eine Durchbohrung des Tegmen tympani mit Zerreissung der Dura mater.

Ein höchst interessanter Fall von Stichverletzung des Hörorganes wurde von Bezold mitgeteilt[1]). Das Messer, das senkrecht auf die äussere Schädelfläche eingestossen wurde, nahm seinon Weg durch die Gehörgangsmündung und den Tragus nach der vorderen Fläche des Os tympanicum, drang zwischen der vorderen Gehörgangswand und dem Gelenkfortsatz des Unterkiefers in die Tiefe und verletzte die Carotis interna und die Eustachi'sche Röhre.

Bei den Frakturen der Schädelbasis ist sehr häufig auch das Hörorgan betroffen, indem die Frakturen sich auf das Schläfenbein erstrecken und entweder das Labyrinth oder vorwiegend die Trommelhöhle in ihren Bereich ziehen.

---

[1]) Berl. klin. Wochenschr, Nr. 40, 1883.

Das Schläfenbein ist nach seiner Entwicklung aus drei Teilen zusammengesetzt. Auch beim Erwachsenen finden sich noch Ueberreste dieser ursprünglichen Sonderung. Es besteht das Schläfenbein: a) aus der Schuppe, pars squamosa, b) aus der Pyramide, dem Felsenteil, pars petrosa, c) aus dem Paukenteil, pars tympanica. Die beiden ersteren stossen in der Sutura petro-squamosa zusammen, welche in der Längsrichtung der Trommelhöhle durch deren Dach und durch das Dach des Antrum mastoideum zur Incisura parietalis verläuft. Von hier erstreckt sich die Sutur in vertikaler Richtung, etwas nach vorn verlaufend, über den Warzenfortsatz, um über die hintere Wand des knöchernen Gehörganges wieder zum oberen Teil der Trommelhöhle zurückzukehren. Zu diesen beiden Teilen tritt von vorn unten noch die Pars tympanica, welche die vordere Hälfte des knöchernen Gehörganges bildet und sich an der Bildung der Fissura Glaseri und des Canalis musculo-tubarius beteiligt.

Es können zwei Arten von Frakturen des Schläfenbeins unterschieden werden: 1. solche, bei welchen die Bruchspalten im Wesentlichen den durch die Entwicklung des Knochens vorgezeichneten Trennungslinien folgen; 2. Querbrüche des Felsenbeins, bei welchen die Bruchspalten durch den Meatus auditorius internus und durch den Vorhof des Labyrinthes gehen.

Bei den ersteren gehen die Bruchlinien häufig von der Spitze der Pyramide zum Hiatus canalis Fallopiae und durch das Tegmen tympani. Meist wird der knöcherne Gehörgang von zwei Bruchlinien durchzogen, welche von seinem oberen inneren Ende auf der hinteren und vorderen Gehörgangswand nach aussen abwärts verlaufen. Das Trommelfell ist in diesen Fällen entweder nicht oder nur in seinem oberen und hinteren Teile verletzt. Sowohl bei den Diastasen als bei den Querbrüchen kann der Facialkanal mitbetroffen sein.

Im Allgemeinen werden Querbrüche des Felsenbeins durch eine Gewalteinwirkung auf den Hinterkopf, Brüche, welche in der Längsachse der Pyramide verlaufen, durch Gewalteinwirkung auf die Seitenfläche des Schädels verursacht.

Blutungen aus dem Ohre können selbst bei ausgedehnten Frakturen fehlen, andererseits bei kleineren vorhanden sein. Dieselben stammen entweder aus dem äusseren Gehörgange oder aus der Trommelhöhle; in letzterem Falle besteht Zerreissung des Trommelfells. Die heftigen Blutungen, die bisweilen auftreten, stammen aus der Arteria meningea media.

Besteht eine Zerreissung des Trommelfells mit längere Zeit hindurch andauernder Blutung, so kann auf eine Fraktur des Schläfebeins geschlossen werden.

Besteht nach der traumatischen Einwirkung Sekretion von

seröser, wässeriger Flüssigkeit, die bisweilen in grosser Menge abströmt, so ist diese Flüssigkeit Liquor cerebrospinalis, und es handelt sich um eine Eröffnung der Schädelkapsel mit Zerreissung der Dura mater. Nach den Untersuchungen von Schwalbe erscheint es wahrscheinlich, dass auch bei Eröffnung des Labyrinthes aus diesem durch Vermittlung des Porus acusticus internus Cerebrospinalflüssigkeit abfliessen kann.

Die Prognose der Frakturen der Schädelbasis ist meist eine sehr ungünstige, doch sind sehr schwere und ausgedehnte Verletzungen mitgeteilt, welche zur Heilung gelangten. Die Taubheit ist, wenn das Labyrinth im Bereiche der Fraktur lag, eine vollständige. Beträchtliche Schwerhörigkeit entsteht durch Bluterguss in die Trommelhöhle. Dieselbe gelangt durch Resorption des Ergusses wieder zur Rückbildung. In der Regel bleiben Schwindel und Ohrensausen lange Zeit hindurch bestehen.

Einen wegen der sich in späterem Stadium anschliessenden Meningitis interessanten Querbruch beschreibt Politzer[1]):

Ein kräftiger Mann wurde plötzlich von einer Ohnmacht befallen und stürzte rückwärts auf den hartgefrorenen Boden. Als er nach mehreren Stunden wieder zu sich kam, bestand beiderseits vollständige Taubheit, gestörtes Sprechvermögen, Schmerzen im Hinterkopfe, Erbrechen, Ohrensausen, Schwindel, Kopfeingenommenheit. Bei der 6 Wochen nach dem Falle vorgenommenen Untersuchung war vollständige Taubheit vorhanden, Trommelfell, Paukenhöhle und Tuben zeigten keine Veränderung. Am Schädel war keine Spur einer Verletzung aufzufinden. Beim Gehen fällt der unsichere Gang auf, der dem eines Betrunkenen ähnelt. In der 7. Woche nach dem Falle traten plötzlich meningitische Erscheinungen auf, unter denen der Patient rasch zu Grunde ging. Bei der Sektion fanden sich auf beiden Seiten Fissuren der Felsenbeine, die sich von hinten bis in die Vorhöfe erstreckten. Das Labyrinth war mit Eiter angefüllt, der sich von da aus durch den inneren Gehörgang nach der Schädelbasis ausgebreitet und hier zu eiteriger Meningitis Veranlassung gegeben hatte.

Behandlung.

Ist bei der Verletzung der äussere Gehörgang oder das Trommelfell beteiligt, so wird, nachdem etwa im äusseren Gehörgange vorhandenes flüssiges Blut mit Watte aufgetupft ist, der äussere Gehörgang durch einen antiseptischen Verband geschlossen, am besten durch Einlegen eines in Karbolöl getränkten Wattetampons und Ueberdecken des ganzen Ohres mit antiseptischer Watte. Bisweilen ist zur Stillung der Blutung die Tamponade des äusseren Gehörganges erforderlich. Alle reizenden Manipulationen,

---

[1]) Archiv für Ohrenheilk. Bd. II, S. 88.

sowie das Ausspritzen des Gehörganges werden in den ersten Tagen nach der Verletzung vermieden. Erst wenn die cerebralen Erscheinungen es gestatten, kann zu einem vorsichtigen Ausspritzen mit antiseptischer Flüssigkeit übergegangen werden. Nachdem unter der bei Frakturen der Schädelbasis üblichen, auf Antiphlogose, Diät und Ruhe beruhenden Behandlung die akuten Erscheinungen beseitigt sind, kann, wenn Bluterguss in die Trommelhöhle stattgefunden hatte und die Schleimhaut entzündet ist, durch vorsichtige Anwendung der Luftdusche Besserung des Gehöres und der sonstigen Erscheinungen herbeigeführt werden.

Neubildungen.

Zu den seltenen Affektionen des Hörorganes gehören die bösartigen Neubildungen, Carcinome, Enchondrome, Sarkome. Dieselben nehmen ihren Ursprung entweder vom äusseren Ohre oder von der Trommelhöhle und führen zu Zerstörung der benachbarten Teile des Schläfenbeins, der Parotis, der äusseren Hautbedeckungen, sie breiten sich in das Innere der Schädelhöhle aus und führen zum Tode durch Druck auf das Gehirn oder dadurch, dass dasselbe mitergriffen wird.

Nimmt die Neubildung ihren Ursprung in der Trommelhöhle, so wird das Trommelfell zuerst zerstört. In der Tiefe des Gehörganges zeigt sich zuerst eine Schwellung, welche mit einem Polypen verwechselt werden kann. Wird derselbe extirpirt, so tritt sehr rasch Neubildung ein; während die gewöhnlichen Polypen eine glatte, regelmässige Oberfläche und Form besitzen, zeigt die Neubildung häufig eine geschwürige Oberfläche. Je grösser die Neubildung wird und je früher Zerstörung und Schwellung der Umgebung eintritt, um so sicherer wird die Diagnose. Die Schmerzen, welche die Entwicklung der Neubildung begleiten, sind in der Regel sehr heftig.

Am häufigsten kamen Carcinome, seltener Enchondrome und Sarkome zur Beobachtung.

Ich selbst hatte Gelegenheit, die Entwicklung eines weichen Rundzellensarkomes zu beobachten bei einem $3^1/_2$ jährigen Knaben, das in 7 Monaten zum Tode führte. Die Neubildung begann mit einer polypenähnlichen, aus der Trommelhöhle entspringenden Schwellung, die an Ausdehnung rasch zunahm und zu einer gänseeigross über die äussere Kopffläche vorspringenden Geschwulst anwuchs. Der Tod trat unter schweren cerebralen Erscheinungen ein. Bei der Sektion fand sich ein Teil des Schläfebeins zerstört. Der inneren Schädeloberfläche im Bereiche des Schläfebeins war eine $1^1/_2$ cm dicke Geschwulstmasse aufgelagert, ohne Zerstörung der Dura mater.

Operative Eingriffe gewähren nur bei peripherem Sitz der Neubildung Aussicht auf Heilung. Bei den tiefer entspringenden beschränkt sich die Behandlung hauptsächlich auf die Linderung der Schmerzen.

Missbildungen, welche das Hörorgan betreffen.

Bildungsfehler können das Hörorgan in jedem seiner verschiedenen Teile betreffen, am häufigsten kommen die des äusseren Ohres, der Ohrmuschel und des äusseren Gehörganges zur Beobachtung. Dieselben werden bedingt durch ein während des Fötallebens eintretendes, wohl meist auf irritative Vorgänge zurückzuführendes Stehenbleiben auf einer früheren Entwicklungsstufe oder durch ein von dem normalen abweichendes Fortschreiteu der Entwicklung. Aus zahlreichen Sektionen zieht Hyrtl den Schluss: 1) dass die Entwicklung der äusseren Sphäre des Hörsinnes keineswegs von der des mittleren und inneren Ohres abhängt, 2) dass das allgemeine Gesetz der symmetrischen Bildung aller doppelten Teile sich im pathologischen Gange nicht bewährt, sondern ein Ohr ganz andere Bildungsabweichungen darbieten kann, als das andere.

Zum Verständniss der angeborenen Missbildungen des Ohres ist die Kenntniss der embryologischen Entwicklung unentbehrlich. Obwohl die Ansichten noch darüber geteilt sind, aus welchen Teilen sich das Hörorgan entwickelt, so genügt doch das, was wir wissen, uns Aufklärung über die Entstehung und Bedeutung der Missbildungen zu geben.

Das äussere Ohr entwickelt sich nach His aus sieben dem ersten und zweiten Kiemenbogen angehörigen Wülsten, welche die Oeffnung der ersten Kiemenspalte einfassen. Im dritten Monat biegt sich die hintere Helixhälfte vornüber, eine „Umkrempung" der Ohrmuschel, die nach His beim Menschen kaum mehr denn $^1/_2$ Monat dauert.

Von den Anatomen wurde bisher angenommen, dass Gehörgang, Mittelohr und Eustachi'sche Röhre aus der ersten Kiemen- oder Schlundspalte entstehe. Nach Hertwig würde sich aus dem eine Kommunikation zwischen Rachenhöhle und äusserer Oberfläche darstellenden Spritzloch der Selachier, Eustachi'sche Röhre, Trommelhöhle und äusserer Gehörgang entwickeln. Durch Verschluss der Spalte entsteht das Trommelfell, an dessen Bildung sich Teile des ersten und zweiten Schlundbogens beteiligen. Bisweilen bleibt als Foramen Rivini eine kleine Oeffnung in der Membrana flaccida Shrapnelli bestehen. Die Trommelhöhle ist ursprünglich dadurch sehr eng, dass das Bindegewebe der Schleimhaut eine gallertartige Beschaffenheit hat. Hammer und Ambos entstehen aus dem ersten Schlund- und Kieferbogen. Derselbe gliedert sich durch Einschnürung in zwei kleinere und ein grösseres Stück. Das erste kleine wird zum Ambos, das zweite zum Hammer, das dritte längere Stück ist der Meckel'sche Knorpel, der mit dem Unterkiefer verschmilzt. Ausserdem entsteht aus dem ersten Schlundbogen der Oberkiefer, das Gaumenbein und vielleicht auch die innere Lamelle des Processus pterygoideus. Die Entstehung des Steigbügels ist noch nicht sicher gestellt, doch scheint derselbe dem zweiten Schlundbogen anzugehören. „Die Gehörknöchelchen und die Chorda tympani liegen anfangs ausserhalb der Trommelhöhle in dem Schleimgewebe ihrer Wand erst durch Schrumpfung des Schleimgewebes kommen sie in Schleimhautfalten zu liegen, welche in die nunmehr geräumiger gewordene Trommelhöhle hineinspringen (Ambosfalte, Hammerfalte).“ [1])

Das häutige Labyrinth mit seiner epithelialen Auskleidung entsteht aus dem äusseren Keimblatt. Dasselbe bildet zuerst oberhalb der ersten Schlundspalte eine Einsenkung, das Hörgrübchen, zu dessen Grund mit einer ganglienförmigen Anschwellung der Hörnerv tritt. Das Hörgrübchen stülpt sich tiefer ein und wird durch Verwachsung der äusseren Ränder zum mit Endolymphe gefüllten Hörbläschen. Durch Faltenbildungen

---

[1]) Während sämmtliche Morphologen annehmen, dass Mittelohr und Tube aus der zwischen dem Kiefer- und Zungenbeinbogen liegenden Kiemenspalte hervorgehen, suchte Albrecht den Nachweis zu liefern, dass dieselben aus einer vor dem Kieferbogen liegenden Kiemenspalte hervorgehen (Troisième Congrès intern. d'otologie. Basel, 1884). — Andererseits kam Urbantschitsch zur Ansicht, dass das äussere und mittlere Ohr keineswegs der ersten Kiemenspalte entstamme, das mittlere Ohr entwickle sich aus einer Seitenbucht der Mund-Nasen-Rachenhöhle, während der äussere Gehörgang aus jener Bildungsmasse hervorgehe, welche sich über das ursprünglich im Niveau der äusseren Decke befindliche Trommelfell (als äussere Begrenzungswand der Seitenbucht) wallförmig erhebe. (Monatsschr. f. Ohrenheilk. Nr. 7, 1887.

und Abschnürungen entstehen aus dem Hörbläschen der Utrikulus mit den halbzirkelförmigen Kanälen einerseits, der Sacculus mit der Schnecke andererseits. Das Hörbläschen ist in dem Mesenchym angehöriges zellenreiches, weiches Bindegewebe eingebettet. Dieses Bindegewebe sondert sich in zwei Lagen, von denen die eine das Hörbläschen zunächst umgebende als Schleim- oder Gallertgewebe sich später verflüssigt und die perilymphatischen Räume bildet, während die andere sich zu embryonalem Knorpel und später zur knöchernen Labyrinthkapsel umwandelt.

Durch eine Störung während des Wachstums der His'schen Wülste dürfte die von Heusinger als Fistula auris congenita, nach Albrecht besser als Fistula praeauricularis bezeichnete Entwicklungsanomalie zu erklären sein.[1]) Dieselbe findet sich dicht vor dem Helix über dem Tragus als kleines Grübchen oder als blind endigende Fistel. Bisweilen tritt aus der Fistel eiterige oder viscide Flüssigkeit. Von Urbantschitsch wurde zuerst die Vererbung dieser Anomalie beobachtet. In der Familie eines meiner Patienten waren beide Grosseltern, der Vater und dessen beide Brüder und 5 Geschwister mit der Anomalie behaftet, so dass dieselbe elf Mal in derselben Familie vorkam.

Tritt die Entwicklungsstörung während der Zeit der Umkrempung der Ohrmuschel ein, so kann diese bestehen bleiben. Es findet sich der hintere Teil der Ohrmuschel nach vorn umgeklappt.

Durch eine Störung bei der Entwicklung der vorderen Hisschen Wülste sind die als Aurikularanhänge bezeichneten Gebilde, die sich vor dem Tragus finden (cfr. erster Wulst vor dem Ohre der Abbildung Fig. 45, S. 253) zu erklären.

Nur wenige Fälle sind beobachtet von überzähligen äusseren Ohren (Polyotie), dieselben haben ihren Sitz gewöhnlich vor dem normal beschaffenen Ohre und zeigen die Form desselben in verkleinertem Maasstabe. Bei dem beistehend Fig. 45 abgebildeten Falle besteht die Polyotie neben einem Aurikularanhang. Vor dem polyotischen Gebilde befindet sich eine secernirende Fistel.

Selten kommt das vollständige Fehlen der Ohrmuschel zur Beobachtung, in der Regel finden sich einzelne Spuren, Knorpelbildungen oder Hautanhänge noch vorhanden. So fand ich in

---

[1]) Urbantschitsch hält dieselbe für ein Ueberbleibsel der ersten Kiemenspalte (Monatsschr. f. Ohrenheilk. Nr. 7, 1887).

einem Falle bei normalem Gehörgange an Stelle der Ohrmuschel nur einen schmalen Hautlappen von dem ersteren herabhängen. In einem anderen Falle war bei verschlossenem Gehörgauge von der Ohrmuschel nur der Tragus als wenig vorspringender dornförmiger Fortsatz vorhanden. Verkrüppelungen oder Fehlen einzelner Teile der Ohrmuschel oder fehlerhafte Stellung derselben kommen nicht selten zur Beobachtung. Häufig ist mit den Entwicklungsanomalien der Ohrmuschel das Fehlen des äusseren Gehörganges verbunden. Betrifft der membranöse Verschluss nur den äusseren Teil des Gehörganges, so kann das Trommelfell vollständig normal vorhanden sein. Es sind Fälle beobachtet, in welchen bei beiderseitigem Verschluss die Umgangssprache noch vollständig verstanden wurde, was auf ein normales Verhalten der tiefer liegenden Teile schliessen lässt. Moos[1]) beobachtete einen Fall von doppelseitigem knöchernem Verschluss des äusseren Gehörganges bei einseitiger Missbildung der Ohrmuschel. Es bestand ein Sprachverständniss bis auf mehrere Meter. Rau führte bei einem Knaben die Operation eines membranösen Verschlusses aus, indem er mit einem Staarmesser ein ringförmiges Hautstück dicht an den Knochenrändern ausschnitt. Nachdem der Gehörgang durch Einspritzungen von lauem Wasser von einer gelatinösen Masse befreit worden war, hörte der Knabe augenblicklich sehr deutlich. Längere Zeit, nachdem derselbe entlassen war, schloss sich die Mündung des sehr engen Kanales wieder. Mehrere Fälle sind mitgeteilt, in welchen bei Taubstummen die Operation mit Erfolg ausgeführt wurde. In

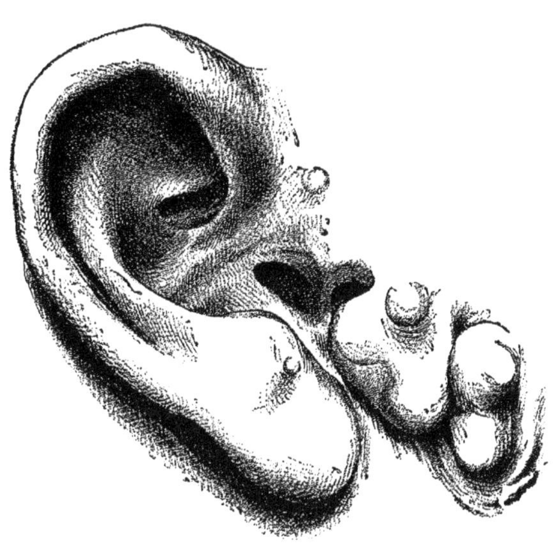

Fig. 45.

---

[1]) Zeitschr für Ohrenheilk. Bd. X, S. 20.

der Regel sind jedoch mit dem Verschluss des äusseren Gehörganges Veränderungen in der Trommelhöhle verbunden, welche nur sehr geringe Aussicht auf ein erfolgreiches operatives Eingreifen gewähren. In einem Falle suchte ich mich über die Möglichkeit der künstlichen Oeffnung durch die Ablösung der etwas verkümmerten Ohrmuschel von hinten zu überzeugen. Es fand sich der knöcherne Gehörgang vollständig fehlend, an seiner Stelle das Kiefergelenk.

Seltener kommen Bildungsfehler der Trommelhöhle zur Beobachtung. Bei vollständigem Fehlen der Trommelhöhle ist dieselbe durch Knochenmasse ersetzt, die einzelnen Teile der Höhle können abnorm entwickelt sein, insbesondere die Gehörknöchelchen, an welchen die verschiedensten Difformitäten auftreten können, oder es fehlen dieselben ganz. Verengerungen und Fehlen der Labyrinthfenster wurden mehrfach beobachtet.

Bei den den äusseren Gehörgang und die Trommelhöhle betreffenden Missbildungen handelt es sich um frühzeitige Entwicklungsstörungen im Bereiche der ersten Kiemenspalte. Bisweilen bestehen neben diesen Missbildungen Entwicklungsanomalien derjenigen Teile, deren Bildung mit dem ersten Kiemenbogen in Zusammenhang steht. So bestand bei dem abgebildeten Falle neben dem Auricularanhang und der Polyotie Assymetrie des Gesichtes durch unvollständige Entwicklung des Unterkiefers. Das Kinn weicht $1\frac{1}{2}$—2 cm von der Mittellinie ab, es fehlt eine feste Gelenksverbindung mit dem Schädel. In demselben Falle bestand ausserdem noch eine auch sonst in Verbindung mit Missbildungen des Ohres beobachtete linsengrosse Dermoidgeschwulst auf der Sklera des Auges.

Seltener als Missbildungen der Trommelhöhle und des äusseren Gehörganges sind solche des Labyrinthes. Vollständiges Fehlen des Labyrinthes wurde wiederholt gefunden, häufiger das Fehlen oder die mangelhafte Entwicklung einzelner Teile desselben, der Halbzirkelkanäle oder der Schnecke. Doch ist nicht immer festzustellen, ob diese Fehler auf frühzeitigen Entzündungsprocessen oder auf Entwicklungsanomalien beruhen.

Kapitel XI.

Taubstummheit.

Die von Geburt an bestehende, und ebenso die in früher Kindheit auftretende Taubheit hat auch die Stummheit im Gefolge. Ist das Kind nicht im Stande, die Laute, die von der Mutter zu ihm dringen, zu hören, so ist es auch nicht im Stande, dieselben nachzubilden und dieselben zu verstehen. Das gehörlose Kind bleibt stumm, und auch diejenigen Kinder verlieren die Sprache wieder, die in den ersten Lebensjahren des Gehörs verlustig gingen.

Was die Häufigkeit des Gebrechens betrifft, so befanden sich nach der in meiner Monographie über „Taubstummheit und Taubstummenbildung“ gegebenen Zusammenstellung unter 246 Millionen Menschen 191 000 Taubstumme, so dass sich eine Durchschnittsquote von 7,77 auf 10 000 Einwohner ergiebt. Die niedrigste Quote haben die Niederlande 3,35; fast ebenso gering ist die Zahl der Taubstummen in Belgien 4,39. Sodann stehen noch unter der Durchschnittsquote Grossbritannien 5,74, Dänemark 6,20, Frankreich 6,26, Spanien 6,96, Italien 7,31; ausserdem die Vereinigten Staaten von Nordamerika. Ueber der Durchschnittsquote stehen: Deutschland 9,66, Oesterreich 9,76, Ungarn 13,43, Schweden 10,23 und Norwegen 9,22. Die höchste Quote, 24,5 auf 10 000 Einwohner, hat die Schweiz; ausserdem von aussereuropäischen Ländern die argentinische Republik. Uebereinstimmend ergiebt sich in allen Ländern, dass in den gebirgigen Gegenden die Taubstummheit häufiger auftritt, als im Flachlande, und dass es in Europa insbesondere die Alpenländer sind, welchen das Gebrechen in ausserordentlicher Häufigkeit anhaftet. So finden sich in den Alpenbezirken Oesterreichs folgende Quoten: Salzburg 27,8, Steiermark 20,0, Kärnthen 44,1, während die Durchschnittsziffer für Oesterreich nur 9,7 beträgt. Aehnlich ist das Verhältniss in Italien und Frankreich. In dem letzteren finden sich die hohen Ziffern nicht nur in den Departements der Alpen, sondern es lässt sich auch in den Sevennen und in den Pyrenäen eine grössere Verbreitung des Gebrechens konstatiren.

In Deutschland beteiligen sich die nordöstlichen Provinzen Preussens mit sehr hohen Ziffern an der Gesammtzahl der Taubstummen, Ost- und Westpreussen 18,2 (Zählung vom 1. December 1880), Posen 15,4, Pommern 12,7 unter 10 000 Einwohnern. Es scheint dies in Widerspruch zu stehen mit der in den anderen Ländern gemachten Erfahrung, dass in gebirgigen Gegenden die Taubstummheit häufiger auftritt, als im Flachlande. Da die grosse Anzahl der Taubstummen in diesen Provinzen durch die in dem Jahre 1864/65 herrschende Genickkrampfepidemie bedingt wurde, so können wir diese Provinzen ausser Betracht lassen. Es ergiebt sich dann auch für Deutschland das in andern Ländern bestehende Verhältniss. Die gebirgigen Gegenden Süddeutschlands: Baden 12,2, Württemberg und Elsass-Lothringen 11,1, Bayern 9,0 zeigen höhere Ziffern, während die Quoten im flachen Norden niedriger sind. Hamburg und Bremen 4,0 und 6,4, Braunschweig 6,0, Oldenburg 6.9; ausserdem die westlichen Provinzen Preussens: Westfalen 7,4, Hannover 7,8, Rheinland und Sachsen 7,6, Schleswig-Holstein 5,9.

Die Zahl der männlichen Taubstummen ist in allen Ländern eine wesentlich grössere als die der weiblichen; während z. B. in Preussen im Jahre 1871 die Verhältnisszahl des männlichen Geschlechts zum weiblichen überhaupt 100 : 103,4 betrug, kamen auf 100 männliche Taubstumme nur 85,1 weibliche. Das Ueberwiegen des männlichen Geschlechts besteht sowohl bei der angeborenen, als bei der erworbenen Taubstummheit. Am häufigsten findet sich die Taubstummheit unter den Bekennern der mosaischen Religion, so kamen in Preussen (1880) auf 10 000 Konfessionsgenossen 9,89, Taubstumme unter den Protestanten, 10,39 unter den Katholiken. 14,38 unter den Israeliten; ein noch ungünstigeres Verhältniss für die Israeliten fand sich in Bayern.

Wesentliche Verschiedenheiten finden sich in den Angaben bezüglich der grösseren Häufigkeit der angeborenen oder der erworbenen Taubstummheit. Während Schmalz früher unter 5425 Taubstummen 3665 Taubgeborene und 1760 Taubgewordene fand, ergab meine der neueren Zeit entstammende Zusammenstellung[1]) unter 4547 Taubstummen 2041 Taubgeborene und 2378 Taubgewordene, so dass wir wohl annehmen dürfen, dass etwas weniger als die Hälfte der Taubstummen das Gebrechen von Geburt an besitzt, während der übrige Teil es durch Krankheit erworben hat.

Die Verschiedenheiten der einzelnen Aufnahmen erklären sich daraus, dass eben in verschiedenen Gegenden durch epidemische oder endemische Verhältnisse entweder die angeborene oder die erworbene Taubstummheit überwiegt.

---

[1]) Taubstummheit und Taubstummenbildung. Stuttgart 1880. S. 52.

Von den Ursachen, welchen das Auftreten der angeborenen Taubstummheit zugeschrieben wird, sind besonders hervorzuheben die Vererbung des Gebrechens und der Einfluss der Konsanguinität der Eltern. Was die Vererbung anbetrifft, so unterscheiden wir direkte und indirekte Vererbung, sowie das mehrfache Vorkommen in einer Familie. Die direkte Vererbung der Taubstummheit wurde früher bezweifelt. Nach meinen Zusammenstellungen befanden sich unter 8037 Taubstummen 17 Ehen zwischen zwei Taubstummen; dieselben hatten 28 vollsinnige und kein taubstummes Kind; in 276 Ehen war ein Teil taubstumm, aus diesen Ehen waren 416 vollsinnige und nur 11 taubstumme Kinder hervorgegangen. Bei meinen Forschungen in den beiden Berliner Taubstummenschulen lernte ich dagegen zwei Elternpaare kennen, von denen beide Ehegatten taubstumm waren. Bei dem einen Paare sind beide Gatten von Geburt an taubstumm; aus dieser Ehe stammen vier taubstumme Mädchen und ein vollsinniger Knabe. Von dem zweiten Paar stammen 3 taubstumme Kinder ab; bei beiden Eltern war die Taubheit durch Krankheit enstanden. — Indirekte Vererbung fand ich nach meinen Zusammenstellungen unter 6834 Taubstummen 430 Mal, somit bei 6,8 %. — Auch bei dem Auftreten der angeborenen Taubheit bei mehreren Kindern einer Familie ohne vorausgegangene Taubstummheit in der weiteren Familie und der Eltern müssen wir eine von den Eltern auf die Kinder übertragene Anlage annehmen. Nach verschiedenen statistischen Annahmen befanden sich unter 100 Familien, in welchen sich taubstumme Kinder befanden, 85,4, in welchen nur ein taubstummes Kind vorhanden war, 9,3, in welchen zwei, 3,8, in welchen drei, und 1,1 Familien, in welchen vier taubstumme Kinder sich befanden. Mehr als vier taubstumme Kinder bis zu acht fanden sich nur in 0,4 Procent der Familien. Kinder mit erworbener Taubstummheit kommen fast ausnahmslos nur vereinzelt in den Familien vor.

Eine wichtige, vielfach bestrittene Rolle für das Auftreten der angeborenen Taubheit bildet die Blutverwandtschaft der Eltern. Während jedoch französische Forscher, Boudin u. A., die Häufigkeit der aus solchen Ehen stammenden Taubstummen auf 25—28 % berechneten, ergaben spätere ausgedehntere Forschungen, dass die Häufigkeit eine viel geringere ist. Nach meinen Zusammenstellungen befanden sich unter 8404 Taubstummen 451, welche aus Verwandtschaftsehen stammten, demnach 5,4 %; unter den taub Geborenen

8,1%. Da die Procentzahl der Verwandtschaftsehen überhaupt nicht mehr als 1—2% beträgt (sowohl in Frankreich, als in Preussen), so ergiebt sich jedenfalls, dass durch diese Ehen das Auftreten der Taubstummheit begünstigt wird. — Ein interessantes Beispiel von dem Einflusse konsanguiner Ehen befand sich in einer der Berliner Taubstummenschulen; ein taubstummes Kind hatte noch 5 taubstumme Geschwister, ohne dass in früheren Generationen der Familie ein Fall von Taubstummheit vorgekommen wäre, dagegen fand sich, dass sowohl die Eltern, als auch die Grosseltern und die Urgrosseltern Geschwisterkinder gewesen waren. Drei Mal musste somit das schädliche Moment einwirken, um die Taubstummheit in furchtbarer Weise auftreten zu lassen.

Vielfach wird die Ansicht aufgestellt, dass das Auftreten der Taubstummheit begünstigt wird durch ungünstige sociale Verhältnisse. Es wurden sowohl schlechte, feuchte Wohnungen, als kümmerliche Ernährungsverhältnisse überhaupt, oder schwere körperliche Anstrengungen der Eltern als das Auftreten des Gebrechens bei den Kindern begünstigende Momente angenommen. Jedenfalls kann keines dieser einzelnen Momente als Ursache von Taubstummheit beschuldigt werden, es zeigen vielmehr, wie besonders Schmaltz[1]) auf Grund seiner äusserst sorgfältigen Erhebungen über die Taubstummen des Königreichs Sachsen nachwies, nur im Allgemeinen diejenigen Bevölkerungsklassen, welche materiell am schlechtesten gestellt sind, wo den Kindern nur eine ungenügende Pflege zu Teil werden kann, ein etwas vermehrtes Vorkommen der Taubstummheit. Die statistischen Erhebungen stimmen überein, dass sowohl die erworbene als die angeborene Taubstummheit etwas häufiger auf dem Lande vorkommt, als in Städten.

Tritt die Taubheit durch Krankheit auf, so geht beim Kinde auch die bereits erlernte Sprache wieder verloren. Dies ist fast ausnahmslos der Fall bei Kindern bis zum 7. Lebensjahre, doch sind auch Fälle beobachtet, dass sich die Sprache noch im 14. und 15. Lebensjahre nach Eintritt der Taubheit wieder verlor. Was die Krankheiten betrifft, durch welche die erworbene Taubstummheit verursacht wird, so liefern das Hauptkontingent die Hirnhautentzündungen und zwar die einfache Basalmeningitis und die epidemische Cerebrospinalmeningitis. Huguenin[2]) hebt hervor, dass

---

[1]) Die Taubstummen im Königreich Sachsen. Leipzig 1884.

[2]) Handbuch der Krankheiten des Nervensystems. 2. Aufl. 1. Hälfte, S. 592.

es zwischen den beiderlei Erkrankungen keine sicheren Zeichen der Unterscheidung giebt, so dass es schwer fällt, die sporadisch auftretenden Fälle bei der Möglichkeit der Verschleppung der epidemischen Meningitis der einen oder der anderen Kategorie zuzurechnen. Fast bei der Hälfte der Taubgewordenen werden Gehirnleiden als Ursache der Taubheit angegeben (unter 1989 bei 930). In zweiter Linie kommt als Ursache der Taubheit Typhus und Scharlach in Betracht (unter 1989 bei 260 und 205). Doch scheint die Mehrzahl der Fälle von Typhus der Hirnhautentzündung zuzurechnen zu sein. Sodann wären die durch Ausbreitung der Rachendiphtheritis auf das Ohr hervorgerufenen diphtheritischen Entzündungen zu erwähnen. Seltener wird die Taubheit durch selbständige Ohrenleiden, durch Kopfverletzungen und andere Krankheiten verursacht.

Bircher hält in einer jüngst erschienenen verdienstvollen Arbeit[1]) die Einteilung in angeborene und erworbene Taubstummheit für unrichtig und glaubt eine sporadische und endemische Taubstummheit unterscheiden zu müssen. Nach den in der Schweiz gemachten Erhebungen hat die Taubstummheit dort endemische Verbreitung und zwar gehen die Endemien der Taubstummheit vollständig perallel mit den Kropfendemien. Bircher konnte nachweisen, dass diese Endemien in Beziehung stehen zur geologischen Bodenformation, sie kommen nur vor auf marinen Ablagerungen der Trias und Tertiärzeit, frei davon sind die Urgebirge, die Sedimente des quaternären Meeres und die Süsswasserablagerungen. Auf Grund von ausgedehnten Untersuchungen in schweizerischen Taubstummenanstalten nimmt Bircher an, dass in der Schweiz ungefähr 20⁰/₀ sämmtlicher Taubstummen der sporadischen, 80⁰/₀ der endemischen Taubstummheit angehören. Bircher glaubt, dass unter dem Einflusse der endemischen Krankheitsursachen schon intrauterin Veränderungen der cerebralen Gehörs- und Sprachcentren entstehen. Die endemische Taubstummheit kann sowohl von Geburt an bestehen oder erst in den ersten Lebensjahren auftreten. Häufig überwiegt in Gegenden mit endemischer Taubstummheit die Sprachstörung die Hörstörung, so dass anzunehmen wäre, dass der Sprachmangel auf primärer Erkrankung der Sprachcentren beruht. Ob bei der endemischen Taubstummheit die stäbchenförmigen Mikro-

[1]) Der endemische Kropf und seine Beziehungen zur Taubstummheit und zum Kretinismus. Basel 1883.

organismen, welche Bircher in den Quellen der Kropfgegenden fand und welche fehlen in den Brunnen kropffreier Gegenden, eine Rolle spielen, wird vorerst dahingestellt bleiben müssen.

Da wir bisher keine speciellen Erhebungen über das Vorkommen der Taubstummheit in Gebirgsgenden besassen, musste ich es in meiner Monographie über Taubstummheit als wünschenswert bezeichnen, dass in solchen Gegenden genauere Erhebungen gemacht würden. Bircher hat sich nun das Verdienst erworben, uns über die auffallende Häufigkeit der Taubstummheit in den Alpenländern aufzuklären. Es geht aus seinen Untersuchungen hervor, dass es in diesen Ländern in grosser Häufigkeit eine besondere Art von Taubstummheit giebt, die wir im Flachlande nicht kennen oder wenigstens nur äusserst selten beobachten. Für Sachsen gelang es Schmaltz nicht, einen Einfluss der terrestrischen Verhältnisse auf das Vorkommen der Taubstummheit nachzuweisen.

Leider findet man vielfach noch sehr irrige Anschauungen über die Taubstummen verbreitet. Man sollte nach den häufig gegebenen Schilderungen derselben glauben, in den Anstalten eine Sammlung von kränklichen, schlecht entwickelten, stupiden Geschöpfen zu finden, während wir in Wirklichkeit gesunden, munteren Kindern begegnen, die dem äusseren Erscheinen nach von Vollsinnigen sich nicht unterscheiden. Besonders war man der Ansicht, dass Skrophulose und Lungenkrankheiten unter den Taubstummen eine grosse Rolle spielen, was jedoch nur in sehr beschränktem Grade der Fall ist. Sodann wurde den Taubstummen der Vorwurf gemacht, sie seien träge, grausam, habsüchtig, jähzornig etc., Eigenschaften, die nicht den Taubstummen als solchen zukommen, sondern stets auf fehlerhafte Erziehung zurückzuführen sind.

Das Hörvermögen ist bei vielen Taubstummen nicht ganz erloschen. Bei manchen findet sich dasselbe noch so weit erhalten, dass sie im Stande sind, nahe dem Ohre gesprochene Worte nachzusprechen. Manche dieser Taubstummen lernen auch im Elternhause einzelne Worte sprechen, sind aber nicht im Stande, sich in den Vollbesitz der Sprache zu setzen. Aus den bisherigen Aufnahmen ergiebt sich, dass mehr als die Hälfte (60,2 %) sämmtlicher Taubstummen vollständig gehörlos ist. Der vierte Teil hat Schallgehör überhaupt (24,2 %), 11,3 % hört Vokale, 4,3 % Worte. Die Verschiedenheit des Hörvermögens bei den Taubgeborenen und denen mit erworbener Taubheit besteht hauptsächlich darin, dass bei den letzteren die Zahl der vollständig Gehörlosen eine weit grössere ist (68,4 %), als bei den ersteren 42,2 %).

Ueber die der Taubstummheit zu Grunde liegenden anatomischen Veränderungen sind wir trotz der nicht unbeträchtlichen Anzahl von 67 Sektionsbefunden, welche es mir gelang, in meiner Monographie aus der Literatur zusammenzustellen, noch wenig unterrichtet. Es bleibt in dieser Beziehung für die Aufklärung der Zukunft noch Manches überlassen. Wünschenswert wäre es, dass bei allen Sektionen von Taubstummen eine genaue Untersuchung der Hörorgane vorgenommen und gleichzeitig festgestellt würde, welcher Ursache das Auftreten des Gebrechens während des Lebens zugeschrieben wurde.

Bei den bisherigen Sektionen wurde gefunden: vollständiges Fehlen des Labyrinthes vier Mal, Fehlen des Hörnerven ein Mal, abnormer Verlauf des Nerven ebenfalls ein Mal, häufig wurden im Labyrinthe Veränderungen gefunden, welche auf stattgehabte Entzündungen bezogen werden müssen, Knochenablagerungen, Entartungen, Atrophien.[1]) Eine grosse Anzahl der Sektionsbefunde, welche wir besitzen, betreffen die Trommelhöhle. So besitzen wir zwei sehr sorgfältig erhobene Befunde von Ankylose der Knöchelchen und Verknöcherungen an den Labyrinthfenstern von Moos und einen ähnlichen von Gellé, alle drei bei angeborener Taubheit. Ausserdem finden sich die verschiedensten Veränderungen und Zerstörungen, das Mittelohr betreffend, angegeben. Ueber Veränderungen im Gehirne liegen nur wenige Mitteilungen vor. Rüdinger fand bei Taubstummengehirnen schlechte Oberflächenentwicklung der dritten Stirnwindung.

An eine Heilbarkeit der angeborenen Taubstummheit ist nur in den seltensten Fällen zu denken, wenn die Taubheit keine vollständige ist und wenn es sich um Veränderungen im Mittelohre handelt. Zwei Fälle finden sich in der Literatur verzeichnet, in welchen durch Beseitigung von membranösem Verschluss des äusseren Gehörganges das Hörvermögen hergestellt wurde. Sonstige Beobachtungen, dass in irgend einem Falle durch therapeutische Eingriffe Erfolg erzielt worden wäre, liegen jedoch nicht vor. In einem Falle konnte ich feststellen, dass bei einem von Geburt an vollständig tauben Mädchen von selbst sich das Hörvermögen so

---

[1]) Vgl. die Befunde von Politzer, sowie von Moos u. Steinbrügge, S. 227.

weit einstellte, dass es im Stande war, nahe dem Ohre gesprochene Worte nachzusprechen.

Bei erworbener Taubstummheit können vor Allem die Fälle von Heilversuchen ausgeschlossen werden, in welchen die Taubheit durch Erkrankungen des Gehirnes und seiner Häute verursacht wurde. Sodann diejenigen Fälle, in welchen durch destruktive eiterige Entzündungen die Taubheit hervorgerufee wurde. Besteht noch eiterige Absonderung, so muss dieselbe beseitigt werden. In manchen Fällen kann durch Beseitigung des Entzündungsprocesses auch Besserung des Hörvermögens erzielt werden. Ausserdem ist es die mit Nasenrachenkatarrhen einhergehende, meist mit Exsudatansammlung verbundene Taubheit resp. Schwerhörigkeit, welche unseren therapeutischen Eingriffen zugänglich ist.

Die Hauptsache bei der Behandlung dieser Leiden ist, dass nicht gewartet wird. bis das Gebrechen eine Reihe von Jahren besteht, sondern dass sofort mit dem Auftreten desselben eine rationelle Behandlung eingeleitet wird. Besonders bei den selbständigen oder im Gefolge von Scharlach auftretenden eiterigen Mittelohrentzündungen wird die Taubheit der Kinder nicht selten durch die ungenügende Behandlung verursacht. „So lange freilich übrigens durchaus tüchtige Aerzte, die bei jedem halbwegs verdächtigen Bronchialkatarrh Auskultation und Perkussion gewissenhaft zu Rate ziehen, sich nicht scheuen, kritiklos jeglichen „Ohren"-Kranken, der ihnen unter die Hände kommt, mit Oelinstallationen u. dergl. zu „behandeln", — so lange sonst gut geschulte Aerzte bei Scharlach-„Otorrhoen" von „harmlosen Katarrhen des äusseren Gehörganges" sprechen — so lange die Frage, ob es „wünschenswert" sei, die Ohrenkranken grösserer Hospitäler fachmännisch gebildeter Behandlung zu überweisen, in ärztlichen Kreisen nicht nur noch ventilirt, sondern sogar verneint werden kann — so lange mit einem Worte dem otiatrischen Zweige der Chirurgie von der Mehrzahl der Mediciner so wenig Beachtung geschenkt wird — so lange wird auch eine Besserung auf diesem Gebiete der Hygiene kaum zu erwarten sein" (Schmaltz). Hat das taub gewordene Kind bereits gesprochen, so ist in erster Linie danach zu streben, dass die Sprache nicht verloren geht; das Kind muss dazu angehalten werden, viel und richtig zu sprechen und muss in der Taubstummenschule unterrichtet werden. Mit der Ueberweisung in die Taubstummenschule darf nicht gewartet werden, bis die Sprache verloren gegangen ist.

Beim Taubstummen, der nicht im Stande ist, die Sprache zu erlernen, wodurch er ausgeschlossen ist vom sprachlichen Verkehr mit seinen hörenden Mitmenschen, wird die geistige Entwicklung auf's schwerste beeinträchtigt, da er nicht vermag, durch die Sprache Begriffe von seiner Umgebung in sich aufzunehmen und dadurch der geistigen Errungenschaften seiner hörenden Mitmenschen teilhaftig zu werden. Das grosse Verdienst der Begründer des Taubstummenunterrichtes war es, den Weg zu zeigen, auf welchem es gelingt, den Taubstummen die Sprache zu lehren, ihn dadurch aus seiner geistigen Verwahrlosung herauszureissen und zu einem brauchbaren Menschen zu machen.

In der 2. Hälfte des 16. Jahrhunderts machte der spanische Pater Pedro Ponce zuerst die Entdeckung, dass man Taubstumme sprechen lehren könne. Obwohl Ponce nach dem Urteil seiner Zeitgenossen schon Ausgezeichnetes im Unterrichte von Taubstummen leistete und nach seinem Tode auch ein Buch erschien „über die Kunst, Taubstumme sprechen zu lehren", blieben doch lange Zeit die Versuche, Taubstumme zu unterrichten, vereinzelt, bis im Jahre 1788 in Folge eines Rufes des damaligen sächsischen Kurfürsten Heinicke mit seinen Schülern von Eppendorf bei Hamburg nach Leipzig übersiedelte und daselbst die erste Taubstummenanstalt gründete. In demselben Jahre erhielt auch eine von Abbé de l'Epée in Paris unterhaltene Taubstummenschule staatlichen Zuschuss, wodurch auch hier der Grund gelegt wurde zum öffentlichen Taubstummenunterricht. Die französische und die deutsche Anstalt unterschieden sich von einander von Anfang an dadurch, dass in der ersteren der Hauptwert bei der Ausbildung der Taubstummen auf die Geberdensprache gelegt wurde. Man unterscheidet demnach beim Taubstummenunterrichte allgemein eine deutsche und eine französische Unterrichtsmethode.

Der französiche Taubstumme, welcher nur die künstliche Geberdensprache gelernt hat, bei der die einzelnen Buchstaben durch bestimmte Fingerstellungen repräsentirt werden, ist auf den Umgang mit Seinesgleichen angewiesen und kann sich Vollsinnigen, abgesehen vom schriftlichen Verkehr, nur dann einigermassen verständlich machen und sie verstehen, wenn sie gelernt haben mit ihm umzugehen. Der deutsche Taubstumme dagegen wird in den Stand gesetzt, mit Vollsinnigen zu verkehren, indem er zu denselben spricht und das gesprochene Wort versteht. Die Vorzüge der deutschen Unterrichtsmethode sind so überwiegend, dass neuerdings auch in Frankreich die Artikulationsmethode in den Anstalten eingeführt wurde.

Der Taubstummenunterricht findet entweder in Internaten, Taubstummenanstalten, oder in Externaten, Taubstummenschulen, statt. Am ungünstigten sind grosse Internate, da hier den Insassen wenig Gelegenheit geboten ist, mit Vollsinnigen zu verkehren und das im Unterricht Gelernte praktisch anzuwenden. Bei den Externaten kann ein erspriessliches Zusammenwirken der Schule und der Familie stattfinden.

Was die Resultate betrifft, welche sich durch den Taubstummenunterricht erzielen lassen, so sind dieselben sehr verschieden. Dieselben hängen ab von der intellektuellen Befähigung der Taubstummen, davon, ob noch Reste von Hörvermögen vorhanden sind, ob die Taubstummen vor dem Eintritt des Gebrechens schon gesprochen hatten, ausserdem von der Art des Unterrichts, sowie von der Dauer desselben. Es unterscheiden sich die Erfolge, welche an einzelnen Taubstummenschulen erzielt werden, nicht unwesentlich von einander. Die Zahl derjenigen, welche die Sprache so gut erlernen, dass man glauben könnte, mit Vollsinnigen zu verkehren, ist eine sehr geringe. Bei dem gegenwärtigen Stande des Taubstummenbildungswesens kann im Allgemeinen angenommen werden, dass der dritte Teil der Taubstummen so weit gebracht werden kann, dass sie mit Jedermann sprachlich verkehren können. Bei einem zweiten Drittel ist die Sprache etwas unreiner, so dass sie nicht von Jedermann verstanden wird und der Taubstumme die Geberdensprache zu Hilfe nehmen muss. Beim letzten Drittel wird die Sprache nach dem Verlassen der Anstalt so unrein, dass sie nicht mehr verstanden wird, der Taubstumme sie wieder verlernt und sich darauf beschränkt, durch Geberden oder durch Schreiben sich seinen Nebenmenschen verständlich zu machen. Taubstummen welche einen guten Unterricht genossen haben, gelingt es auf schriftlichem Wege sehr gut, sich verständlich zu machen. Im hiesigen Taubstummenverein lernte ich einen Tischler kennen, der, in einer deutschen Anstalt unterrichtet, nach einem mehrjährigen Aufenthalt in Paris durch Schreiben und Lesen die französische Sprache vollständig erlernt hatte.

Die Länder, in welchen für den Unterricht sämmtlicher Taubstummen Fürsorge getroffen ist, sind die Vereinigten Staaten von Nordamerika und die meisten Einzelstaaten des deutschen Reiches.

Besonders erfreuliche Fortschritte machte das Taubstummenbildungswesen in den letzten Jahren in Preussen. Während daselbst im Jahre 1875 noch 37 Taubstummenanstalten mit 2351 Zöglingen bestanden, betrug im Jahre 1882 die Zahl der Anstalten 52 mit 3792 Zöglingen.[1]) Im Jahre 1884 befanden sich 3991 Kinder in preussischen Taubstummenschulen. In Bayern wird nur etwa die Hälfte, in Oesterreich nur der vierte, in der Schweiz nur der fünfte Teil der im bildungsfähigen Alter stehenden Taubstummen unterrichtet.

Es wäre zu wünschen, dass sowohl in ganz Deutschland, als auch in den übrigen Ländern es dahin käme, dass sämmtliche Taubstumme unterrichtet und diese unglücklichen Geschöpfe dadurch der geistigen Verwahrlosung entrissen würden.

---

[1]) Zeitschr. des K Pr. Stat. Bureau's. Jahrg. 1883.

Die zur Behandlung des Ohres erforderlichen Instrumente.[1])

Stirnbindenspiegel (Fig. 2, S. 11).

Der Spiegel kann auch an eine Mundplatte befestigt werden.

Satz von 3 Ohrtrichtern (Fig. 1, S. 10).

Ein pneumatischer Ohrtrichter nach Siegle.

Ohrspritze mit Glascylinder (Fig. 10, S. 19).

Der Cylinder ist an seinen Enden mit Gewinde versehen. Die Endstücke der Spritze sind eingeschraubt, nicht eingekittet.

Gummispritze (Fig. 11, S. 20).

Ohrzange (Fig. 9, S. 18).

Ohrsonde (Fig. 8, S. 17).

Gummiballon zur Luftdusche mit folgenden Ansätzen: 1. zum Katheterismus, 2. mit olivenförmigem Ansatze (Fig. 17, 18, 19, S. 39).

Vier verschiedene Nummern von Silberkathetern.

Auskultationsschlauch (Otoskop).

Pulverbläser.

Feste Paukenröhre (Fig. 39, S. 196).

Furunkelmesser (Fig. 24, S. 99).

Etui mit Trommelfellmesser, geknöpftem Messer, Kurette, Häkchen nebst Griff (Fig. 34, S. 144).

Polypenschnürer (Fig. 41, S. 203).

Derselbe Griff ist für Ansatzröhren für die Operation von Nasenpolypen und von adenoiden Wucherungen im Nasenrachenraum zu benutzen.

Stimmgabeln.

Politzer'scher Hörmesser.

---

[1]) Nach meinen Angaben angefertigte Instrumente hat H. Pfau, Dorotheen-Strasse 67, vorrätig.

Register.

Monographien desselben Verfassers.

Experimentelle Studien über die Funktion der Eustachi'schen Röhre. Leipzig, Verlag von Veit & Co., 1879.

Taubstummheit und Taubstummenbildung. Nach den vorhandenen Quellen, sowie nach eigenen Beobachtungen und Erfahrungen bearbeitet. Mit 19 Tabellen. Stuttgart, Verlag von Ferdinand Enke, 1880.

Uebersetzung in's Englische: Deafmutism and the education of Deaf-Mutes by Lip-reading and Articulation With numerous and important Additions written by him expressly for this work. Translated u. enlarged by James Patterson Cassels, M. D. London, Baillière, Tindall and Co., 1881.

Uebersetzung in's Holländische: Kap. 1—3 u. 8—10 De do oïstomhei van een geneeskundig standpunt beschouwd (Vrij bewerkt naar Hartmann's „Taubstummheit und Taubstummenbildung") door J. Schoondermark, Leiden. Rotterdam, Van Hengel & Eeltjes, 1881.

Die Krankheiten des Ohres und deren Behandlung. Kassel, Verlag von Theodor Fischer, 1881.

Die Krankheiten des Ohres und deren Behandlung. Zweite verbesserte und vermehrte Auflage. Berlin, Verlag von Theodor Fischer's med. Buchhandlung, 1884.

Die Krankheiten des Ohres und deren Behandlung. Dritte verbesserte und vermehrte Auflage. Verlag von Fischer's med. Buchhandlung H. Kornfeld, 1885.

Uebersetzung in's Englische: The Diseases of the Ear and their Treatment. Von James Erskine Edinburgh. Young J. Pentland, 1887.

Uebersetzung in's Italienische: Malattie dell' Orecchio e loro Cura. Von Dr. Arturo Guarneri. Antica casa editrice Francesco Vallardi.

Typen der verschiedenen Formen von Schwerhörigkeit, graphisch dargestellt nach den Resultaten der Hörprüfung mit Stimmgabeln verschiedener Tonhöhe. Nebst einer Tafel für die Hörprüfung. Berlin, Fischer's med. Buchhandlung H. Kornfeld, 1886.

Berliner Adressbuch-Druckerei, C. Grunstr. 4.

Lightning Source UK Ltd.
Milton Keynes UK
UKHW010641161218
333983UK00010B/866/P

9 780260 994523